GEORGE ORWELL

BİN DOKUZ YÜZ
SEKSEN DÖRT

Nineteen Eighty-Four, George Orwell

© 1949, Harcourt Inc.

© 1977, Sonia Brownell Orwell

© 1984, Can Sanat Yayınları Ltd. Şti.

Bu eserin Türkçe yayın hakları A.M. Heath & Co. Ltd. ve Anatolialit Telif ve Tercümanlık Hizmetleri Ltd. Şti. aracılığıyla alınmıştır.

1. basım: 1984

42. basım: Eylül 2013, İstanbul

Bu kitabın 42. baskısı 10000 adet yapılmıştır.

Yayına hazırlayan: Ayça Sabuncuoğlu

Kapak tasarımı: Ayşe Çelem Design

Kapak resmi: © iStockphoto.com / Daniel Brunner

Kapak baskı: Azra Matbaası

Litros Yolu 2. Matbaacılar Sitesi D Blok 3. Kat No: 3-2

Topkapı-Zeytinburnu, İstanbul

Sertifika No: 27857

İç baskı ve cilt: Ekosan Matbaası

Litros Yolu 2. Matbaacılar Sit. 2 NF 4-8, Topkapı, İstanbul

Sertifika No: 19039

ISBN 978-975-07-1283-8

CAN SANAT YAYINLARI

YAPIM, DAĞITIM, TİCARET VE SANAYİ LTD. ŞTİ.

Hayriye Caddesi No: 2, 34430 Galatasaray, İstanbul

Telefon: (0212) 252 56 75 / 252 59 88 / 252 59 89 Faks: (0212) 252 72 33

www.canyayinlari.com

yayinevi@canyayinlari.com

Sertifika No: 10758

GEORGE ORWELL

BİN DOKUZ YÜZ SEKSEN DÖRT

ROMAN

İngilizce aslından çeviren

Celâl Üster

George Orwell'ın Can Yayınları'ndaki diğer kitapları:

Hayvan Çiftliği, 2001
Burma Günleri, 2004
Aspidistra, 2005

GEORGE ORWELL, 1903'te Hindistan'ın Bengal eyaletinin Montihari kentinde doğdu. Ailesiyle birlikte İngiltere'ye döndükten sonra, öğrenimini Eton College'de tamamladı. Gerçek adı Eric Arthur olan Orwell, 1922-27 yılları arasında Hindistan İmparatorluk Polisi olarak görev yaptı. Ancak, imparatorluk yönetiminin içyüzünü görünce istifa etti. 1950'de yayımladığı *Bir Fili Vurmak* adlı kitabı, sömürge memurlarının davranışlarını eleştiren makalelerin derlemesidir. İkinci Dünya Savaşı'nın sonlarına doğru yazdığı *Hayvan Çiftliği*, Stalin rejimine karşı sert bir taşlamadır. Orwell'ın en çok tanınan yapıtlarından *Bin Dokuz Yüz Seksen Dört*, bilimkurgu türünün klasik örneklerinden biri olmanın yanı sıra, modern dünyayı protesto eden bir romandır. *Burma Günleri* ise, Orwell'ın Burma'daki (bugünkü Myanmar) İngiliz sömürgeciliğini dile getirdiği ilk kitabıdır. Orwell, 1950'de Londra'da öldü.

CELÂL ÜSTER, 1947'de İstanbul'da doğdu. İngiliz Erkek Lisesi, Robert Academy ve İstanbul Üniversitesi Edebiyat Fakültesi, İngiliz Dili ve Edebiyatı Bölümü'nde öğrenim gördü. İlk çevirileri *Yeni Dergi*'de yayımlandı. 1983'te George Thomson'ın *Tarihöncesi Ege* adlı yapıtının çevirisiyle *Yazko Çeviri* dergisinin Azra Erhat Ödülü'ne değer görüldü. Yaroslav Haşek'ten George Orwell'a, D.H. Lawrence'tan Iris Murdoch'a, Juan Rulfo'dan Jorge Luis Borges'e, Mario Vargas Llosa'dan John Berger'a, Paulo Coelho'dan Roald Dahl'a pek çok yazarın yapıtlarını dilimize kazandırdı.

Bin Dokuz Yüz Seksen Dört:
Bir İnsanlık Karabasanı

George Orwell'ın *Bin Dokuz Yüz Seksen Dört* adlı romanı, bende, yaşamımın farklı dönemlerinde değişik etkiler, farklı izlenimler uyandırmış kitaplardandır. İlkgençlik çağımda ilk kez okuduğumda neler düşünüp neler duyumsadığımı şimdi açık seçik anımsamıyorum. O güne kadar okuduklarıma hiç benzemeyen, yabansı, gizemli bir kitap mı? Ama Winston'ın başından geçenleri ya da başına gelenleri okurken, kendimi, yaşadığımız, en azından benim yaşadığım dünyadan çok başka bir dünyada bulduğumu belli belirsiz de olsa anımsıyorum.

Bin Dokuz Yüz Seksen Dört'ü ikinci okuyuşumda yirmili yaşlarımı sürüyordum ve yaşam beni böylesi bir kitabı okumanın "çok elverişli" bir ortamına çekmiş bulunuyordu: Mamak Askerî Cezaevi'ndeydim. Bu kez, Orwell'ın betimlediği o karanlık görünümün tam içindeymişim gibi gelmişti bana. Hücresinde yatan Winston'ın, dışarıdan kulağına çalınan tekdüze postal seslerini her gün ben de duyuyordum. Yoruma gerek kalmamıştı. *Bin Dokuz Yüz Seksen Dört*, benim yaşadığım hücreler ya da koğuşlardan başka bir şey değildi.

Romanı, son olarak, çevirmeye başlamadan önce geçen yıl okudum. Romanda değişen bir şey yoktu, 1948'de yayımlandığı gibiydi; sözcükler, tümceler, satırlar, paragraflar aynıydı. Neyse ki, aradan geçen onca yıl beni değiştirmişti. Ama kitaplar da okumaya göre değişimlere uğramaz mı biraz da? Burada, Orwell'ın bu başyapıtını yıllar sonra yeniden okuduğumda düşündüklerimi, anladıklarımı anlatmaya çalışacağım.

Neden 1984?

Orwell'ın romanı, *Bin Dokuz Yüz Seksen Dört* adını taşıdığı için, 1984 yılı, yıllar öncesinden bir söylence olup çıkmıştı. Oysa Orwell, başlangıçta, öykünün geçtiği yıl olarak 1980'i seçmiş, kitabın tamamlanması biraz da hastalığı yüzünden uzadıkça ilkin 1980'i 1982 olarak değiştirmiş, daha sonra da 1984'te karar kılmıştı.[1] Sonradan, romanına 1984 yılını tarih biçmesinin nedenini yakın dostu, yazar Julian Symons'a açıklarken, "Kitabın yazımını 1948 yılında tamamladığım için, 1948'in son iki rakamının yerlerini değiştirmeye karar verdim," diyecekti.

Michael Radford'ın kitabın filmini 1984 yılında çekmeyi seçmesi nasıl bir rastlantı değilse, belli ki Erdal Öz'ün romanın Türkçesini Can Yayınları'ndan ilk kez 1984'te yayımlaması da yalnızca bir rastlantı değildi. Şimdi düşünüyorum da, yazarlığının yanı sıra çok iyi bir yayımcı olan Erdal Öz, *Bin Dokuz Yüz Seksen Dört*'ü, öykünün geçtiği yıl gelip çattığında basmaktan derin bir haz duymuştu herhalde.

Nasıl yayımlandı?

George Orwell, *Hayvan Çiftliği*'nin de, *Bin Dokuz Yüz Seksen Dört*'ün de hem pek çoklarınca yanlış anlaşılabileceği hem de İkinci Dünya Savaşı'nın hemen sonrasında sosyalizmi açık düşürmek isteyen tutucu çevrelerce saptırılıp kullanılacağı konusunda yakınları ve dostlarınca az uyarılmamıştı. Ama bu öngörünün de ötesinde, 1984 yılını bile çoktan geride bıraktığımız günümüzde, Orwell'ın güncel kaygıları umursamayan gözüpek seçimini daha da haklı ve değerli kılan bir durum söz konusuydu.

Orwell, 1943 Kasımı'nda yazmaya başladığı *Hayvan Çiftliği*'ni üç ayda bitirmişti. Ne ki, kitap, yalnızca Orwell'ın "Sol"da konuşlanan yayımcısı Victor Gollancz tarafından değil, "Sağ"da yer alan T.S. Eliot'ın yayın yönetmenliğindeki Faber&Faber, dahası Jonathan Cape tarafından da geri çevrilecekti.

---

1. *Nineteen Eighty-Four*, George Orwell, Penguin Books, 1990, "A Note on the Text" (Metne İlişkin Bir Not), Peter Davison, s. v.

Bin Dokuz Yüz Seksen Dört'ün, Alfred A. Knopf'a bağlı Everyman's Library'den çıkan 1992 basımına kapsamlı bir önsöz yazan Julian Symons'ın verdiği bilgiye göre, Gollancz, *Hayvan Çiftliği*'ni okuduktan sonra, "bu nitelikte bir genel saldırı"yı yayımlamasının olanaksız olduğunu söylemişti. Jonathan Cape, kitabı Haberalma Bakanlığı'ndaki bir dostuna göstermiş, o da Sovyetler Birliği'yle ilişkilere zarar verebilecek bir kitabı yayımlamamasını "rica etmişti" Cape'ten. Eliot ise, kitabı övmekle birlikte, Orwell'ın dönemin siyasal konumunu eleştirmek için "doğru bir bakış açısı seçmediğini" ileri sürmüştü. Sonunda, kitabı yayımlamayı, daha önce Orwell'ın *Katalonya'ya Selam* adlı yapıtını yayımlamış ve pek çoklarından "Troçkici" damgası yemiş olan Secker&Warburg üstlenecek, ama o da çekindiği için kitabın basımını savaşın bitiminden üç ay sonraya erteleyecek, 1945 Ağustosu'na kadar geciktirecekti.

Soğuk Savaş

Katalonya'ya Selam'dan yedi yıl sonra yayımlanan *Hayvan Çiftliği*'ne dönersek... Bir çiftlikte yaşayan hayvanlar, kendilerini sömüren insanların yönetimini alaşağı edip eşitlikçi bir toplum oluştururlar, ama zamanla hayvanların daha zeki ve iktidar düşkünü önderleri olan domuzlar devrimi yolundan saptırarak daha da baskıcı ve acımasız bir diktatörlük kurarlar...

İkinci Dünya Savaşı'nın hemen sonrasında, Sovyetler Birliği'yle aralarındaki bağlaşmaya hâlâ önem veren İngilizler, daha önce de değindiğim gibi, Stalin yönetimine yöneltilen bu denli ağır bir yerginin yayımlanmasına karşı çıkmışlardı. Ama çok geçmeden, Soğuk Savaş'ın boy atıp gelişmesiyle birlikte, Batı dünyası, özellikle de ABD'nin en tutucu çevreleri, *Hayvan Çiftliği*'ni, Sovyetler Birliği'ne karşı kullanabilecekleri düşünsel bir araç olarak görmekte gecikmedi. Onların gözünde, Orwell, "nedamet getirmiş bir komünist"; *Hayvan Çiftliği* de, Ekim Devrimi'nin nereye vardığını "tüm açıklığıyla gözler önüne seren" bir kitaptı.

Gel gör ki, Sovyetler Birliği'nin yöneticileri ve onlara bağlı komünistler de, Orwell'ı "dönek" ya da "ajan" olmakla suçluyorlar; *Hayvan Çiftliği*'ni de "karşıdevrimci", "komünizm karşıtı" bir yapıt olarak yerden yere vuruyorlardı.

İki arada bir derede

Burada ilginç olan, *Hayvan Çiftliği*'ni iki tarafın da, kendi politikalarına yarar sağlayacak biçimde değerlendirmesi; Orwell'a da, kendi propagandalarının kara gözlüğüyle bakmasıydı. Başka bir deyişle, iki taraf da, edebiyat tarihinin en ustalıklı yergilerinden birini, kendi gündelik çıkarları açısından, ama birbirine benzemenin de ötesinde hemen hemen aynı yöntemle yorumluyordu.

Diyeceğim, bir çiftlikte yaşayan hayvanların kendilerini acımasızca ezip sömüren insanların yönetimini alaşağı ederek eşitlikçi bir toplum oluşturmaya yöneldikleri, ama iktidar düşkünü domuzların zamanla devrimi yolundan çıkararak en az insanların yönetimi kadar baskıcı bir yönetim kurdukları *Hayvan Çiftliği*'nin iki uçlu yergi mızrağı, Soğuk Savaş'ın iki büyük devletince yürütülen iki uçlu bir saldırının hedefi olup çıkmıştı.

Oysa bugün, Orwell'ın *Hayvan Çiftliği*'nde ne yapmış olduğunu görmek, yayımlandığı yılların "sıcak" ortamına oranla daha kolay. Her şeyden önce, kitabın, Koca Reis Marx mıydı, Napoléon Stalin miydi, Snowball Troçki miydi gibi sorularla gelen güncel ve dolaysız bağlantıların çok ötesinde derinlikler taşıdığı açıktır.

Gözüpek bir uyarı

Bir kere, domuzların çiftliğin yönetimini ele geçirerek kurdukları baskı düzenine yöneltilen keskin yergi, Orwell'ın yıllarca savunduğu sosyalizmin kendisini değil, Stalin'in devrime ihanet edişini, devrimin yolundan saptırılmasını hedef alan bir taşlamadır.

Diyeceğim, *Hayvan Çiftliği*, bir dönemin bağnazlık, körü körüne bağlılık ve aymazlıklarından arınmış bir gözle okunduğunda, dönemin Sovyetler Birliği'ne yöneltilen eleştirinin temelinde, 1990'ların başında "zeval bulan" sosyalist uygulamanın bağrında taşıdığı düşkünlükleri hedefleyen yürekli bir yerginin, gözüpek bir uyarının yattığı görülecektir.

Sonra, *Hayvan Çiftliği*, daha insanca, daha eşitlikçi, daha ileri bir toplum düzenini amaçlayan sosyalizmin yolundan saptırılmasının yerilmesiyle sınırlı bir kitap da değildir. Yapıt, belirli bir siyasal öğretinin "inanç gözlüğü"yle değil de, serinkanlı, dingin bir bağımsızlığın "nesnel gözlüğü"yle okunmaya çalışıldığında, Orwell'ın, domuzların yönettiği çiftliği ortadan kaldırmak isteyen "dış dünya"ya, yani çevre çiftlikleri yöneten insanlara yönelttiği taşlamanın daha hafif ve etkisiz olmadığı görülecektir.

Orwell'ın, iki başyapıtından biri olan *Hayvan Çiftliği*'ni, hayvanların eski efendileri insanlar ile yeni efendileri domuzların Çiftlik Evi'nde bir şölen sofrasının başında toplandıkları o unutulmaz sahneyle bitirmesi, hiç kuşkusuz boşuna değildir.

Dışarıdaki hayvanlar, yüzlerini cama dayayıp şölen sofrasında olup biteni izlerken, domuzların yüzlerinde bir tuhaflık sezerler:

"İçeride on ikisi de öfkeyle bağırıyor, on ikisi de birbirine benziyordu. Artık domuzların yüzlerine ne olduğu anlaşılmıştı. Dışarıdaki hayvanlar, bir domuzların yüzlerine, bir insanların yüzlerine bakıyor, ama birbirlerinden ayırt edemiyorlardı."

"Bir Peri Masalı"

Hayvan Çiftliği'nin Türkçe çevirisi için yazdığım önsözde, kitabın "Bir Peri Masalı" altbaşlığına, kimi basımlar ve çevirilerde yer verilmediğini vurgulamıştım. Evet, kimi yayımcılar, "Bir Peri Masalı" altbaşlığını kitabın kapağında kullanırlarsa, *Hayvan Çiftliği*'nin bir çocuk kitabı olarak algılanabileceğinden, yetişkinler tarafından alınmayabileceğinden çekinmişlerdi büyük olasılıkla. *Hayvan Çiftliği*'nin 2001'de yaptığım yeni çevirisi Can Yayınları'nda yayımlanırken, kitabın bu altbaşlıkla basılmasını istemiş, önsözü de "Evet, *Hayvan Çiftliği*, korkunç sonla biten bir 'peri masalı'dır" diye bitirmiştim.

Bu altbaşlık, kuşkusuz, *Hayvan Çiftliği*'nin, İngiliz edebiyatının Jonathan Swift'ten Aldous Huxley'e uzanan sağlam yergi geleneğinin bir parçası olduğunu gösteriyordu. Bugün yarım yüzyıldan fazla bir zaman öncenin anıştırmalarını bir an için bir yana bıraktığımızda, Marx'ı, Stalin'i, Troçki'yi, İkinci Dünya Savaşı'nın bağlaşmalarını hiç bilmeyen bir okur bile, Orwell'ın klasik bir çocuk öyküsü anlatımıyla kaleme aldığı bu yapıttan insanlık dersleri çıkarabilir, diye düşünüyorum.

Bir karşı-ütopya

Gelelim *Bin Dokuz Yüz Seksen Dört*'e...

Orwell, *Hayvan Çiftliği*'nden kazandığı parayla, İskoçya' nın batı kıyısı açıklarında, Hebridler'deki Jura adasında bir ev almıştı. 1946 yazında *Bin Dokuz Yüz Seksen Dört*'ü bu evde yazmaya başladığında, bir yandan da verem tedavisi görüyor, sık sık hastaneye yatıyordu. Romanın ilk taslağını 1947 güzünün başlarında tamamlamış, sağlığının adamakıllı kötülediği ve acı çektiği 1948'in yaz ve güzü boyunca kitabın tümünü gözden geçirerek yeniden daktiloya çekmişti.

O sıralar, Julian Symons'a yazdığı bir mektupta, "Yeni kitabım, roman biçiminde bir ütopya," diyordu. Evet, her şeyin tümüyle devletin denetiminde olduğu, bellekten yoksun bırakılmış, her türlü muhalefetin yok edildiği bir toplum tehlikesine karşı bir uyarı niteliğindeki *Bin Dokuz Yüz Seksen Dört*, en genel anlamıyla bir "ütopya"dır, ama Orwell'ın bu yapıtını "karşı-ütopyacı bir roman" olarak nitelemek sanırım daha doğru olacaktır. Bilindiği gibi, Platon'un *Devlet*'inde, Thomas More'un *Ütopya*'sında, Tommaso Campanella'nın *Güneş Ülkesi*'nde, Francis Bacon'ın *Yeni Atlantis*'inde toplumsal, ekonomik, felsefi ya da dinsel açıdan "kusursuz bir düzen" betimlenir. *Bin Dokuz Yüz Seksen Dört* ise, tıpkı Jack London'ın *Demir Ökçe*'si, Yevgeni Zamyatin'in *Biz*'i, Aldous Huxley'nin *Cesur Yeni Dünya*'sı gibi bir karşı-ütopyadır. Ütopyalarda insanlığa sunulan bir "düş"tür, karşı-ütopyalarda ise bir "karabasan".

Öte yandan, kimilerince ileri sürüldüğü gibi bir "bilimkurgu romanı" da, "sosyalizme karşı doğrudan bir saldırı" da değildi *Bin Dokuz Yüz Seksen Dört*. Daha çok, dönemin toplumunun bağrında yatan olası tehlikelerin bir izdüşümüydü. Nitekim, Orwell, ABD'deki bir sendikacıya yazdığı mektupta, "[Kitapta] anlattığım toplumun bir gün mutlaka gerçek olacağına inandığımı söyleyemesem de, ona benzer bir toplumun gerçek olabileceğine inandığımı söyleyebilirim," diyordu.

Büyük gözaltı

Bin Dokuz Yüz Seksen Dört'te anlatılan toplum düzeni, bir "büyük gözaltı"dır. Güç ve iktidarın sınırsızca uygulandığı, bellek, düşünce, dil ve aşkın iğdiş edilerek özgürlüklerin tümden ortadan kaldırıldığı bu "büyük gözaltı"nı en sağlıklı yorumlayanlardan biri de, kanımca, Erich Fromm'dur:

"George Orwell'ın *Bin Dokuz Yüz Seksen Dört*'ü, bir ruh halinin dile getirilmesi ve bir uyarıdır. Dile getirilen ruh hali, insanoğlunun geleceğine ilişkin handiyse bir umarsızlık, uyarı ise, tarihin akışı değişmediği sürece dünyanın dört bir yanındaki insanların en insani niteliklerini yitirecekleri, ruhsuz otomatlara dönüşecekleri, üstelik bunun farkına bile varmayacaklarıdır. (...) Orwell, öteki olumsuz ütopyaların yazarları gibi, bir felaket kâhini değildir. Bizi uyarmak ve uyandırmak ister. Hâlâ umudu vardır; ama Batı toplumunun daha önceki evrelerindeki ütopyaların yazarlarının tersine, umarsız bir umuttur bu. *Bin Dokuz Yüz Seksen Dört*, bize, bu umudun ancak, bugün tüm insanların karşı karşıya oldukları tehlikenin, bireyselliği, aşkı, eleştirel düşünceyi tümden yitireceği gibi, (...) bunun ayırdına bile varamayacak bir otomatlar toplumu olup çıkma tehlikesinin farkına vararak kavranabileceğini öğretir. Orwell'ın bu yapıtı gibi kitaplar güçlü birer uyarıdır; okuyucu, *Bin Dokuz Yüz Seksen Dört*'ü, yüzeysel bir biçimde Stalinci barbarlığın bir başka tanımlaması olarak yorumlamakla yetinir ve bizi de [Batı] kastettiğini görmezse çok yazık olur..."[1]

Bin Dokuz Yüz Seksen Dört'le ilgili temel sorulardan birinin yanıtı, belki de Fromm'un bu sözlerinde saklıdır. Kitabı çevirirken de hep sordum kendi kendime: Orwell, bu yapıtını, salt Stalin'in "sosyalist uygulamaları"na, 1930'lar ve 1940'ların Sovyetler Birliği'nde oluşturulan baskı yönetimine karşıt düşüncelerin ürünü olarak kaleme almış olsaydı, *Bin Dokuz Yüz Seksen Dört*, yazılışından altmış yılı aşkın bir süre sonra, başka bir deyişle sosyalizmin en azından Sovyetler Birliği ve Doğu Avrupa ülkelerinde uygulandığı biçimiyle ortadan kalktığı günümüzde, bir modern klasik niteliği kazanarak okurları derinden etkilemeyi sürdürebilir miydi?

1. *1984*, George Orwell, Signet Classics, 1977, "Afterword" ("Sonsöz"), Erich Fromm, s. 313, 325-26.

15

Kitabın satırları arasında ilerledikçe, bu sorunun ardından bir başka soru daha takıldı kafama: *Bin Dokuz Yüz Seksen Dört*, yalnızca, gelecekte oluşabilecek totaliter bir otomatlar toplumuna yönelik duyarlı, bilgece bir uyarı mıydı, yoksa bu romanın betimlediği karabasanlarda, içinde yaşadığımız günümüz toplumlarının, gerçek dünyanın görünen/görünmeyen, belli/belirsiz, açık/örtük izleri ile gizlerine mi tanık oluyorduk?

Karanlıkta bir sis çanı

Bana kalırsa, *Bin Dokuz Yüz Seksen Dört*, kuşkusuz, insanlığı bekleyen bir "total totalitarizm" tehlikesine karşı edebiyatın bağrından yükselen bir uyarı çığlığıdır. Ama aynı zamanda, günümüz toplumlarında gücü elinde tutmak, iktidarı sürdürmek uğruna uygulanan yönetsel, dinsel, dilsel, ulusal, budunsal, ahlaksal, eğitsel baskılar, zorbalıklar, dayatmaların karanlığı içinden kulağımıza çalınan bir sis çanıdır. Orwell'ın romanı, "geniş zaman"lı ve evrensel olmasının yanı sıra, "şimdiki zaman"lı ve günceldir de. Miladi 1984 yılı çoktan gelip geçmiş olmasına karşın, *Bin Dokuz Yüz Seksen Dört*'ün geçtiği 1984 yılı, hem içinde yaşadığımız bir karabasan hem de her an yaşayabileceğimiz olası bir korkulu düş olarak önümüzde durmaktadır. Orwell'ın yapıtını, yayımlandığı günden bu yana elimizden bırakamamamızın nedeni de bu olsa gerektir.

"Çiftdüşün" işlemi

Orwell'ın betimlediği dünyada, gerçekliğin denetim altında tutulabilmesi için, bellekten ve geçmişten yoksun bir toplumun yaratılması büyük önem taşır. İktidarı ellerinde tutanlar, kitlelere sürekli hükmedebilmek için, Eskisöylem'de "gerçeklik denetimi", Yeni söylem'de "çiftdüşün" denen bir işlem geliştirmişlerdir:

"... Hem bilmek hem de bilmemek, bir yandan ustaca uydurulmuş yalanlar söylerken bir yandan da tüm gerçeğin ayırdında olmak, çeliştiklerini bilerek ve her ikisine de inanarak birbirini çürüten iki görüşü aynı anda savunmak, mantığa karşı mantığı kullanmak, ahlaka sahip çıktığını söylerken ahlakı yadsımak, hem demokrasinin olanaksızlığına hem de Parti'nin demokrasinin koruyucusu olduğuna inanmak; unutulması gerekeni unutmak, gerekli olur olmaz yeniden anımsamak, sonra birden yeniden unutuvermek; en önemlisi de, aynı işlemi işlemin kendisine de uygulamak..."

Bellek deliği

Winston'ın "Gerçek Bakanlığı"ndaki küçük odasında bulunan basınçlı boruların birinden eski gazetelerin düzeltilmesi gereken sayıları, birinden de yazılı mesajlar gelir. Mesajlarda, nelerin nasıl düzeltileceği yazılıdır. Örneğin, *Times* gazetesinin belirli bir sayısında gerekli görülen tüm düzeltmeler bir araya getirilir getirilmez o sayı yeniden basılır, asıl sayı yok edilir ve arşivde asıl sayının yerini düzeltilmiş sayı alır. Üstelik bu değiştirme işlemi yalnızca gazeteler için değil, kitaplar, süreli yayınlar, broşürler, posterler, filmler, ses bantları, karikatürler, fotoğraflar, siyasal ya da ideolojik bakımdan önem taşıyabilecek her türlü kitap ve belge için de geçerlidir. Giderek geçmiş, günü gününe, dakikası dakikasına "güncellenir". Böylece, hem Parti'nin tüm öngörülerinin ne kadar doğru olduğu belgeleriyle kanıtlanmış olur hem de günün gereksinimleriyle çelişen tüm haber ve görüşler kayıtlardan silinir. Artık tüm tarih, "gerektikçe sık sık kazınan ve yeniden yazılan bir palimpsest[1]"e dönüşmüştür. Yok edilmesi gereken belgeler ise, bellek deliği denen bir yarıktan içeri atılır ve binanın gizli bir köşesindeki dev fırınları boylar.

İnsan, kendi belleği dışında hiçbir kayıt kalmayınca, en belirgin gerçeği bile nasıl kanıtlayabilir ki? Kaldı ki, belleğinizde kalanlar ve bildikleriniz de 101 Numaralı Oda'daki "işlemler"le tertemiz edilecek, tüm bunların sonucunda toplumun ve bireyin belleğinden geriye hiçbir şey kalmayacak, tekmil tarih ve geçmiş Parti'nin istemine uygun bir biçime bürünecektir.

1. Eski çağlarda, üstündeki yazılı metnin bütünüyle ya da kısmen silinmesinden sonra yeni bir metnin yazıldığı rulo ya da kitap sayfası biçiminde parşömen. Kimileri, eldeki parşömeni kullanmak yeni bir parşömen edinmekten daha ucuz olduğu için bu yola gidildiğini ileri sürerler. Kimileri de, bu uygulamanın nedenini, pagan Yunan metinlerinin yazılı olduğu parşömenlere Hıristiyan metinlerini geçirerek dinsel bir amacı gerçekleştirme olarak açıklarlar. (Ç.N.)

Aykırı düşünen buharlaşır!

Kuşkusuz, bir de "düşüncesuçu" vardır. Sözgelimi, günce tutmak bile tehlikeli bir suçtur. Düşünce Polisi sürekli ensenizdedir. Tutuklamalar her zaman geceleyin yapılır. Ansızın irkilerek uyanırsınız, hoyrat bir el omzunuzu sarsar, gözlerinize ışıklar tutulur, yatağınızı acımasız yüzler çevreler. Çoğu zaman ne yargılama olur ne de bir tutuklama raporu tutulur. Ortadan kayboluverirsiniz. Adınız kayıtlardan silinir, yaptığınız her şeyin kaydı yok edilir, bir zamanlar var olduğunuz bile yadsınır, sonra da tümden unutulur. Kökünüz kazınır, külünüz havaya savrulur; onların deyişiyle "buharlaşırsınız"...

Duvarlara asılı posterlerdeki Büyük Birader'in gözü hep üstünüzdedir. Ama yalnızca posterlerden bakan o yüz değil. Her eve yerleştirilmiş olan tele-ekranlar, aynı anda hem yayın yapabilir hem de görüntü ve sesleri kayda alır. Tele-ekranın görüş alanı içinde bulunduğunuz sürece hem işitilebilir hem de görülebilirsiniz. Gel gör ki, ne zaman izlenip ne zaman izlenmediğinizi anlamanız olanaksızdır. Düşünce Polisi'nin, kimi ne kadar sıklıkla izlediği bilinemez; alıcıyı istedikleri zaman çalıştırabilirler. Daha da ürküncü, söylediklerinizin her an işitilebileceği, karanlıkta olmadığınız sürece her hareketinizin görülebileceği varsayımı içgüdüsel bir alışkanlık olup çıkar, artık hep bu varsayımla yaşamak zorundasınızdır ve yaşarsınız da...

"Çoğunluk ne der?"

Burada ilginç olan, Orwell'ın, Büyük Birader'in gözünün hep insanların üstünde olduğu bir toplum düzenini anlatırken, bize, bugün yaşadığımız toplumda hep duyduğumuz bir kaygıyı da anımsatmasıdır: İktidarı ellerinde tutanların uyguladıkları baskıların da ötesinde, "Başkaları ne der?" kaygısı... Düşünmenin, yerleşik anlayışa karşı düşüncelerimizi dile getirmenin, alışılmış davranışlara aykırı davranışlarda bulunmanın, dahası egemen ahlaka ters düşen aşklara kapılmanın eşiğine geldiğimizde, "Çoğunluk ne der?" sorusunu aklımıza düşüren kaygı... Okyanusya'da simgeleşen egemen toplum düzeni, bir anlamda, "mahalle baskısı"nın siyasal iktidarı ele geçirmiş bir yansıması, sistemleştirilmiş bir biçimidir belki de...

İnsanların Okyanusya'daki yaşamlarına bir karabasan gibi çöken korku, kaygı ve tedirginlik, benim aklıma hep Franz Kafka'nın *Dava* adlı romanını getirmiştir. Banka memuru Joseph K.'nın bir sabah tanımadığı kişilerce uyandırılarak bilmediği bir suçtan tutuklanmasıyla başlayan, gizlerle dolu bir yargı düzeneğinin içinde yitip gitmesiyle süren *Dava*'nın satırlarında dile getirilen elle tutulmaz, gözle görülmez korkulu düş, *Bin Dokuz Yüz Seksen Dört*'ün sayfalarında tüm bir toplumun yaşamak zorunda kaldığı somut bir düzene dönüşmüştür sanki.

Egemen öğretiye Yenisöylem

Okyanusya'da, düşünmek bile suçtur, ama "düşüncesuçu" işlemeye bile olanak bırakmayacak bir yöntem daha vardır. Okyanusya'nın resmî dili olan Yenisöylem, yönetimin ideolojik gereksinimlerini karşılama amacıyla oluşturulmuştur. Yenisöylem'in amacı, yalnızca egemen ideoloji İngsos'un (İngiliz Sosyalizmi) sadık izleyicilerinin dünya görüşü ve düşünsel alışkanlıklarına uygun düşecek bir anlatım ortamı sağlamak değil, aynı zamanda bütün öteki düşünce biçimlerini olanaksız kılmaktır. İnsanlar sözcüklerle düşündüklerine göre, Yenisöylem tümden benimsendiği ve Eskisöylem tümden unutulduğunda, her türlü "sapkın düşünce" olanaksız kılınmış olacaktır.

Yenisöylem'in sözdağarcığı, bir Parti üyesinin dile getirmek isteyebileceği her anlamı tümüyle doğru ve çoğu zaman da çok ustaca karşılayacak, buna karşılık tüm öteki anlamları ve onlara dolaylı yöntemlerle ulaşma olasılığını ortadan kaldıracak biçimde oluşturulmuş; bu da, bir ölçüde yeni sözcükler icat ederek, ama daha çok, istenmeyen sözcükleri ayıklayarak ya da bu tür sözcükleri sapkın anlamlarından ve her türlü ikincil anlamlarından elden geldiğince arındırarak gerçekleştirilmiştir.

Örnek vermek gerekirse: "Özgür" sözcüğü Yenisöylem'den çıkarılmış değildir, ama yalnızca "Sokağa çıkmakta özgürsün" ya da "Ormanda özgürce gezebilirsin" gibi deyişlerde kullanılabilmektedir. Eskiden olduğu gibi "siyasal özgürlük" ya da "düşünsel özgürlük" anlamında kullanılamamaktadır, çünkü siyasal ve düşünsel özgürlükler artık birer kavram olarak bile kayıplara karışmış, o yüzden de adlandırılmalarına gerek kalmamıştır.

Ama bu kadarla da yetinilmemiş, egemen öğretiden sapan sözcüklerin kaldırılması dışında, sözcük sayısını azaltmak başlı başına bir amaç olarak görülmüş, vazgeçilebilecek hiçbir sözcük yaşatılmamıştır. Yenisöylem, insanların düşünce ufkunu genişletecek biçimde değil, daraltacak biçimde düzenlenmiştir.

Erotizm tehlikesi!

Okyanusya'da, insanlara getirilen en ağır baskılardan biri de cinsellik alanındadır. Parti'nin amacı, yalnızca kadınlarla erkekler arasında sonradan denetleyemeyeceği bağlılıkların oluşmasını önlemek değildir. Asıl amaç, sevişmekten zevk almayı tümden yok etmektir. Erotizm "düşman" olarak görülür. Parti üyeleri arasındaki evliliklerin bir kurul tarafından onaylanması gerekir. Gerçi bu kural hiçbir zaman açıkça dile getirilmez, ama birbirlerini fiziksel olarak çekici buldukları izlenimi uyandıran çiftlerin evlenmesine de izin verilmez. Evliliğin kabul gören tek bir amacı vardır, o da Parti'ye hizmet edecek çocuklar dünyaya getirmektir. O yüzden, cinsel ilişkiye, "lavman yapmaktan farksız, hiç de iç açıcı olmayan sıradan bir işlem" olarak bakılır. Üstelik bu da açıkça dile getirilmez, çocukluklarından başlayarak dolaylı bir biçimde Parti üyelerinin beyinlerine işlenir.

Şimdi ve gelecek

Bin Dokuz Yüz Seksen Dört, okuyucuyu, geçmişin, belleğin, düşünmenin, dilin, başkaldırının, aşk ve erotizmin yok edildiği bir toplumda yaşanan insanlık karabasanıyla yüz yüze getirdiği içindir ki, yazıldığı ve yayımlandığı dönemin güncelliklerinin çok ötesinde bir yapıttır. Bu karabasanın ürkünç labirentinde yolumuzu ararken, içinde yaşadığımız gerçek dünyanın önyargıları, hoşgörüsüzlükleri, bağnazlıkları, baskı ve zorbalıkları, kayıtsızlık ve horgörüleri çıkar karşımıza. Evet, Orwell'ın bu kitabı yalnızca geleceğe ilişkin değil, günümüze ilişkin de bir uyarıdır. Belki de, gelecek şimdi olduğunda artık çok geç olacağına ilişkin bir uyarı.

CELÂL ÜSTER, Aralık 2010

Elinizdeki çeviriye ilişkin bir açıklama

Pek çok yazar, yapıtına son biçimini verinceye kadar birçok değişiklik yapar. Hemen her yapıt, son biçimini alıncaya kadar, birçok değişikliğe uğrar. *Bin Dokuz Yüz Seksen Dört* de, hiç kuşkusuz, yalnızca yazımı boyunca değil, basımı sırasında da birtakım değişimlerden geçmiştir. Ama Secker&Warburg'un 1951 basımında bir baskı hatası var ki, burada değinmeden geçemeyeceğim.

Romanın sonlarında geçen "2 x 2 = 5" formülündeki "5" rakamı baskı kalıbından düşmüş ve bu hata, kitabın Secker&Warburg ve Penguin Books'tan çıkan özel 1984 basımları da dahil olmak üzere birçok İngilizce basımında yinelenmiştir.[1] Oysa, söz konusu formülde "5" rakamının bulunmaması, Orwell'ın burada bize anlatmak istediğine tümden ters düşmektedir. Çünkü, özgün metinde, Winston'ın, masanın üstündeki toz tabakasına parmağıyla "2 x 2 = 5" diye yazması, onun Büyük Birader'e kayıtsız şartsız teslim olduğunu anlatmaktadır. Formülün yanlışlıkla "2 x 2 = " diye, yani "5" rakamından yoksun olarak basılması ise, ister istemez okuru yanlış yönlendirmekte, okurun Winston'ın hâlâ bir duraksama içinde olduğunu, dahası belki de kendisine uygulanan baskılara hâlâ direnebildiğini düşünmesine yol açmaktadır.

Bu can alıcı baskı yanlışına değinmeden edemeyişimin bir nedeni de, Can Yayınları'ndaki eski çeviride, o yanlış basımlar-

---

1. *Nineteen Eighty-Four*, George Orwell, Penguin Books, 1990, "A Note on the Text" ("Metne İlişkin Bir Not"), Peter Davison, s. vii.

dan biri temel alındığı için olsa gerek, aynı hatanın tam yirmi dokuz basım boyunca sürdürülmüş olmasıdır.[1] Bu arada, yirmi altı yıl boyunca sürüp giden bu hatanın, Can Yayınları'nın genel yayın yönetmenliğini üstlendiğim 2004-2009 arasındaki beş yılında benim de payım bulunduğunu itiraf etmem sanırım doğru olacaktır.

Bin Dokuz Yüz Seksen Dört'ü onca yıl sonra neden yeniden çevirdiğime gelince... Kimi çeviriler zamanla eskiyor. Pek çok çeviri zamana dayanamıyor, geçerliliğini yitiriyor. Sözünü ettiğim eskime, ille de çeviride kullanılan dilin eskimiş olmasından kaynaklanmıyor. Bazen dili eskimiş bir çevirinin dilini yenileştirdiğimiz zaman da pek o kadar yenilenmediğini görebildiğimiz gibi, dili eskimiş gibi görünen nitelikli bir çevirinin olanca canlılığını, okunabilirliğini koruduğunu da görebiliyoruz. Kanımca, asıl önemlisi, çevirmenin bir kitabı çevirirken ortaya koyduğu çeviri duyarlılığının eskimesi; bir de, zamanla, o kitaba ya da yazara ilişkin kavrayışımızın değişmesi, derinleşmesi.

Aradan geçen zaman, birçok çevirinin eksiklerini, yanlışlarını, yetersizliğini ortaya çıkarıyor. O yüzden, on yıl kadar önce çevirmiş olduğum *Hayvan Çiftliği*'nin ardından *Bin Dokuz Yüz Seksen Dört*'ü de çevirmeye karar verdim. Ama bu kararımda, Orwell'ın bu iki başyapıtının tek bir çevirmenin elinden çıkmasının sağlayacağı tutarlılığın da payı olduğunu söylemeliyim.

"Bir Peri Masalı" altbaşlığını taşıyan *Hayvan Çiftliği*'nin yalın, süssüz dilinden sonra, *Bin Dokuz Yüz Seksen Dört*'ün, Winston ile Julia'nın yakınlaştıkları birkaç yerde insancıl, sokulgan, sevecen, duygulu bir niteliğe bürünmekle birlikte, baştan sona ürkünç, tüyler ürpertici içeriğine uygun düşen mesafeli, "soğuk" anlatımını dilimize ne ölçüde yansıtabildiğime, kuşkusuz, siz karar vereceksiniz.

CELÂL ÜSTER

---

1. *Bin Dokuz Yüz Seksen Dört*, George Orwell, Çeviren: Nuran Akgören, Can Yayınları, 29. basım, Aralık 2010, s. 288.

Birinci bölüm

I

Pırıl pırıl, soğuk bir nisan günüydü; saatler on üçü vuruyordu. Dondurucu rüzgârdan korunmak için çenesini göğsüne gömmüş olan Winston Smith, bir toz burgacının da kendisiyle birlikte içeri dalmasını önleyecek kadar hızlı olmasa da, Zafer Konutları'nın cam kapılarından çabucak içeri süzüldü.

Binanın girişi, kaynatılmış lahana ve eskimiş keçe kokuyordu. Hemen karşıki duvara, içerisi için epeyce büyük sayılabilecek, renkli bir poster asılmıştı. Posterde, bir metreden geniş, kocaman bir yüz görülüyordu: kırk beş yaşlarında, kalın siyah bıyıklı, sert bakışlı, yakışıklı bir adamın yüzü. Winston merdivene yöneldi. Asansörü denemeye gerek yoktu. En iyi dönemlerde bile pek ender çalışırdı; kaldı ki, son günlerde gündüz saatlerinde elektrik kesintisi uygulanıyordu. Nefret Haftası'nın hazırlıkları kapsamında alınan tutumluluk önlemlerinin bir parçasıydı bu. Daire yedinci kattaydı; otuz dokuz yaşında olan ve sağ ayak bileğinin üzerinde iri bir çıban bulunan Winston, merdiveni ikide bir durup dinlenerek ağır ağır çıkıyordu. Her katta, asansörün tam karşısına asılmış olan posterdeki kocaman yüz duvardan ona bakıyordu. Resim öyle yapılmıştı ki, gözler her davranışınızı izliyordu sanki. Posterin altında, BÜYÜK BİRADER'İN

GÖZÜ ÜSTÜNDE yazıyordu.

İçeride, inceden bir ses, pik demir üretimiyle ilgili olduğu anlaşılan birtakım rakamlar okuyordu. Ses, sağdaki duvarın bir bölümünü kaplayan ve donuk bir aynayı andıran dikdörtgen bir madeni levhadan geliyordu. Winston düğmelerden birini çevirince ses kısılır gibi oldu, ama sözcükler hâlâ seçilebiliyordu. Aygıt (tele-ekran deniyordu) hafifçe karartılabiliyorsa da, tümüyle kapatılamıyordu. Winston pencereye ilerledi; ufak tefek, kavruk bir adamdı, ama Parti üniforması mavi tulumun içinde çelimsizliği pek o kadar belli olmuyordu. Saçının rengi çok açık, yüzü pespembeydi, teni kötü sabun kullanmaktan, kör jiletlerle tıraş olmaktan ve kısa bir süre önce sona eren kışın soğuğundan hışır hışır olmuştu.

Dışarının soğuğu, kapalı pencereden bakıldığında bile belli oluyordu. Aşağıda, sokakta rüzgâr, tozları ve yırtık kâğıt parçalarını burgaç gibi döndürüyordu; güneşin parlaklığına ve göğün koyu mavisine karşın, dört bir yana asılmış posterler dışında her şey renksiz gibiydi. Nereye baksanız, siyah bıyıklı surat karşınızdaydı. Biri de hemen karşıki evin ön cephesindeydi. BÜYÜK BİRADER'İN GÖZÜ ÜSTÜNDE yazan posterdeki kapkara gözler Winston'ın gözlerine dikilmişti. Sokakta, bir köşesi yırtılmış başka bir poster rüzgârla inip kalktıkça, altından İNGSOS sözcüğü bir görünüp bir yok oluyordu. Uzaklarda bir helikopter damların arasından alçaldı, kocaman masmavi bir sinek gibi bir an havada asılı kaldı, sonra bir eğri çizerek ok gibi ileri atıldı. Pencerelerden insanların evlerini gözetleyen polis devriyesiydi bu. Ne ki, devriyeler önemli sayılmazdı. Bir tek Düşünce Polisi önemliydi.

Winston'ın arkasındaki tele-ekrandan gelen ses hâlâ pik demir üretimi ve Dokuzuncu Üç Yıllık Plan hedeflerinin aşılmasıyla ilgili bir şeyler zırvalayıp duruyordu.

Tele-ekran aynı anda hem alıcı hem de verici işlevi görüyordu. Fısıltıyla konuşmadığı sürece Winston'ın çıkardığı her ses tele-ekran tarafından alınıyordu; dahası, madeni levhanın görüş alanında kaldığı sürece Winston işitilmekle kalmıyor, görülebiliyordu da. Hiç kuşkusuz, ne zaman izlendiğinizi anlamanız olanaksızdı. Düşünce Polisi'nin, kime ne zaman ve hangi sistemle bağlandığını kestirmek çok zordu. Herkesi her an izliyor da olabilirlerdi. Ama size istedikleri zaman bağlanabildikleri açıktı. Çıkardığınız her sesin duyulduğunu, karanlıkta olmadığınız sürece her hareketinizin gözetlendiğini varsayarak yaşamak zorundaydınız; zorunda olmak ne söz, artık içgüdüye dönüşmüş bir alışkanlıkla öyle yaşıyordunuz.

Winston sırtını tele-ekrana verdi. Gerçi, çok iyi bildiği gibi, bir sırt bile bir şeyleri ele verebilirdi, ama yine de böylesi daha güvenliydi. Winston'ın çalıştığı Gerçek Bakanlığı, bir kilometre ötede, kirli manzaranın üzerinde koskocaman ve bembeyaz yükseliyordu. Burası, diye düşündü belli belirsiz bir hoşnutsuzlukla, burası Londra'ydı, Okyanusya'nın üçüncü en kalabalık eyaleti Havaşeridi Bir'in ana kenti. Bu kent eskiden de az çok böyle miydi? Çocukluğunun Londra'sını anımsayabilmek için belleğini zorladı. Yanları ahşap çatkılarla desteklenmiş, pencereleri mukavvalarla yamanmış, damlarına oluklu demir levhalar döşenmiş, eğri büğrü bahçe duvarları sağa sola bel vermiş, çürüyeduran on dokuzuncu yüzyıl evlerinin bu görünümü eskiden beri hep var mıydı? Ya sıva tozlarının havada dolandığı ve moloz yığınlarının üstünü söğüt otlarının sardığı bombalanmış yöreler; bombaların daha geniş bir alan açtığı ve kümesten farksız çirkin ahşap kulübelerin belirdiği yerler? Ama boşuna, anımsayamıyordu: Çocukluğundan geriye, belli belirsiz, silik, bir görünüp bir kaybolan bir dizi resimden başka bir şey kalmamıştı.

Gerçek Bakanlığı –Yenisöylem'de[1] Gerbak– görünürdeki bütün öteki nesnelerden ilk bakışta ayrılıyordu. Piramit biçimindeki koskocaman parlak beyaz beton yapının yüksekliği üç yüz metreydi. Beyaz cephesine zarif harflerle yazılmış üç Parti sloganı, Winston'ın durduğu yerden az çok okunabiliyordu:

SAVAŞ BARIŞTIR
ÖZGÜRLÜK KÖLELİKTİR
CAHİLLİK GÜÇTÜR.

Söylenenlere bakılırsa, Gerçek Bakanlığı'nın yerüstündeki üç bin odasının yeraltında da uzantıları bulunuyordu. Londra'nın çeşitli yerlerinde benzer görünüş ve büyüklükte yalnızca üç yapı daha vardı. Çevrelerindeki yapılar bunların yanında o denli küçük kalıyordu ki, bu dört yapı Zafer Konutları'nın çatısından aynı anda görülebiliyordu. Tüm bir yönetim aygıtının bölüştürüldüğü dört Bakanlık bu yapılardaydı: Haberler, eğlence, eğitim ve güzel sanatlara bakan Gerçek Bakanlığı; savaşlarla ilgilenen Barış Bakanlığı; yasa ve düzeni sağlayan Sevgi Bakanlığı ve ekonomi işlerinden sorumlu Varlık Bakanlığı. Bunların Yenisöylem'deki adları Gerbak, Barbak, Sevbak ve Varbak'tı.

En korkunçları, Sevgi Bakanlığı'ydı. Tek bir penceresi bile yoktu. Winston, Sevgi Bakanlığı'na girmek şöyle dursun, yarım kilometreden fazla yaklaşmamıştı. Resmî bir göreviniz olmadığı sürece içeriye girmek olanaksızdı; resmî görevliler de içeriye ancak tel örgülerin arasından dolanarak, çelik kapılardan ve gizli makineli tüfek yuvalarının arasından geçerek girebiliyorlardı. Bakanlığın dı-

---

1. Yenisöylem, Okyanusya'nın resmî diliydi. Yapısı ve kökenine ilişkin açıklamalar için Ek'e bakınız. (Yazarın notu.)

şındaki bu barikatlara açılan sokaklarda bile siyah üniformalı, goril suratlı muhafızlar ellerinde coplarıyla kol geziyorlardı.

Winston birden geri döndü. Yüzüne dingin, iyimser bir ifade oturtmuştu; tele-ekrana bakarken böylesi daha uygundu. Odayı geçip küçük mutfağa girdi. Bakanlıktan günün bu saatinde ayrılmakla kantindeki öğle yemeğini feda etmişti, üstelik mutfakta ertesi günün kahvaltısına saklanması gereken bir parça esmer ekmekten başka bir şey olmadığını biliyordu. Raftan, içinde renksiz bir sıvı bulunan, düz beyaz etiketinde ZAFER CİNİ yazan bir şişeyi aldı. Kapağını açınca, Çinlilerin pirinç ruhunu andıran, ağır, tiksinç bir koku çarptı burnuna. Bir çay kaşığı kadar doldurdu, geçireceği sarsıntıya kendini hazırladı ve ilaç içer gibi içiverdi.

Ansızın yüzü kıpkırmızı oldu, gözlerinden yaş boşandı. Kezzap gibi bir şeydi içtiği; dahası, yuttuğunda kafasının arkasına lastik bir copla vurulmuş gibi oluyordu insan. Ne ki, midesindeki yanma uzun sürmedi, dünya gözüne daha hoş görünmeye başladı. Üstünde ZAFER SİGARALARI yazan buruşmuş bir paketten bir sigara aldı, ama farkında olmadan sigarayı dik tutunca içindeki tütün yere döküldü. İkinci sigarayı yakmayı başardı. Yeniden oturma odasına geçti, tele-ekranın solunda duran küçük bir masanın başına oturdu. Masanın çekmecesinden bir kalem sapı, bir mürekkep şişesi, bir de sırtı kırmızı, kapağı ebrulu, orta boy boş bir defter çıkardı.

Oturma odasındaki tele-ekran, nedense, alışılmadık bir konumdaydı. Odanın tümüne egemen olabileceği dipteki duvar yerine, pencerenin karşısına düşen uzun duvara yerleştirilmişti. Tele-ekranın bir yanında, Winston'ın oturmakta olduğu küçük bir girinti vardı; daireler yapılırken, belli ki, buraya kitap raflarının konulması tasarlanmıştı. Winston, girintide iyice arkasına yaslanarak oturduğunda, tele-ekranın görüş alanı dışında kalabiliyordu. Hiç kuşkusuz, sesi duyulabiliyordu; ama böyle kaldığı sürece görülmesi olanaksızdı. Birazdan yapacağı işi aklına getiren de, bir ölçüde, odanın bu alışılmadık yapısı olmuştu.

Ama bu işin aklına gelmesinde, az önce çekmeceden çıkardığı defterin de payı yok değildi. Garip bir güzelliği vardı defterin. Yıllar içinde biraz sararmış, pürüzsüz, kaymak gibi kâğıdı, en azından kırk yıldır yapılmayan türdendi. Ama Winston defterin daha da eski olduğunu tahmin ediyordu. Onu kentin kenar mahallelerinden birindeki (hangi mahalle olduğunu artık anımsamıyordu) tıklım tıkış bir eskici dükkânının vitrininde görmüş, görür görmez de almak için karşı konulmaz bir isteğe kapılmıştı. Gerçi Parti üyelerinin sıradan dükkânlara girmemeleri gerekiyordu (buna "serbest piyasada alışveriş yapmak" deniyordu), ama bu kurala sıkı sıkıya uyulduğu söylenemezdi, çünkü ayakkabı bağı ve jilet gibi şeyleri başka bir yoldan edinmek olanaksızdı. Winston, sokağı çabucak kolaçan ettikten sonra dükkânın kapısından içeri süzülmüş, defteri iki buçuk dolara satın almıştı. O sırada defteri edinmek istemesinin belirli bir nedeni yoktu. Defteri suçluluk duyarak çantasına atıp eve götürmüştü. İçinde hiçbir yazı bulunmamasına karşın, tehlikeyi göze almaya değecek bir nesneydi.

Winston, birazdan bir günce tutmaya başlayacaktı. Günce tutmak yasadışı değildi (aslında hiçbir şey yasadışı değildi, çünkü artık yasa diye bir şey yoktu), ama fark edilecek olursa Winston'ın ölüm cezasına çarptırılacağı ya da en az yirmi beş yıl zorunlu çalışma kampına gönderileceği kesin sayılırdı. Kalem sapına bir uç taktı, emerek yağını aldı. Mürekkepli kalem artık müzelik olmuştu, imza atarken bile pek ender kullanılıyordu; Winston, sırf o güzelim kaymak kâğıdın bir tükenmezkalemle çiziktirilmek yerine gerçek bir kalem ucuyla yazılmayı hak ettiğine inandığından, gizlice ve güç bela bir mürekkepli kalem edinmişti. Aslında elle yazmaya alışkın değildi. Çok kısa notlar dışında her şey söyleyaz'a dikte ediliyordu, ama bu kuşkusuz şimdiki amacına hiç de uygun değildi. Kalemi mürekkebe batırdıktan sonra bir an duraksadı. İçinde bir ürperti dolaştı. Bir başlasa, gerisi gelecekti. Küçük, eğri büğrü harflerle şöyle yazdı:

4 Nisan 1984

Arkasına yaslandı. Tam anlamıyla umarsızlığa kapılmıştı. Bir kere, 1984 yılında *olduklarından* hiç de emin değildi. Otuz dokuz yaşında olduğundan emin olduğuna ve 1944 ya da 1945'te doğduğunu sandığına göre, aşağı yukarı 1984 yılında olmalıydılar; gel gör ki, artık bir iki yıl içindeki tarihleri kesin bir biçimde saptamak olanaksızdı.

Ansızın aklına bir soru düştü: Bu günceyi kimin için tutuyordu? Gelecek için, daha doğmamış olanlar için. Aklı bir an sayfadaki kuşkulu tarihin çevresinde dolandı, sonra Yenisöylem'deki *çiftdüşün* sözcüğüne tosladı. İlk kez, üstlendiği işin büyüklüğünün ayırdına vardı. Gelecekle nasıl iletişim kurulabilirdi ki? Doğası gereği olanaksızdı. Gelecek ya şimdiye benzeyecekti, ki o zaman ondan haberi bile olmayacaktı ya da şimdiden farklı olacaktı, ki o zaman da içinde bulunduğu durumun hiçbir anlamı kalmayacaktı.

Bir süre, oturduğu yerden önündeki kâğıda aptal aptal baktı. Tele-ekranda tiz perdeden bir askerî marş çalmaya başlamıştı. Winston, ne tuhaftır ki, yalnızca kendini dile getirme gücünü yitirmekle kalmamış, ne söylemek istediğini de unutmuş gibiydi. Haftalardır kendini bu ana hazırlıyordu, ama cesaretten başka şeylere de gereksinim duyabileceği hiç aklına gelmemişti. Oturup yazmak kolaydı. Tek yapması gereken, yıllardır kafasının içinde akıp giden o bitmez tükenmez, tedirgin monologu kâğıda dökmekti. Ne ki, şimdi o monolog bile silinip gitmişti. Dahası, varis çıbanı dayanılmaz bir biçimde kaşınmaya başlamıştı. Kaşımaya cesaret edemiyordu, çünkü ne zaman kaşısa iltihap kapıyordu. Zaman akıp gidiyordu. Önündeki bomboş sayfadan, ayak bileğinin üstündeki kaşıntıdan, müziğin cayırtısından ve cinin yol açtığı hafif esriklikten başka hiçbir şeyin ayırdında değildi.

Ansızın ürküye kapılarak, ne yazdığının pek farkında olmadan kaleme sarıldı. Küçük ama çocuksu elyazısı, önce büyük harfleri, ardından noktaları bile bir yana bırakarak sayfada oradan oraya dolanıyordu:

4 Nisan 1984. Dün gece sinema. Hepsi de savaş filmi. Biri çok iyiydi mültecilerle dolu bir gemi Akdeniz'de bir yerde bombalanıyordu. Kocaman iriyarı şişman bir adamın peşinde bir helikopter yüzerek kaçmaya çalıştığı sahneler seyirciyi ne eğlendirdi ne eğlendirdi. önce suda domuzbalığı gibi debelenirken görülüyordu, sonra helikopterin bakıncak açısından göründü, sonra delik deşik oldu ve çevresindeki sular pespembe kesildi ve adam sanki gövdesindeki deliklerden içeri su dolmuş gibi birden battı. o batarken seyirciler kahkahalar atıyorlardı. sonra içi çocuk dolu bir cankurtaran sandalı göründü tepesinde bir helikopter dolanıyor. önde orta yaşlı bir kadın oturuyordu Yahudi olabilir kucağında üç yaşlarında küçük bir erkek çocuk. küçük çocuk korku içinde haykırıyor ve içinde kaybolmaya çalışırcasına başını kadının göğüslerinin arasına sokuyordu ve kadın çocuğu kollarının arasına alıyor ve kendisi de tir tir titremesine karşın kollarıyla onu mermilerden koruyabilecekmişçesine kendini çocuğa siper etmeye çabalıyordu. sonra

helikopter üstlerine 20 kiloluk bir bomba bıraktı korkunç
bir alev çaktı ve sandaldan geriye tahta parçaları kaldı.
sonra müthiş bir çekim vardı bir çocuğun kolu havaya uçu-
yordu helikopterin önündeki bir kamerayla çekilmiş olma-
lıydı ve partililerin oturduğu koltuklardan büyük bir alkış
koptu ama salonun proleter bölümündeki bir kadın birden
ter ter tepinmeye bunları çocukların önünde gösteremezsi-
niz bunları çocukların önünde göstermeye hakkınız yok
diye bağırmaya başladı sonunda polisler onu dışarı attılar
kadının başına bir şey geldiğini sanmam proleterlerin de-
diklerine hiç kimse aldırmaz tipik proleter tepkisi der geçer
onlar hiçbir zaman...

Winston, biraz da eline kramp girdiği için, yazmayı
bıraktı. Bütün bu saçmalıkları birbiri ardı sıra neden dö-
küp saçtığını bilmiyordu. Ama işin tuhafı, bunu yapar-
ken kafasında bambaşka bir anı belirmiş, onu handiyse
oturup yazma noktasına getirmişti. Bugün birden eve
dönüp günce tutmaya bu öteki olaydan ötürü karar ver-
diğini şimdi fark ediyordu.

Olay o sabah Bakanlık'ta olmuştu, bu kadar belli
belirsiz bir şeye olay denebilirse kuşkusuz.

Saat on bire geliyordu, Winston'ın çalıştığı Arşiv
Dairesi'nde İki Dakika Nefret için hazırlık yapılıyor, is-
kemleler odacıklardan salonun ortasına getiriliyor, bü-
yük tele-ekranın karşısına yerleştiriliyordu. Winston tam
orta sıralardan birindeki yerini alıyordu ki, göz aşinalığı
olduğu, ama o güne kadar hiç konuşmadığı iki kişi ansı-
zın salona girdi. Biri, koridorlarda sık sık karşılaştığı bir
kızdı. Adını bilmiyordu, ama Kurmaca Dairesi'nde çalış-
tığını biliyordu. Herhalde roman yazma aygıtlarından
birinde mekanik bir iş yapıyordu, çünkü Winston onu
birkaç kez elleri yağ içinde, bir ingilizanahtarıyla gör-
müştü. Yirmi yedi yaşlarında, gür siyah saçlı, yüzü çilli,

fişek gibi, atletik ve sert bakışlı bir kızdı. Seks Karşıtı Gençlik Birliği'nin simgesi olan dar bir kızıl kuşak, kalçalarının biçimliliğini ortaya çıkaracak sıkılıkta, birkaç kez tulumunun beline dolanmıştı. Winston gördüğü ilk andan beri bu kızdan hoşlanmamıştı. Nedenini biliyordu. Hokey sahalarının, soğuk duşların, topluca çıkılan doğa yürüyüşlerinin havası; baştan aşağı bir doğruculuk sinmişti kızın üzerine. Winston hemen hiçbir kadından, özellikle de genç ve güzel kadınlardan hoşlanmazdı. Parti'nin en koyu yandaşları, sloganları körü körüne ezberleyenler, gönüllü ispiyoncular, bağnaz olmayanları ele verenler hep kadınlardı, özellikle de genç kadınlar. Ama bu kız çoğundan daha tehlikeli olduğu izlenimini uyandırıyordu Winston'da. Bir keresinde koridorda karşılaştıklarında, yanından geçerken ansızın fırlattığı bakış Winston'ın içine işlemiş, yüreğine dehşet salmıştı. Kızın, Düşünce Polisi'nin bir ajanı olabileceği bile geçmişti aklından. Aslında bu pek olası olmasa da, kız ne zaman yakınında bir yerlerde dolansa, Winston korku ve düşmanlıkla karışık tuhaf bir tedirginliğe kapılıyordu.

Öbürü ise, Winston'ın pek bilemeyeceği kadar önemli ve gözden uzak bir görevin başında bulunan, O'Brien adında bir İç Parti üyesiydi. Siyah tulumlu bir İç Parti üyesinin yaklaştığı görüldüğünde, iskemlelerin çevresinde kümelenmiş olanlar susuverdiler. O'Brien iriyarı, sağlam yapılı bir adamdı, boynu kalın, yüzü ablak, gülünç ve yabanıldı. Korkunç görünüşüne karşın, insana çekici gelen bir havası vardı. Gözlüğünü ikide bir burnunun üstünde düzeltişi, nedendir bilinmez, ona bir sevimlilik veriyor, garip bir biçimde uygar görünmesini sağlıyordu. Eğer hâlâ böyle düşünebilenler kaldıysa, karşısındakine enfiye kutusunu sunan bir on sekizinci yüzyıl soylusunu çağrıştırabilecek bir davranıştı bu. Winston, O'Brien'ı onca yıl içinde on on iki kez ya görmüş ya görmemişti.

Ona içi ısınmıştı, ama yalnızca O'Brien'ın kentli davranışları ile ödül dövüşçüsünü andıran görünüşü arasındaki karşıtlık ilgisini çektiği için değil. Bunun çok ötesinde, O'Brien'ın siyasal bakımdan tam anlamıyla bir bağnaz olmadığına ilişkin gizliden gizliye bir inanç duyduğu için; belki bir inanç da değildi bu, yalnızca bir umuttu. Yüzünde öyle bir şey vardı ki, karşı konulmaz bir biçimde bunu telkin ediyordu. Kaldı ki, yüzünden okunan, bağnaz olmadığı da değildi belki, yalnızca zekâydı. Öyle ya da böyle, tele-ekranı atlatabilir ve onu tek başına yakalayabilirseniz, konuşabileceğiniz birine benziyordu. Winston bu izlenimini doğrulamak için şimdiye kadar en küçük bir girişimde bulunmamıştı; aslına bakılırsa, böyle bir girişimde bulunmanın olanağı da yoktu. Tam o sırada O'Brien kolundaki saate baktı, on bire geldiğini görünce, anlaşılan İki Dakika Nefret sona erinceye kadar Arşiv Dairesi'nde kalmaya karar verdi. Winston'ın birkaç iskemle ötesine oturdu. Winston'ın yanındaki odacıkta çalışan, saçları kum sarısı, ufak tefek bir kadın aralarında oturuyordu. Siyah saçlı kız ise hemen arkalarındaydı.

Çok geçmeden, odanın bitimindeki büyük tele-ekrandan insanın içini kıyan, ürkünç bir cazırtı yükseldi, sanki yağı tükenmiş korkunç bir aygıt çalıştırılıyordu. İnsanın dişlerini kamaştıran, tüylerini diken diken eden bir gürültüydü bu. Nefret başlamıştı.

Her zaman olduğu gibi, ekranda Halk Düşmanı Emmanuel Goldstein'ın yüzü belirivermişti. İzleyiciler arasında yer yer fısıldaşmalar oluyordu. Saçları kum sarısı, ufak tefek kadın korku ve nefretle ciyakladı. Goldstein bir dönek ve sapkındı; çok eskiden (ne kadar eskiden olduğunu anımsayan yoktu) Parti'nin önde gelenlerinden biri, dahası Büyük Birader'le nerdeyse aynı aşamada olmasına karşın, sonradan karşıdevrimci etkinliklere kalkışmış, idam cezasına çarptırılmış, ama her nasılsa kaçıp

kurtularak ortadan kaybolmuştu. İki Dakika Nefret iz-
lenceleri her seferinde değişirdi, ama Goldstein'ın baş-
rolde olmadığı bir tek izlence yoktu. Goldstein baş hain-
di, Parti'nin saflığını bozan ilk kişiydi. Daha sonra Parti'ye
karşı işlenen tüm suçlar, tüm ihanetler, baltalama eylem-
leri, sapkınlıklar, sapmalar doğrudan doğruya onun öğre-
tisinden kaynaklanmıştı. Goldstein, her neredeyse, hâlâ
hayattaydı ve fesat karıştırmayı sürdürüyordu; belki de-
nizaşırı bir ülkede yabancı ağababalarının koruması al-
tındaydı, kim bilir, belki Okyanusya'da bir yerde gizleni-
yor bile olabilirdi; ara sıra böyle bir söylenti dolaşıyordu.

Winston'ın göğsü sıkıştı. Ne zaman Goldstein'ın yü-
zünü görse, karmakarışık duygular yüreğini burkardı.
Zayıf bir Yahudi yüzü, tepesinde beyaz kabarık saçlar,
çenesinde küçük bir keçi sakalı; zeki bir yüzdü bu, ama
yine de üstüne bir gözlük kondurulmuş ince uzun burun
yüzüne bunakça bir sersemlik veriyor, bu da sonuçta ha-
fifsenmesine yol açıyordu. Yüzü koyun yüzüne benzi-
yordu, sesi de koyun sesi gibiydi. Parti öğretilerine karşı
her zamanki kötücül saldırılarından birine girişmişti; o
denli abartılı ve sapkın bir saldırıydı ki, gerçek olmadığı-
nı bir çocuk bile anlayabilirdi; ama tümden ipe sapa gel-
mez de sayılmazdı, insan pek o kadar sağgörülü olma-
yanların bütün bunları yutabileceğini düşünerek telaşa
kapılabilirdi. Büyük Birader'e sövüp sayıyor, Parti dikta-
törlüğünü yerden yere vuruyor, Avrasya'yla hemen barış
anlaşması yapılmasını istiyor, ifade özgürlüğünü, basın
özgürlüğünü, toplantı yapma özgürlüğünü, düşünce öz-
gürlüğünü savunuyor, gözü dönmüşçesine devrime iha-
net edildiğini haykırıyordu; üstelik, birbiri ardına hızla
sıralanan uzun sözcüklerden oluşan bu konuşma, Parti
hatiplerinin alışılmış üslubunun alaycı bir taklidi gibiydi;
dahası, Yenisöylem sözcüklerini bile içeriyordu: Konuş-
ınada, bir Parti üyesinin gerçek yaşamda kullanacağın-

dan daha çok Yenisöylem sözcüğü geçiyordu. Bu arada, Goldstein'ın içtenlikten yoksun, aldatıcı sözlerinin ardındaki gerçek konusunda en küçük bir kuşku kalmasın diye, tele-ekranda başının arkasından boyuna Avrasya ordusu birlikleri geçiyordu; Asyalı yüzleriyle sert ve donuk bakışlı askerler saflar halinde ekranda belirip kayboluyor, hemen ardından yerlerini aynıları alıyordu. Asker postallarının tekdüze rap rapları, Goldstein'ın melemeye benzeyen sesine karışıyordu.

İki Dakika Nefret başlayalı daha otuz saniye olmamıştı ki, salondakilerin yarısından dizginlenmesi olanaksız öfke çığlıkları yükselmeye başladı. Ekrandaki gamsız koyunsu surat ve arkasındaki Avrasya ordusunun ürkütücü gücü dayanılır gibi değildi; kaldı ki, Goldstein'ın görüntüsü, hatta düşüncesi bile kendiliğinden korku ve öfke uyandırıyordu. Goldstein'a duyulan nefret, Avrasya ya da Doğuasya'ya duyulan nefretten daha sürekliydi, çünkü Okyanusya bu devletlerden biriyle savaştayken öbürüyle genellikle barışta oluyordu. Ama ne tuhaftır ki, herkes tarafından nefret edilmesine ve aşağılanmasına, görüşlerinin her gün kürsülerde, tele-ekranda, gazetelerde, kitaplarda yüzlerce kez çürütülmesine, yerle bir edilmesine, gülünç düşürülmesine, aşağılık süprüntüler olarak sergilenmesine karşın, evet, bütün bunlara karşın, Goldstein'ın etkisi hiç azalmıyor gibiydi. Her gün onun oyununa gelmeye hazır yeni yeni salaklar çıkıyordu. Gün geçmiyordu ki, onun buyruklarıyla eyleme geçen casuslar ve kundakçılar Düşünce Polisi tarafından ele geçirilmesin. Goldstein, gözle görülmeyen koca bir ordunun komutanı, kendilerini Devlet'i yıkmaya adamış bozgunculardan oluşan bir yeraltı örgütünün başıydı. Örgütün adının Kardeşlik olduğu söyleniyordu. Ayrıca, Goldstein'ın kaleme aldığı ve tüm sapkın düşünceleri özetleyen korkunç bir kitabın gizlice dağıtıldığı söylenti-

37

si ağızdan ağıza dolaşıyordu. Kitabın adı yoktu. Yalnızca *kitap* demekle yetiniliyordu. Ama bunların hepsi de belli belirsiz söylentilerden edinilen bilgilerdi. Kardeşlik de *kitap* da, sıradan Parti üyelerinin mecbur kalmadıkça ağızlarına bile almadıkları konulardı.

Nefret, ikinci dakikasında tam bir cinnete dönüştü. Millet hop oturup hop kalkıyor, ekrandan gelen delirtici koyun sesini bastırmak için avazı çıktığı kadar bağırıyordu. Saçları kum sarısı, ufak tefek kadın kıpkırmızı kesilmişti; ağzı, karaya vurmuş bir balığın ağzı gibi açılıp kapanıyordu. O'Brien'ın ablak yüzü bile kıpkırmızı olmuştu. İskemlesinde dimdik oturuyor, güçlü göğsü karşıdan gelen bir dalgaya direniyormuşçasına bir kabarıp bir iniyordu. Winston'ın arkasında oturan siyah saçlı kız, "Domuz! Domuz! Domuz!" diye bağırmaya başlamıştı; birden kalın bir Yenisöylem sözlüğünü kaptığı gibi ekrana fırlattı. Sözlük Goldstein'ın burnuna çarpıp yere düştü: Ses hiç kesilmeden sürüyordu. Winston bir an kendine geldi ve ötekilerle birlikte bağırdığını, topuklarını var gücüyle iskemlenin basamağına vurduğunu fark etti. İki Dakika Nefret'in en korkunç yanı, insanın katılmak zorunda olması değil, katılmaktan kendini alamamasıydı. Otuz saniye sonra en küçük bir zorlamaya gerek kalmıyordu. Tüm topluluk, elektrik akımına kapılmışçasına, ürkünç bir kin ve nefretle azgınlaşıyor, öldürme, işkence yapma, yüzleri bir balyozla yamyassı etme isteğine kapılıyor, insanlar ellerinde olmadan yüzleri kaskatı kesilerek çılgınlar gibi bağırıp çağırıyorlardı. Ama yine de, duyulan öfke, bir pürmüzün alevi gibi bir nesneden öbürüne yöneltilebilen, soyut, kimseyi hedef almayan bir duyguydu. O yüzden, Winston'ın nefreti bazen Goldstein'a değil, tam tersine Büyük Birader'e, Parti'ye ve Düşünce Polisi'ne yöneliyor; böyle anlarda gönlü, ekrandaki yalnız, aşağılanan sapkına, bu yalanlar dünyasında gerçeğin ve sağduyunun biricik koruyucusuna kayıyordu. Gel gör ki, çok geçmeden, çevresindeki insanlarla bir oluyor, Goldstein için söylenenlerin hepsinin doğru olduğunu düşünüyordu. Böyle anlarda da, Büyük Birader'e duyduğu gizli nefret hayranlığa dönüşüyor, onu yüceltiyor, Asyalı sürülerin karşısına bir kaya gibi dikilen, yenilmez, korkusuz bir koruyucu olarak görüyordu; Goldstein ise, tüm yalnızlığı ve umarsızlığına, var olup olmadığı bile kuşkulu olmasına karşın, salt sesinin gücüyle uygarlığı ortadan kaldırabilecek, kötücül bir büyücü olup çıkıyordu gözünde.

Kimi zaman, insanın birine duyduğu nefreti bile isteye bir başkasına yöneltmesi de olasıydı. Winston da, karabasan gören bir insanın ansızın yatağında doğrulması gibi, ekrandaki yüze duyduğu nefreti arkasında oturan siyah saçlı kıza yöneltiverdi. Çılgınca, müthiş sanrılar düştü aklına. Kızı lastik bir copla döve döve öldürüyordu. Çırılçıplak soyduktan sonra bir kazığa bağlıyor, Aziz Sebastian'a yaptıkları gibi oklarla delik deşik ediyordu. Irzına geçiyor, orgazm anında boğazını kesiyordu. Üstelik, ondan *niçin* nefret ettiğini şimdi çok daha iyi anlıyordu. Ondan nefret ediyordu, çünkü genç ve güzel olmasına karşın cinsiyetsizdi, çünkü onunla sevişmek istemesine karşın bunu hiçbir zaman yapamayacağını biliyordu, çünkü sanki sarıl bana diyen o güzelim, yumuşacık beline iffetin saldırgan simgesi o iğrenç kızıl kuşağı dolamıştı.

İki Dakika Nefret artık doruğuna varmıştı. Goldstein'ın sesi artık gerçek bir koyun melemesine dönüşmüştü, yüzü de bir an koyun suratına dönüştü. Az sonra, koyun suratı da değişime uğrayarak, ilerliyormuş gibi görünen, kocaman ve korkunç bir Avrasya askeri olup çıktı; elindeki hafif makineli tüfek cayırdıyordu, sanki ekrandan dışarı fırlayacak gibiydi, o kadar ki ön sırada oturanlardan bazıları ürkerek arkalarına yaslandılar. Ama tam o sırada düşman askerinin görüntüsü esmer, siyah bıyıklı Büyük Birader'in yüzüne dönüşünce herkes rahat bir nefes aldı; güçlü ve akıl almaz ölçüde dingin yüz o kadar büyüktü ki, nerdeyse tüm ekranı kaplıyordu. Büyük Birader'in söylediklerini duyan yoktu. Savaşın bağrış çağrışı arasında söylenen, açık seçik anlaşılmamakla birlikte sırf söylenmiş olduğu için güven veren, yüreklere cesaret salan sözlerdi bunlar. Biraz sonra Büyük Birader'in yüzü yeniden silinip gitti ve Parti'nin siyah, büyük harflerle yazılı üç sloganı belirdi:

SAVAŞ BARIŞTIR
ÖZGÜRLÜK KÖLELİKTİR
CAHİLLİK GÜÇTÜR.

Ama Büyük Birader'in yüzü, insanların gözyuvarlarında bıraktığı etki çabucak silinip gidemeyecek kadar güçlüymüşçesine, birkaç saniye daha ekranda kaldı sanki. Saçları kum sarısı, ufak tefek kadın öne atılarak önündeki iskemlenin arkalığına tutunmuştu. Titrek bir sesle, "Kurtarıcım benim!" gibisinden bir şeyler mırıldanarak, kollarını ekrana uzattı. Sonra yüzünü ellerinin arasına aldı. Besbelli, bir dua okuyordu.

O sırada, hepsi birden, "B-B! ... B-B! ... B-B!" diye pes perdeden, ağır aksak, ölçülü bir şarkıya başladılar –çok yavaş bir biçimde durmadan yineliyorlar, birinci "B" ile ikincisi arasında uzunca duraklıyorlardı–, mırıltıyı andıran bu boğuk seste tuhaf bir yabanıllık vardı, geriden çıplak ayakların tepinişi ve tamtam sesleri duyuluyor gibiydi. Otuz saniye kadar bu böyle sürdü. Olağanüstü coşku anlarında sık sık duyulan bir nakarattı bu. Bir bakıma Büyük Birader'in bilgeliği ve yüceliğine bir övgüydü, ama daha çok kendi kendini hipnotize etme, bilincin ritmik bir gürültüyle bile isteye bastırılması eylemiydi.

Winston'ın içi üşümüştü sanki. İki Dakika Nefret sırasında toplu çılgınlığa katılmadan edemezdi, ama bu ilkel "B-B!... B-B!" ezgisi öteden beri yüreğine korku salardı. Hiç kuşkusuz, her seferinde herkesle birlikte o da söylerdi; söylememek söz konusu bile değildi. Duygularını gizlemek, aklından geçenlerin yüzüne yansımasını önlemek, herkes ne yapıyorsa onu yapmak, içgüdüsel bir tepkiydi. Ama gözlerinin birkaç saniyeliğine de olsa duygularını dışavurması onu ele verebilirdi. İşte ne olduysa o anda oldu; oldu denebilirse kuşkusuz.

Winston bir an O'Brien'la göz göze geldi. O'Brien, hep yaptığı gibi, gözlüğünü çıkarmış, yeniden burnunun üstüne yerleştiriyordu. Saniyenin onda biri kadar göz göze geldiler, ama bu kadarcık bir süre bile Winston'ın, O'Brien'ın kendisi gibi düşündüğünü anlamasına yetti; evet, *anlamıştı*! En küçük bir yanılgıya yer yoktu. Sanki kafalarının içindekiler gözlerinden geçerek birbirine akıyordu. O'Brien, "Senin yanındayım," der gibiydi. "Ne düşündüğünü, ne hissettiğini çok iyi biliyorum. Ne kadar aşağıladığını, ne kadar nefret ettiğini, ne kadar tiksindiğini biliyorum. Ama merak etme, yanındayım!" Sonra gözlerindeki o parıltı söndü ve O'Brien'ın yüzü de öbürlerinin yüzlerindeki o donuk anlatıma büründü.

Olan biten buydu, üstelik olup olmadığından da emin değildi Winston. Böylesi olaylardan hiçbir zaman bir sonuç çıkmazdı. Yalnızca kendisinin değil, başkalarının da Parti'ye düşman oldukları inancı ya da umudunu canlı tutmasını sağlarlardı, o kadar. Kim bilir, gizlice yürütülen bozgunculuk eylemlerine ilişkin söylentiler doğruydu belki de; Kardeşlik örgütü belki de gerçekten vardı! Ardı arası kesilmeyen tutuklamalara, itiraflara ve idamlara karşın, Kardeşlik örgütünün yalnızca bir söylence olmadığından kuşku duymamak olanaksızdı. Winston, böyle bir örgütün varlığına bazen inanıyor, bazen de inanmıyordu. Elle tutulur bir kanıt yoktu, yalnızca her anlama gelebilecek ya da hiçbir anlama gelmeyecek kaçamak bakışlar, kulağa çalınan bölük pörçük konuşmalar, tuvaletlerin duvarlarındaki belli belirsiz çiziktirmeler söz konusuydu; bazen, birbirini tanımayan iki insan karşılaştığında, küçücük bir el hareketi bile tanıştıklarını gösteren bir işaret olarak algılanabiliyordu. Bunların hepsi bir sanıydı: Belki de her şeyi kendisi uydurmuştu. O'Brien'a bir daha bakmadan odacığına dönmüştü. Aralarında oluşan o anlık bağlantıyı sürdürmek aklının ucundan bile geçmedi. Sürdürmeyi becerebilse bile, çok tehlikeli olabilirdi. Birkaç saniye kadar belli belirsiz bakışmışlardı, o kadar. Ne ki, yaşamak zorunda bırakıldıkları yapayalnızlıkta bu kadarı bile unutulmaz bir olaydı.

Winston doğrulup arkasına yaslandı. Geğirdi. İçtiği cin ağzına geliyordu.

Gözleri yeniden önündeki sayfaya odaklandı. Umarsız düşünceler içinde öylece otururken istençsizce bir şeyler yazmış olduğunu fark etti. Üstelik elyazısı artık eskisi gibi kargacık burgacık değildi. Kalemi pürüzsüz kâğıdın üstünde şehvetle dolaşmış, düzgün büyük harflerle alt alta yazılmış yazıyla sayfanın yarısı dolmuştu:

KAHROLSUN BÜYÜK BİRADER
KAHROLSUN BÜYÜK BİRADER
KAHROLSUN BÜYÜK BİRADER
KAHROLSUN BÜYÜK BİRADER
KAHROLSUN BÜYÜK BİRADER

Ansızın bir ürküye kapıldı. Saçmaydı aslında, çünkü bu sözcükleri yazmak günce tutmaya kalkışmaktan daha tehlikeli değildi; ama bir an, karaladığı sayfaları yırtıp atmak, günce tutmayı tümden bırakmak geçti aklından.

Ama aklından geçeni yapmadı, çünkü bunun bir işe

yaramayacağını biliyordu. İster KAHROLSUN BÜYÜK
BİRADER yazsın, ister yazmaktan vazgeçsin, hiçbir şey
fark etmeyecekti. İster günceyi sürdürsün, ister sürdür-
mesin, hiçbir şey fark etmeyecekti. Düşünce Polisi onu
nasıl olsa yakalayacaktı. Hiçbir şey yazmamış olsaydı bile,
tüm öteki suçları da içeren temel suçu işlemişti. Buna dü-
şüncesuçu diyorlardı. Düşüncesuçu sonsuza dek gizlene-
bilecek bir şey değildi. Onları bir süre, hatta yıllarca atla-
tabilirdiniz, ama eninde sonunda ensenize yapışırlardı.

Böyle işler hep geceleri yapılırdı; tutuklamalar her
zaman geceleyin gerçekleşirdi. Ansızın irkilerek uyan-
mak, hoyrat bir elin omzunuzu sarsması, gözlerinize tu-
tulan ışıklar, yatağı çevreleyen acımasız yüzler. Çoğu
zaman ne yargılama olurdu ne de bir tutuklama raporu
tutulurdu. İnsanlar ortadan kayboluverirdi, o kadar; ve
bu hep geceleri olurdu. Adınız kayıtlardan silinir, yaptı-
ğınız her şeyin kaydı yok edilir, bir zamanlar var olduğu-
nuz bile yadsınır, sonra da tümden unutulurdu. Kökünüz
kazınır, külünüz göğe savrulurdu: Alışılmış deyimle, *bu-
harlaşırdınız.*

Winston bir an sanki cezbeye tutuldu. Sonra telaşla
çarpık çurpuk yazmaya koyuldu:

*vurucaklar beni umurumda mı ensemden vurucaklar
umurumda mı kahrolsun büyük birader hep ensesinden
vururlar adamı umurumda mı kahrolsun büyük birader*

Kendinden utanarak arkasına yaslanıp kalemi bırak-
tı. Sonra birden irkilerek dehşete kapıldı. Kapı vurulu-
yordu.

Ne çabuk! Kapıyı vuran belki fazla diretmeden çe-
kip gider umuduyla çıt çıkarmadan oturdu. Ama boşu-
na, kapı yeniden vuruldu. Kapıyı açmayı geciktirmek
daha da kötü olacaktı. Yüreği yerinden oynamıştı, ama

43

nicenin alışkanlığıyla yüzünde en küçük bir ifade yoktu. Yerinden kalkıp ağır ağır kapıya ilerledi.

II

Winston, tam kapının tokmağına uzanmışken, günceyi masanın üstünde açık bırakmış olduğunu gördü. Sayfada yukarıdan aşağıya kadar, odanın bir ucundan okunabilecek büyüklükte harflerle KAHROLSUN BÜYÜK BİRADER yazılıydı. Günceyi açık bırakmakla büyük bir salaklık yapmıştı. Ama, o panik içinde bile, mürekkep daha kurumamışken defteri kapatarak kaymak kâğıdı kirletmek istememiş olduğunu fark etti.

Nefesini tutup kapıyı açtı. O anda gönlüne su serpildi. Kapının önünde solgun, seyrek saçlı, yüzü kırış kırış, ezik bir kadın duruyordu.

"Ah, yoldaş," dedi kadın ezgin, ağlak bir sesle. "Geldiğinizi duydum da. Acaba bize kadar gelip mutfağımızdaki lavaboya bir bakar mısınız? Tıkanmış galiba..."

Aynı kattaki komşunun karısı Bayan Parsons'tı. ("Bayan", Parti'nin pek doğru bulmadığı bir sözcüktü –herkese "yoldaş" demeniz gerekiyordu– ama insan yine de bazı kadınlara "Bayan" demekten alamıyordu kendini.) Bayan Parsons otuz yaşlarında olmasına karşın daha yaşlı gösteriyordu. Yüzündeki kırışıklara toz dolmuştu sanki. Winston koridorda kadının ardı sıra ilerledi. Bu amatörce onarım işleri gündelik bir sorun olup çıkmıştı. Zafer Konutları 1930'lu yıllarda yapılmıştı, daireler bakımsızlıktan dökülüyordu. Tavan ve duvarların sıvaları sürekli dökülür, dışarısı buz tuttuğunda su boruları patlar, ne zaman kar yağsa dam akar, ısıtma sistemi genellikle yarım yamalak çalışırdı, savurganlık olmasın diye tümden kapatılmamışsa tabii. Kendi başınıza yapabilecekleriniz dışında, tüm onarımların, bir pencere pervazının tamirini bile iki yıl geciktirebilen erişilmez bir kurulca onaylanması gerekiyordu.

Bayan Parsons, duyulur duyulmaz bir sesle, "Tom evde yok da," dedi.

Parsonsların dairesi Winston'ınkinden daha büyük ve karmakarışıktı. Sanki az önce evin içinden iri, yabanıl bir hayvan geçmiş, her şeyi ezip darmadağın etmişti. Spor malzemeleri –hokey sopaları, boks eldivenleri, patlak bir futbol topu, içi dışına çevrilmiş, terden sırılsıklam bir şort– yerlerdeydi; masanın üstüde bir yığın kirli tabak ve sayfalarının köşeleri kıvrılmış müsvedde defterleri vardı. Duvarlara, Gençlik Birliği ile Casuslar'ın kızıl bayrakları ve Büyük Birader'in kocaman bir posteri asılmıştı. Tüm binada duyulan o kaynatılmış lahana kokusu içeriyi de sarmıştı, ama lahana kokusuna daha da keskin bir ter kokusu karışmıştı; o sırada orada olmayan birinin kokusuydu bu, nedendir bilinmez, insan bunu hemen anlıyordu. Başka bir odada, birisi, tele-ekrandan hâlâ yayımlanmakta olan askerî marşa bir tarak ve bir parça tuvalet kâğıdıyla tempo tutmaya çalışıyordu.

"Çocuklar," dedi Bayan Parsons tedirgince kapıya bakarak. "Bugün sokağa çıkmadılar da. O yüzden..."

Cümlelerini yarım bırakmak gibi bir alışkanlığı vardı. Mutfaktaki lavabo, lahanadan da berbat kokan, yeşilimtırak, pis bir suyla nerdeyse ağzına kadar doluydu. Winston diz çökerek borunun eklem yerini inceledi. Ellerini kullanmaktan nefret ettiği gibi, her seferinde öksürmeye başlamasına neden olduğu için eğilmekten de nefret ederdi. Bayan Parsons umarsızca seyrediyordu.

"Tom evde olsaydı anında hallederdi," dedi. "Böyle işleri çok sever. Eli her işe yatkındır Tom'un."

Parsons, Winston'ın Gerçek Bakanlığı'ndan iş arkadaşıydı. Şişmanlığına karşın herkesi serseme çevirecek kadar cevval, ahmak denecek kadar gayretkeş bir adamdı; Parti'nin varlığını sürdürmesi, Düşünce Polisi'nden bile çok, sorgusuz sualsiz inanan, körü körüne bağlanan böylelerine bağlıydı. Otuz beşine geldiğinden, kısa bir süre önce istemeye istemeye Gençlik Birliği'nden ayrılmış, Gençlik Birliği'nden ayrılmadan önce de yaş sınırını bir yıl aşana kadar Casuslar'da kalmayı başarabilmişti. Bakanlık'ta fazla zeki olmayı gerektirmeyen önemsiz bir görevde olmasına karşın, Spor Kurulu'nun ve toplu doğa yürüyüşlerini, kendiliğinden gösterileri, tutumluluk kampanyalarını ve gönüllü etkinlikleri düzenleyen tüm öteki kurulların önde gelen kişilerindendi. Piposunu tüttürürken böbürlenerek anlattıklarına bakılırsa, Dernek Merkezi'ndeki akşam toplantılarını son dört yıldır bir kez bile kaçırmamıştı. O dayanılmaz ter kokusu, yorucu yaşamına bilinçsizce tanıklık edercesine, nereye gitse ardından gelir, dahası, o gittikten sonra da orada kalırdı.

Winston, borunun dirseğindeki kelepçeyle oynarken, "İngilizanahtarınız var mı?" diye sordu.

Bayan Parsons, birden telaşa kapılarak, "İngilizanahtarı mı?" dedi. "Bilmem. Mutlaka vardır. Belki çocuklar..."

Çizme sesleri arasında tarağa tutulan tuvalet kâğıdına üfleyerek çıkarılan son bir sesten sonra çocuklar oturma odasına daldılar. Bayan Parsons ingilizanahtarını getirdi. Winston, suyu boşalttıktan sonra, boruyu tıkamış olan saç topağını tiksinerek çıkarttı. Musluktan akan soğuk suyla ellerini bir güzel yıkayıp öteki odaya döndü.

"Eller yukarı!" diye haykırdı yabanıl bir ses.

Güzel yüzlü, sert bakışlı, dokuz yaşlarında bir oğlan masanın arkasından oyuncak bir otomatik tabancayla Winston'ı korkutmaya çalışıyor, ondan iki yaş kadar küçük kız kardeşi de elindeki bir tahta parçasıyla ona öykünüyordu. İkisi de Casuslar'ın üniforması olan mavi şort, gri gömlek giymiş, kırmızı boyunbağı takmıştı. Winston ellerini başının üzerine kaldırdı, ama tedirgindi; oğlan o kadar haince bakıyordu ki, hiç de oyun oynar gibi bir hali yoktu.

"Sen bir hainsin!" diye ciyakladı oğlan. "Sen bir düşünce-suçlususun! Sen bir Avrasya casususun! Seni vururum, seni buharlaştırırım, seni tuz madenlerine yollarım!"

Birden ikisi de Winston'ın çevresinde hoplayıp zıplayarak, "Hain!", "Düşünce-suçlusu!" diye bağırmaya başladılar; küçük kız, ağabeyi ne yaparsa onu yapıyordu. Ürkütücü bir görünümdü, çok geçmeden büyüyüp insanları yiyecek olan kaplan yavrularının oyun oynamalarına benziyordu. Oğlanın bakışlarında temkinli bir yabanıllık vardı, belli ki Winston'ı yumruklamak ya da tekmelemek için can atıyordu, pek yakında bunu yapabilecek kadar büyüyeceğinin ayırdındaydı. Winston, neyse ki elindeki tabanca gerçek değil, diye geçirdi içinden.

Bayan Parsons, ürkek gözlerle bir Winston'a, bir çocuklara bakıp duruyordu. Winston, oturma odasının daha aydınlık ışığında, kadının yüzündeki kırışıklara *gerçekten* toz dolmuş olduğunu hayretle fark etti.

"Çok gürültü yapıyorlar," dedi kadın. "İdamları seyretmeye gidemedikleri için çok üzüldüler de ondan. Hiç vaktim yoktu, götüremedim; Tom da geç dönecek işten."

Oğlan, korkunç bir sesle, "Neden gidemiyormuşuz idamları görmeye?" diye haykırdı. Küçük kız da, hoplaya zıplaya, "Ben idamları görmek istiyorum! Ben idamları görmek istiyorum!" diye çığırıyordu.

Winston, savaş suçu işledikleri gerekçesiyle ölüm cezasına çarptırılan bazı Avrasyalı mahkûmların o akşam Park'ta asılacaklarını anımsadı. Nerdeyse her ay düzenlenen bu gösteri çok tutuluyordu. Çocuklar gitmek için yanıp tutuşurlardı. Winston, Bayan Parsons'tan izin isteyerek kapıya yöneldi. Ama koridorda daha birkaç adım ilerlemişti ki, ensesinde korkunç bir acı duydu. Ensesine kızgın bir tel saplanmıştı sanki. Birden arkasına döndü ve Bayan Parsons'ın, sapanını cebine sokmakta olan oğlunu içeri çekmeye çalıştığını gördü.

Oğlan, kapı üzerine kapanırken, "Goldstein!" diye böğürdü. Ama Winston'ı asıl tedirgin eden, kadının solgun yüzündeki umarsız korku oldu.

Dairesine dönünce, tele-ekranın önünden hızla geçti, hâlâ ensesini ovuşturarak yeniden masanın başına oturdu. Tele-ekrandan gelen marşlar kesilmişti. Şimdi keskin bir askerî ses, vahşice bir zevk alıyormuşçasına, İzlanda ile Faroe Adaları arasında bir yerde demirlemiş olan yeni Yüzen Kale'nin silahlarını sayıp sıralıyordu.

Zavallı kadın o çocuklarla cehennem hayatı yaşıyor olsa gerek, diye düşündü Winston. Bir iki yıla kalmaz, annelerinin küçücük bir sadakatsizliğini yakalamak için kadıncağızı gece gündüz izlemeye başlardı bunlar. Son zamanlarda nerdeyse tüm çocuklar korkunçlaşmıştı. En kötüsü de, Casuslar gibi örgütler aracılığıyla sistemli bir biçimde, başına buyruk küçük vahşilere dönüştürülmüş olmalarına karşın, Parti disiplinine en ufak bir baş kaldırma eğilimi göstermemeleriydi. Tam tersine, Parti'ye ve Parti'yle bağıntılı her şeye tapıyorlardı. Şarkılar, törenler, bayraklar, yürüyüşler, oyuncak tüfeklerle yapılan talimler, atılan sloganlar, Büyük Birader'e tapınmalar; onların gözünde bütün bunlar harika birer oyundu. Tüm vahşilikleri dışa vurmuş, Devlet düşmanlarına, yabancılara, hainlere, kundakçılara, düşünce suçlularına yönelmişti. Kendi çocuklarından korkmak, otuz yaşından büyükler için nerdeyse olağan bir şey olup çıkmıştı. Haksız da sayılmazlardı, çünkü gün geçmiyordu ki, *Times* gazetesinde, konuşmaları gizlice dinleyen alçak bir veledin –genellikle "çocuk kahraman" deniyordu bunlara– kulağına çalınan uzlaşmacı bir söz üzerine anasıyla babasını Düşünce Polisi'ne ihbar ettiğine ilişkin bir haber çıkmasın.

Oğlanın sapanla attığı taşın acısı hafiflemişti. Winston gönülsüzce kalemi aldı, günceye yazacak daha başka ne bulabilirim, diye düşünüyordu. Birden aklına yine O'Brien geldi.

Yıllar önce –ne kadar olmuştu? Yedi yıl olmalıydı– rüyasında kapkaranlık bir odada yürüdüğünü görmüştü. O geçerken, yanda oturan biri, "Bir gün karanlığın olmadığı bir yerde buluşacağız," demişti. Bu söz, duyulur duyulmaz bir sesle, öylesine söylenmişti; bir buyruk gibi değil, bir açıklama gibi. Winston duraklamadan, yürüyüp gitmişti. İşin tuhafı, o sırada, rüyada söylenen bu sözler Winston'ı pek etkilememiş, ama sonradan yavaş yavaş anlam kazanmaya başlamıştı. O'Brien'ı ilk kez rüyadan önce mi, sonra mı gördüğünü şimdi anımsayamadığı gibi, sesin O'Brien'ın sesi olduğunu ilk kez ne zaman anladığını da anımsayamıyordu. Ama her nasılsa onun sesiydi işte. Karanlıkta onunla konuşan, O'Brien'dı.

Winston, O'Brien'ın dost mu, düşman mı olduğunu hiçbir zaman çıkaramamıştı; sabahleyin gözlerinde yanıp sönen parıltıdan sonra bile emin olamamıştı bundan. Kaldı ki, o kadar önemli de değildi. Aralarında, sevgiden ya da partizanlıktan da önemli bir karşılıklı anlayış oluşmuştu. "Karanlığın hiç olmadığı yerde buluşacağız," demişti. Winston bunun ne anlama geldiğini bilmiyordu, yalnızca bir gün bir biçimde gerçek olacağını biliyordu.

Tele-ekrandan gelen ses bir an kesildi. Suskun boşlukta dupduru ve çok güzel bir borazan sesi dolandı. Sonra o çatlak ses yeniden duyuldu:

"Dikkat! Dikkat! Malabar cephesinden az önce aldığımız habere göre, Güney Hindistan'daki birliklerimiz şanlı bir zafer kazanmıştır. Şu anda haberini verdiğimiz harekâtın, savaşı sonuna yaklaştırabileceğini söyleyebilirim. Haber şöyle..."

Winston, kötü haber geliyor, diye geçirdi aklından. Ve düşündüğü gibi de çıktı; öldürülenler ve tutsak alınanların ürkütücü bir listesi eşliğinde, bir Avrasya ordusunun yok edilişinin olanca vahşetiyle anlatılmasını, çikolata tayınının gelecek haftadan başlayarak otuz gramdan yirmi grama düşürüleceği açıklaması izledi.

Winston bir kez daha geğirdi. Cinin etkisi hafifledikçe, içi boşalıyormuş gibi bir duyguya kapılıyordu. Tele-ekranda –belki zaferi kutlamak, belki de elden giden çikolataları belleklerden silmek için– birden gümbür gümbür "Okyanusya, sana canımız feda" çalmaya başladı. Aslında hazır olda dinlemek gerekiyordu. Ama Winston oturduğu yerden görünmüyordu nasıl olsa.

"Okyanusya, sana canımız feda", yerini daha hafif bir müziğe bıraktı. Winston, sırtını tele-ekrana vererek, pencerenin önüne geldi. Hava hâlâ pırıl pırıl ve soğuktu. Uzaklarda bir yerde patlayan bir bombanın boğuk gümbürtüsü yankılandı. O sıralar Londra'ya haftada yirmi-otuz kadar bomba yağıyordu.

Aşağıdaki sokakta, yırtık poster rüzgârla inip kalktıkça İNGSOS sözcüğü bir görünüp bir kayboluyordu. İngsos. İngsos'un kutsal ilkeleri. Yenisöylem, çiftdüşün, geçmişin değişebilirliği. Winston sanki deniz dibi ormanlarında öylesine dolaşıyordu, canavarca bir dünyada kaybolmuş gibiydi, ama canavar kendisiydi sanki. Bir başınaydı. Geçmiş yok olup gitmişti, geleceği düşlemek olanaksızdı. Ondan yana olduğuna güvenebileceği tek bir insan kalmış mıydı acaba? Sonra, Parti'nin egemenliğinin *sonsuza kadar* sürmeyeceğini nasıl bilebilirdi? Gerçek Bakanlığı'nın beyaz cephesindeki üç slogan, bir yanıt gibi karşısında duruyordu:

SAVAŞ BARIŞTIR
ÖZGÜRLÜK KÖLELİKTİR
CAHİLLİK GÜÇTÜR.

Winston cebinden bir yirmi beş sent çıkardı. Madeni paranın üstünde de küçük, okunaklı harflerle aynı sloganlar yazılıydı; öbür yanında ise Büyük Birader'in yüzü görülüyordu. Büyük Birader'in gözleri paranın üstünden bile sizi izliyordu. Paraların, pulların, kitap kapaklarının, bayrakların, posterlerin, sigara paketlerinin üstünden... her yerden. Hep sizi izleyen o gözler ve sizi sarıp kuşatan o ses. Uykuda ya da uyanık, çalışırken ya da yemek yerken, içeride ya da dışarıda, banyoda ya da yatakta... kaçış yoktu. Kafatasınızın içindeki birkaç santimetreküp dışında, hiçbir şey sizin değildi.

Güneş yer değiştirmişti; Gerçek Bakanlığı'nın artık ışık almayan sayısız penceresi, bir kalenin mazgalları kadar korkunç görünüyordu. Piramit biçimindeki bu dev yapı, Winston'ın yüreğine yılgı saldı. Kaya gibiydi, ele geçirmek olanaksızdı. Bin bomba atılsa bile yıkılmazdı. Winston bir kez daha, günceyi kimin için tuttuğunu sordu kendi kendine. Gelecek için, geçmiş için... düşsel bir çağ için belki de. Üstelik kendisini bekleyen, ölüm değil, yok edilmeydi. Güncesi kül edilecek, kendisi de buhar olacaktı. Yazdıklarını, yakılıp yok edilmeden önce yalnızca Düşünce Polisi okuyacaktı. İnsan, ardında tek bir iz bile, bir kâğıt parçasına karalanmış tek bir adsız sözcük bile bırakamadıktan sonra, geleceğe nasıl seslenebilirdi?

Tele-ekranda saat on dördü vurdu. Winston'ın on dakika içinde evden çıkması gerekiyordu. On dört otuzda işte olmak zorundaydı.

Nedendir bilinmez, saatin vurması onu yeniden yüreklendirmişti sanki. Winston, kimsenin duymayacağı bir gerçeği dile getiren, kimi kimsesi olmayan biriydi.

Ama bu gerçeği dile getirdiği sürece, belli belirsiz de olsa süreklilik kesintiye uğramayacaktı. İnsanlık kalıtı, sesini duyurarak değil, akıl sağlığını koruyarak sürdürülüyordu. Yeniden masanın başına oturdu, kalemini mürekkebe batırıp yazmaya başladı:

Geleceğe ya da geçmişe, düşüncenin özgür olduğu, insanların birbirlerinden farklı oldukları ve yapayalnız yaşamadıkları bir zamana; gerçeğin var olduğu ve yapılanın yok edilemeyeceği bir zamana:

Tekdüzen çağından, yalnızlık çağından, Büyük Birader çağından, çiftdüşün çağından; selamlar!

Artık ölmüş olduğunu düşündü. İşte şimdi, düşüncelerini dile getirebilmeyi başardığında, can alıcı adımı attığını geçirdi aklından. Her davranışın sonuçlarını, o davranışın kendisi doğurur. Yeniden yazmaya koyuldu:

Düşüncesuçu, ölümü gerektirmez: Düşüncesuçunun KENDİSİ ölümdür.

Kendini ölü bir adam olarak kabul etmişti ya, elden geldiğince uzun süre hayatta kalmak önem kazanmıştı. Sağ elinin iki parmağına mürekkep bulaşmıştı. İşte tam da böyle bir ayrıntı insanı ele verebilirdi. Bakanlık'taki bağnaz bir gayretkeş (olasılıkla bir kadın; saçları kum sarısı, ufak tefek kadın ya da Kurmaca Dairesi'nde çalışan siyah saçlı kız gibi biri) öğle arasında neden yazdığını, neden eski moda bir kalem kullandığını, dahası *ne* yazdığını merak etmeye başlayabilir, sonra da bir ilgilinin kulağına kar suyu kaçırabilirdi. Banyoya gitti, insanın derisini zımpara kâğıdı gibi kazıyan, o yüzden de bu iş için çok uygun olan pürtüklü koyu kahverengi sabunla ellerini uzun uzun yıkayarak mürekkebi çıkardı.

Günceyi çekmeceye koydu. Gizlemeye kalkışmak gereksizdi, ama hiç değilse farkına varıp varmadıklarını anlayabilirdi. Sayfa arasına bir saç teli koysa çok belli olacaktı. Gözle görülür bir tutam beyazımsı tozu parmağının ucuyla aldı, güncenin kapağının bir köşesine sürdü, günce kımıldatılacak olursa toz dökülecekti.

III

Winston rüyasında annesini görüyordu.

Annem ortadan kaybolduğunda on on bir yaşlarındaydım herhalde, diye düşündü. Annesi uzun boylu, endamlı, sessiz ve ağırkanlı bir kadındı, harikulade sarı saçları vardı. Babasını, hayal meyal de olsa, her zaman tertemiz koyu giysiler giyen, esmer, zayıf ve gözlüklü bir adam olarak anımsıyordu (babasının ince tabanlı ayakkabıları hiç aklından çıkmamıştı). Belli ki, ikisi de ellilerin ilk büyük temizlik hareketleri sırasında ortadan kaldırılmıştı.

Rüyasında, annesi, onun çok aşağılarında bir yerde oturuyordu, kız kardeşi de kucağındaydı. Winston, iri gözleriyle çıldır çıldır bakan, hiç sesi çıkmayan, minicik, enez bir bebek olması dışında kız kardeşiyle ilgili hiçbir şey anımsamıyordu. İkisi de, başını kaldırmış, ona bakıyordu. Yerin altında bir yerdeydiler –belki bir kuyunun dibi, belki çok derin bir mezar–, Winston'ın çok aşağısında ve durmadan daha da aşağılara gitmekte olan bir yerde. Batmakta olan bir geminin salonundaydılar, gittikçe kararan suların arasından ona bakıyorlardı. Salonda hâlâ hava vardı, hâlâ onlar Winston'ı, Winston da onları görebiliyordu, ama gittikçe dibe, birazdan onları yutup yok edecek olan yeşil sulara batıyorlardı. Winston'ın bulunduğu yerde ışık da vardı, hava da, onlar ise ölümün içine çekiliyorlardı; Winston burada, yukarıda olduğu *için* onlar orada, aşağıdaydılar. Bunu Winston da biliyordu, onlar da; bildiklerini yüzlerinden okuyabiliyordu. Ama yüzlerinde de, yüreklerinde de en küçük bir gücenme yoktu; yalnızca onun yaşayabilmesi için kendilerinin ölmesi gerektiğini, bunun yaşamın doğası gereği kaçınılmaz olduğunu bildikleri anlaşılıyordu.

Winston neler olup bittiğini anımsayamıyordu; ama rüyasında biliyordu ki, annesiyle kız kardeşi onun yaşaması için can vermişlerdi. Bu rüya, rüyalara özgü görüntülerde geçmekle birlikte, insanın düşünsel yaşamının bir devamı olan ve uyandıktan sonra da yeni ve değerliymiş gibi gelen gerçekler ve düşüncelerin ayırdına vardığı rüyalardandı. Şimdi birden Winston'ı allak bullak eden, annesinin nerdeyse otuz yıl önceki ölümünün, artık pek mümkün olmayan biçimde trajik ve hüzünlü bir ölüm olduğuydu. Trajedinin, eski zamanlara, mahremiyet, sevgi ve dostluğun hâlâ var olduğu, aile üyelerinin nedenini bilmeye gerek duymadan birbirlerine arka çıktıkları bir zamana ait bir şey olduğunu anlıyordu. Annesinin anısı yüreğini dağlıyordu, çünkü annesi onu severek ölmüştü, Winston ise o sıralar onun sevgisine karşılık veremeyecek kadar küçük ve bencildi; nasıl olduğunu anımsamıyordu ama, annesi özel ve sağlam bir sadakat kavramı adına kendini feda etmişti. Winston artık böyle şeylere rastlanmadığının ayırdındaydı. Artık korku, nefret ve acı vardı, soylu duygulara, derin ve karmaşık acılara rastlanmıyordu. Winston bütün bunları yüzlerce kulaç aşağıda, daha da derinlere batmakta olan annesiyle kız kardeşinin yeşil suların arasından kendisine bakan iri gözlerinde görür gibiydi.

Birden, kendini, güneşin eğik ışınlarının toprağı yaldızladığı bir yaz akşamı, bodur, süngersi bir turbalığın üstünde buldu. Bu görünüme rüyalarında o kadar sık rastlıyordu ki, gerçek dünyada da görüp görmediğini hiçbir zaman tam olarak anlayamıyordu. Uyur uyanık düşünürken, buraya Altın Ülkesi adını vermişti. Tavşanlar tarafından kemirilmiş eski bir çayırdı burası; ortasından bir patika geçiyor, sağda solda köstebek yuvaları göze çarpıyordu. Çayırın karşı tarafındaki kırık dökük çitin içinde kalan karaağaçların dalları hafif rüzgârda salınıyor, gür yaprakları kadın saçı gibi uçuşuyordu. Gözle görülmese de, yakınlarda bir yerde, söğütlerin altındaki gölcüklerde sazanların yüzdüğü duru bir dere ağır ağır akıyordu.

Siyah saçlı kız, çayırın öte yanından ona doğru geliyordu. Sanki bir çırpıda giysilerini yırttığı gibi istifini bozmadan bir kenara fırlattı. Teni beyaz ve duruydu, ama Winston'da en küçük bir istek uyandırmadı, göz ucuyla bile bakmadı kıza. O anda Winston'ı asıl afallatan, kızın giysilerini bir kenara fırlatışı karşısında kapıldığı hayranlık oldu. Genç kız, bu hareketindeki zarafet ve umursamazlıkla, Büyük Birader, Parti ve Düşünce Polisi tek bir benzersiz kol hareketiyle yok edilebilirmişçesine bütün bir kültürü, bütün bir düşünce sistemini yerle bir etmişti sanki. Bu da eski çağlardan kalma bir haereketti. Winston, dudaklarında "Shakespeare" sözcüğüyle uyandı.

Tele-ekrandan kulakları sağır eden bir düdük sesi yükseldi ve otuz saniye kadar aynı tonda sürdü. Saat sıfır yedi on beşti, büro çalışanlarının kalkma vakti gelmişti. Winston yataktan güç bela kalktı –çıplaktı, çünkü bir Dış Parti üyesi yılda yalnızca üç bin giysi kuponu alabiliyordu, oysa bir pijama altı yüz kupondu– ve iskemlenin üstündeki soluk tişörtle şortu kaptı. Beden Alıştırmaları üç dakikaya kadar başlayacaktı. Birden, nerdeyse her sabah uyanır uyanmaz yakalandığı şiddetli bir öksürük nöbetine tutularak iki büklüm oldu. Ciğerleri öyle bir boşalmıştı ki, ancak sırtüstü uzanıp art arda derin derin nefes aldıktan sonra soluklanabildi. Öksürmekten damarları şişmiş, varis çıbanı kaşınmaya başlamıştı.

Cırlak bir kadın sesi, "Otuz kırk yaş arasındakiler!" diye ciyakladı. "Otuz kırk yaş arasındakiler! Lütfen yerlerinize geçin. Otuz kırk yaş arasındakiler!"

Winston, cimnastik giysileri giymiş, lastik pabuçlu, ince yapılı ama kaslı, genççe bir kadının görüntüsünün belirdiği tele-ekranın karşısında hemen hazır ola geçti.

Kadın, "Kolları bükün ve uzatın!" diye gürledi. "Benim gibi yapacaksınız. *Bir*, iki, üç, dört! *Bir*, iki, üç, dört! Hadi bakalım, yoldaşlar, canlanın biraz! *Bir*, iki, üç, dört! *Bir*, iki, üç, dört!..."

Öksürük nöbetinin sancısı, rüyanın Winston'da uyandırdığı duyguları tümden silememişti; üstelik cimnastiğin ritmik hareketleri nedense o duyguları diriltiyordu. Yüzünde Beden Alıştırmaları için uygun görülen o sert ama hoşnut bakış, kollarını kaldırıp indirirken, çocukluğunun belli belirsiz günlerini kafasında yeniden canlandırmaya çalışıyordu. Ama hiç de kolay değildi. Ellilerin sonlarının ötesinde her şey silikleşiyordu. Olup bitenlerle ilgili hiçbir kayıt olmayınca, insanın kendi yaşamının ana çizgileri bile belirsizleşiyordu. Büyük olasılıkla hiç olmamış büyük olayları anımsıyordunuz, olayların ayrıntılarını anımsıyor, ama meydana geldikleri ortamı çıkaramıyordunuz, araya hiçbir şey anımsayamadığınız büyük boşluklar giriyordu. Anlaşılan, o zamanlar her şey farklıydı. Ülkelerin adları ve haritadaki biçimleri bile farklıydı. Örneğin, o günlerde Havaşeridi Bir'e Havaşeridi Bir denmiyordu; İngiltere ya da Britanya deniyordu, ama Londra'ya o zaman da Londra dendiğinden nerdeyse emindi.

Winston, ülkesinin savaşta olmadığı bir dönemi anımsamıyordu, ama çocukluğunda uzunca bir barış dönemi yaşadıkları açıktı, çünkü ilk anıları arasında bir hava saldırısının herkesi şaşkınlığa uğratması yer alıyordu. Belki de Colchester'a atom bombası atıldığındaydı. Saldırıyı anımsamıyordu, ama babasının elinden sımsıkı tuttuğunu, ayaklarının altında çın çın öten sarmal bir merdivenden döne döne ta aşağılara, yerin altına indiklerini hiç unutmamıştı; bir ara bacakları o kadar yorulmuştu ki yanıp yakılmaya başlamış, sonunda durup dinlenmek zorunda kalmışlardı. Annesi, her zamanki ağır aksak, dalgın haliyle, epeyce arkalarında kalmıştı. Kucağında Winston'ın minik kız kardeşi vardı; belki de katlanmış birkaç battaniyeydi kucağındaki: O sırada kız kardeşinin doğup doğmadığından bile emin değildi. En sonunda, bir metro istasyonu olduğu anlaşılan kalabalık, gürültülü bir yere inmişlerdi.

Bazıları taş zeminde oturuyorlardı, bazıları da birbirlerine sokulup demir ranzaların üstüne yığılmışlardı. Winston, annesi ve babası taş zeminin üstünde bir yer bulmuşlardı; yanı başlarında yaşlı bir adamla yaşlı bir kadın bir ranzanın üstünde yan yana oturuyorlardı. Yaşlı adamın sırtında temiz pak koyu bir giysi, başında bembeyaz saçlarını açıkta bırakacak biçimde arkaya itilmiş siyah bir kumaş kasket vardı: Yüzü kıpkırmızıydı, mavi gözlerinde yaşlar birikmişti. Ağzından cin kokuları saçılıyordu. Teninden ter kokusu değil de cin kokusu yayılıyordu sanki, gözlerinde birikenin yaş değil, saf cin olduğu söylense yeriydi. Hafif sarhoş olmakla birlikte, belli ki gerçek ve dayanılmaz bir acı çekiyordu. Winston, o çocuk aklıyla bile, az önce korkunç bir şeyin, bağışlanamayacak, asla umarı olmayan bir şeyin meydana geldiğini anlamıştı. Sanki ne olduğunu da anlamış gibiydi. Yaşlı adamın çok sevdiği biri, belki de küçük torunlarından biri öldürülmüştü sanki. Yaşlı adam ikide bir aynı sözleri yineliyordu:

"Onlara güvenmicektik. Ben demiştim, hatun, di mi? Onlara güvenirsen bööle olur işte. Hep söölemiştim. O alçak heriflere güvenmicektik."

Ama hangi alçak heriflere güvenmemeleri gerektiğini Winston artık anımsayamıyordu.

O zamandan bu yana savaş dur durak bilmeden sürmüştü, ama hep aynı savaş mıydı sürüp giden, orası belli değildi. Çocukluğunda, Londra'nın göbeğinde aylarca süren, ne idüğü belirsiz sokak çatışmaları olmuştu, bazıları hâlâ gözünün önünden gitmiyordu. Gel gör ki, bütün bir dönemin tarihini çıkarmak, kimin kiminle savaştığını söyleyebilmek artık kesinlikle olanaksızdı, çünkü şimdiki saflaşmanın dışında bir saflaşmaya ilişkin ne yazılı bir kayıt kalmıştı ne de söylenmiş bir söz. Şu anda, yani 1984 yılında (gerçekten yıllardan 1984 ise tabii) Okyanusya Avrasya'yla savaşmaktaydı ve Doğuasya'yla bağlaşma içindeydi. Bu üç devletin daha önceleri farklı bir saflaşma içinde oldukları ne resmî ağızlarca ne de birilerince doğrulanmıştı. Aslına bakılırsa, Winston'ın çok iyi bildiği gibi, Okyanusya daha dört yıl önce Doğuasya'ya savaş açıp Avrasya'yla bağlaşmaya girmişti. Ne ki, bu, belleği yeterince denetim altında olmadığı için aklında tutabildiği gizli bir bilgiydi. Bağlaşmalarda resmî olarak bir değişiklik yoktu. Okyanusya Avrasya'yla savaştaydı: Demek, Okyanusya Avrasya'yla hep savaşta olmuştu. O andaki düşman her zaman mutlak kötülüğün temsilcisi olmuştu, o yüzden onunla geçmişte de, gelecekte de herhangi bir anlaşma söz konusu olamazdı.

Omuzlarını acı içinde geriye çekerken (eller kalçalarda, gövdelerini belden yana döndürüyorlardı, bu egzersizin sırt kaslarına iyi geldiği söyleniyordu), kim bilir kaçıncı kez, en korkuncu bütün bunların doğru olabileceği, diye geçirdi aklından. Parti geçmişe el koyabiliyor ve şu ya da bu olayın *hiçbir zaman olmadığını* söyleyebiliyorsa, bu hiç kuşkusuz işkenceden de, ölümden de beter bir şeydi.

Parti, Okyanusya'nın Avrasya'yla hiçbir zaman bağlaşmaya girmediğini söylüyordu. Ama o, Winston Smith olarak, Okyanusya'nın daha dört yıl önce Avrasya'yla bağlaşma içinde olduğunu biliyordu. Peki, bu bilgi neredeydi? Yalnızca kafasının içinde, o da pek yakında yok edilip gidecekti nasıl olsa. Ve eğer başka herkes Parti'nin dayattığı yalanı kabulleniyorsa –eğer bütün kayıtlar aynı masalı söylüyorsa–, o zaman yalan tarihe geçecek ve gerçek olacaktı. Parti sloganında ne deniyordu: "Geçmişi denetim altında tutan, geleceği de denetim altında tutar; şimdiyi denetim altında tutan, geçmişi de denetim altında tutar." Üstelik geçmiş, doğası gereği değiştirilebilir olmasına karşın, hiçbir zaman değiştirilmemişti. Şimdi gerçek olan, sonsuza dek gerçekti. Çok basitti. Tek gereken, kendi belleğinize karşı sonu gelmeyen zaferler kazanmanızdı. "Gerçeklik denetimi" diyorlardı buna: Yenisöylem'de ise "çiftdüşün".

"Rahat!" diye bağırdı kadın eğitmen, biraz daha güler yüzle.

Winston kollarını yana indirerek havayı yeniden yavaş yavaş içine çekti. Aklı çiftdüşünün dolambaçlı dünyasına kayıp gitmişti. Hem bilmek hem de bilmemek, bir yandan ustaca uydurulmuş yalanlar söylerken bir yandan da tüm gerçeğin ayırdında olmak, çeliştiklerini bilerek ve her ikisine de inanarak birbirini çürüten iki görüşü aynı anda savunmak; mantığa karşı mantığı kullanmak, ahlaka sahip çıktığını söylerken ahlakı yadsımak, hem demokrasinin olanaksızlığına hem de Parti'nin demokrasinin koruyucusu olduğuna inanmak; unutulması gerekeni unutmak, gerekli olur olmaz yeniden anımsamak, sonra birden yeniden unutuvermek: en önemlisi de, aynı işlemi işlemin kendisine de uygulamak. İşin asıl inceliği de buradaydı: bilinçli bir biçimde bilinçsizliği özendirmek, sonra da, bir kez daha, az önce uygulamış olduğunuz uykuya yatırmanın ayırdında olmamak. "Çiftdüşün" dünyasını anlayabilmek bile çiftdüşünü kullanmayı gerektiriyordu.

Bu arada, tele-ekrandaki kadın eğitmen yeniden hazır ol komutu verdi. "Haydi, görelim bakalım," dedi coşkulu bir sesle, "kim parmak uçlarına dokunabilecek! Lütfen belinizi bükmeden eğilin, yoldaşlar. *Bir*, ki! *Bir*, ki!.."

Winston, topuklarından kalçalarına kadar canını yakan, çoğu kez de sonunda yeni bir öksürük nöbetine yol açan bu egzersizden nefret ederdi. Daldığı düşüncelerin tadı tuzu kalmamıştı. Geçmiş yalnızca değiştirilmekle kalmamış, resmen yok edilmiş, diye geçirdi aklından. İnsan, kendi belleği dışında hiçbir kayıt olmayınca en belirgin gerçeği bile nasıl kanıtlayabilirdi ki? Büyük Birader'den söz edildiğini ilk kez hangi yıl duyduğunu anımsamaya çalıştı. Altmışlarda olmalı, diye düşündü, ama kesin bir şey söylemek olanaksızdı. Büyük Birader, hiç kuşkusuz, Parti'nin tarih kitaplarında en baştan beri Devrim'in önderi ve koruyucusu olarak görünüyordu. Gösterdiği kahramanlıklar, zamanla kapitalistlerin, kafalarında o garip silindir şapkalarla, Londra caddelerinde kocaman, ışıltılı otomobiller ya da iki yanı camlı faytonlarla gezindikleri kırklı ve otuzlu yılların görkemli günlerini kapsayacak kadar geriye götürülmüştü. Bu efsanenin ne kadarının gerçek, ne kadarının uydurma olduğunu bilmek olanaksızdı. Winston, Parti'nin hangi tarihte oluştuğunu bile anımsamıyordu. İngsos sözcüğünü 1960'tan önce duyduğunu hiç sanmıyordu, ama Eskisöylem'deki biçimiyle –yani "İngiliz Sosyalizmi" olarak– daha önce de var olmuş olabilirdi. Her şey bilmece gibiydi. Bazen bir yalanı saptamak mümkün olabiliyordu.

Örneğin, Parti'nin tarih kitaplarında ileri sürüldüğü gibi, uçakları Parti'nin icat ettiği doğru değildi. Winston daha küçük bir çocukken bile uçakların var olduğunu anımsıyordu. Ama hiçbir şeyi kanıtlamak mümkün değildi. Ortada hiçbir kanıt yoktu. Tarihsel bir olayın çarpıtıldığının şaşmaz belgeli kanıtını hayatı boyunca yalnızca bir kez ele geçirebilmişti. Ama o zaman da...

Tele-ekrandaki kadın, "Smith!" diye bağırdı şirret bir sesle. "6079 Smith W! Evet, *sen*! Biraz daha eğilir misin, lütfen! Bence daha iyisini yapabilirsin. Kendini vermiyorsun ki. Az daha eğil, lütfen! *Tamam*, böyle daha iyi, yoldaş. Şimdi rahat! Herkes beni izlesin."

Winston birden tepeden tırnağa tere batmıştı. Ama yüzünden hiçbir şey anlaşılmıyordu. Korkunu asla gösterme! Öfkeni asla belli etme! Gözlerindeki ufacık bir kıpırtı seni ele verebilir. Winston durduğu yerden, kollarını başının üzerine kaldıran ve –zarafetle değilse bile, olağanüstü bir beceri ve ustalıkla– öne eğilerek el parmaklarının ilk eklemini ayak parmaklarına değdiren eğitmeni izledi.

"*Tamam mı*, yoldaşlar! *Aynen* böyle yapmanızı istiyorum. Bir bakın bana. Otuz dokuz yaşındayım ve dört çocuk doğurdum. Şimdi beni izleyin." Yeniden öne eğildi. "Bakın, *dizlerimi* bükmüyorum." Sonra yeniden doğrulurken, "Hepiniz yapabilirsiniz, yeter ki isteyin," diye ekledi. "Kırk beş yaşının altındaki herkes pekâlâ ayak parmaklarına dokunabilir. Gerçi hepimiz ön saflarda savaşma ayrıcalığına sahip değiliz, ama hiç değilse hepimiz bedenimizi sağlam tutabiliriz. Malabar cephesindeki evlatlarımızı anımsayın! Yüzen Kaleler'deki denizcileri anımsayın! *Onların* neler çektiklerini bir düşünün," dedi ve "Haydi bakalım, şimdi yeniden deneyin. Evet, şimdi daha iyi, yoldaş, şimdi *çok daha* iyi," diye ekledi yüreklendirici bir sesle. Winston, büyük bir çaba göstererek, yıllardır ilk kez dizlerini bükmeden ayak parmaklarına dokunmayı başardı.

IV

Yeni bir işgünü başlarken tele-ekranın yakınlığının bile farkında olmadan derin bir iç çeken Winston, söyleyaz'ı kendine çekip ağızlığındaki tozları üfledi ve gözlüğünü taktı. Sonra, masasının sağındaki basınçlı borudan düşmüş olan dört küçük kâğıt ruloyu düzeltip birbirine tutturdu.

Odacığının duvarlarında üç boru ağzı vardı. Söyleyaz'ın sağında, yazılı mesajların geldiği küçük bir basınçlı boru; solunda, gazetelerin geldiği daha kalın bir basınçlı boru; yan duvarda ise, Winston'ın kolayca uzanabileceği bir yerde, tel kafesle kaplı düz ve uzun bir yarık. Bu sonuncusu, çöpe atılacak kâğıtlar içindi. Binada, yalnızca odalarda değil, nerdeyse her koridorda bile kısa aralıklarla buna benzer binlerce, belki on binlerce yarık vardı. Nedense bellek delikleri deniyordu bunlara. Yok edilmesi gerektiği bilinen bir belge, dahası yerde göze çarpan bir kâğıt parçası varsa, hiç düşünmeden en yakın bellek deliğinin kapağını kaldırıp içine atıyordunuz; belge ya da kâğıt parçası sıcak hava akımına kapılarak binanın gizli bir köşesindeki dev fırınları boyluyordu.

Winston, açmış olduğu dört kâğıt parçasına göz attı. Her birinde, kısaltmalı bir jargonla yazılmış, bir iki satırlık bir mesaj vardı; Bakanlığın iç haberleşmelerinde kullanılan bu mesajlar tam olarak Yenisöylem'de yazılmamıştı, ama büyük ölçüde Yenisöylem sözcüklerinden oluşuyordu. Şöyle deniyordu:

times 17.3.84 bb söylev yanlış bilgi afrika düzelt
times 19.12.83 3 yp 83 son çeyrek tahminleri
baskı hataları eldeki baskıyı denetle
times 14.2.84 varbak çikolata eksiktayın düzelt
times 3.12.83 bb günlükemir haber çiftartıyetersiz
yokkişiler gönder yeniyaz tümle öndosya
üstyet

Winston, belli belirsiz bir hoşnutlukla, dördüncü
mesajı bir kenara ayırdı. Karmaşık ve sorumluluk gerektiren
bir iş olduğu için sona bırakmakta yarar vardı. Öbür
üçü gündelik işler olmakla birlikte, ikincisi listelere bakarak
bir sürü rakamı elden geçirmeyi gerektirdiğinden
sıkıcı olabilirdi.

Winston, tele-ekranda "eski sayılar"ı tuşladı, Times'ın
gerekli nüshaları yalnızca birkaç dakika sonra basınçlı
borudan geliverdi. Aldığı mesajlar, şu ya da bu nedenle
değiştirilmesi ya da resmî deyimle düzeltilmesi gerektiği
düşünülen makaleler ve haberlerle ilgiliydi. Örneğin, 17
Mart tarihli Times'a göre, Büyük Birader önceki günkü
söylevinde Güney Hindistan cephesinde yeni bir gelişme
olmayacağını, ama kısa bir süre sonra Avrasya'nın
Kuzey Afrika'da saldırıya geçeceğini öngörmüştü. Gel
gör ki, Avrasya Başkomutanlığı saldırıyı Güney Hindistan'da
başlatmış, Kuzey Afrika'ya hiç dokunmamıştı. O
yüzden, Büyük Birader'in söylevinin bir paragrafını yeniden
kaleme almak, öngörüsünü gerçeğe uygun kılmak
gerekiyordu. Yine, 19 Aralık tarihli Times'da, çeşitli tüketim
maddelerinin, aynı zamanda Dokuzuncu Üç Yıllık
Plan'ın altıncı çeyreği olan 1983 yılının dördüncü çeyreğindeki
üretim tahminleri yayımlanmıştı. Oysa bugünkü
nüshada açıklanan gerçek üretim rakamlarına bakılırsa,
tahminler tümüyle büyük yanlışlar içeriyordu. Winston'a
düşen, ilk baştaki rakamları sonrakilere uyacak biçimde

değiştirmekti. Üçüncü mesaj ise, birkaç dakikada düzeltilebilecek çok basit bir yanlışla ilgiliydi. Daha şubat ayında, Varlık Bakanlığı, 1984 boyunca çikolata tayınında hiçbir azaltıma gidilmeyeceği vaadinde bulunmuştu (resmî açıklamada, bunun "kesin bir taahhüt" olduğu belirtilmişti). Aslında, Winston'ın da bildiği gibi, çikolata tayını o hafta sonunda otuz gramdan yirmi grama indirilecekti. Tek gereken, başlangıçtaki vaadi, nisan ayı içinde çikolata tayınında azaltıma gitmek zorunda kalınabileceğine ilişkin bir uyarıyla değiştirmekti.

Winston, mesajlarda bildirilenleri yerine getirdikten sonra, söyleyaz'a söyleyip yazdırdığı düzeltmeleri Times'ın uygun sayılarına iliştirip basınçlı borudan içeri attı. Sonra da, nicedir edinmiş olduğu bir alışkanlıkla, mesajların asıllarını ve tuttuğu notları buruşturup alevler tarafından yutulacakları bellek deliğine bıraktı.

Basınçlı boruların gittiği görünmez labirentte neler olduğunu ayrıntılarıyla bilmiyordu, ama sonuçta ne olduğunu biliyordu. Times'ın belirli bir sayısında gerekli görülen tüm düzeltmeler bir araya getirilip harman edilir edilmez, o sayı yeniden basılıyor, asıl nüsha yok ediliyor ve arşive onun yerine düzeltilmiş nüsha konuyordu. Bu sürekli değiştirme işlemi yalnızca gazeteler için değil, kitaplar, süreli yayınlar, broşürler, posterler, kitapçıklar, filmler, ses bantları, karikatürler, fotoğraflar, siyasal ya da ideolojik bakımdan önem taşıyabilecek her türlü kitap ve belge için geçerliydi. Geçmiş, günü gününe, nerdeyse dakikası dakikasına güncelleniyordu. Böylelikle, Parti'nin tüm öngörülerinin ne kadar doğru olduğu belgeleriyle kanıtlanmış oluyor; günün gereksinimleriyle çelişen tüm haber ve görüşler kayıtlardan siliniyordu. Tüm tarih, gerektikçe sık sık kazınan ve yeniden yazılan bir palimpseste dönmüştü. Bu işlem uygulandıktan sonra, herhangi bir çarpıtmanın yapıldığını kanıtlama olanağı ortadan kalkıyordu. Arşiv Dairesi'nin, Winston'ın çalıştığı bölümden çok daha büyük olan bir bölümünde çalışanların görevi, geçersiz kılınmış ve yok edilmesi gereken kitaplar, gazeteler ve başka belgelerin tüm nüshalarını bulup çıkarmak ve toplamaktı. *Times* gazetesinin, siyasal saflaşmadaki değişiklikler ya da Büyük Birader'in yanlış kehanetleri yüzünden pek çok kez yeniden yazılmış bir sayısı arşivde aslının tarihiyle yerini alıyor, geride onunla çelişebilecek tek bir sayı kalmıyordu. Kitaplar da durmadan toplatılıp yeniden yazılıyor ve yapılan değişikliklerden söz edilmeksizin yeniden yayımlanıyordu. Winston'a iletilen ve gerekli işlemi yapar yapmaz ortadan kaldırdığı yazılı yönergelerde, bir sahtecilik yapılması gerektiğine ilişkin en küçük bir açıklama, hatta bir sezdirme bile kesinlikle yer almıyordu; yalnızca doğruluk adına düzeltilmesi gereken anlam kaymaları, yanlışlar, baskı hataları ya da alıntı yanlışlarından söz ediliyordu.

Winston, Varlık Bakanlığı'nın rakamlarını yeniden düzenlerken, aslında bunun sahtecilik bile olmadığını geçirdi aklından. Bir saçmalığın yerini bir başka saçmalığın almasından başka bir şey değildi bu. Ele aldığınız bilgilerin çoğunun gerçek dünyayla en küçük bir bağıntısı yoktu; bir kuyruklu yalanın bile gerçek dünyayla daha çok bağıntısı olduğu söylenebilirdi. İstatistiklerin ilk başta verilen rakamları da sonradan düzeltilmiş rakamlar kadar uydurmaydı. Çoğu zaman onları sizin kendi kafanızdan uydurmanız gerekiyordu. Örneğin, Varlık Bakanlığı'nın o çeyrek için bot üretimi tahmini yüz kırk beş milyon çiftti. Gerçek üretim ise altmış iki milyon çift olarak verilmişti. Oysa Winston, Bakanlığın tahminini yeniden yazarken, rakamı elli yedi milyon olarak kaydetmiş, böylece belirlenen hedefin aşılmış olduğu yolundaki sava doğruluk payı bırakmıştı. Nasıl olsa, altmış iki milyon çift gerçek rakama elli milyondan daha yakın olmadığı gibi, yüz kırk beş milyondan da yakın değildi. Dahası, hiç bot üretilmemiş de olabilirdi. Kaldı ki, ne kadar bot üretildiğini kimse bilmediği gibi, zerre kadar umursamıyordu da. Tek bilinen, kâğıt üzerinde bol keseden bot üretilirken, Okyanusya halkının belki de yarısının yalınayak dolaştığıydı. Aynı şey, şu ya da bu ölçüde her alandaki kayıtlar için geçerliydi. Her şey bir hayal dünyasında eriyip gidiyordu, sonunda yılın hangi gününde oldukları bile belirsizleşmişti.

Winston salona şöyle bir baktı. Tam karşıdaki odacıkta Tillotson adındaki ufak tefek, karaşın bir adam, dikkat kesilmiş, başını kaldırmadan çalışıyordu; dizlerinin üstünde katlanmış bir gazete vardı, ağzını söyleyaz'ın ağızlığına iyice yaklaştırmıştı. Söylediklerinin, kendisi ile tele-ekran arasında bir sır olarak kalmasını sağlamaya çalışıyordu sanki. Başını kaldırdı, gözlüğünün camlarından Winston'a doğru düşmanca bir parıltı yansıdı.

Winston, Tillotson'ı doğru dürüst tanımadığı gibi, ne iş yaptığını da bilmiyordu. Arşiv Dairesi'ndekiler işlerinden pek söz etmezlerdi. İki yanı boyunca odacıkların uzandığı, sürekli bir kâğıt hışırtısının duyulduğu ve alçak sesle söyleyaz'a konuşanlardan bir uğultunun yükseldiği uzun, penceresiz salonda, Winston'ın, her gün koridorlarda gidip gelirlerken ya da İki Dakika Nefret sırasında el kol sallayarak bağırırlarken gördüğü halde adlarını bile bilmediği bir sürü insan vardı. Winston, yandaki odacıkta çalışan, saçları kum sarısı, ufak tefek kadının, her gün sabahtan akşama kadar, buharlaştırıldıkları için hiç yaşamamış sayılan insanların adlarını gazetelerden bulup sildiğini biliyordu. Birkaç yıl önce kocası da buharlaştırılmış olduğu için bir bakıma kadına uygun düşen bir işti bu. Birkaç odacık ileride ise, Ampleforth adında halim selim, ne kokar ne bulaşır, sessiz sakin, kulakları kıllı bir yaratık çalışıyordu; uyak ve ölçü düzme konusunda şaşır-

66

tıcı bir becerisi olan bu adamın işi, ideolojik bakımdan sakıncalı olmuş, ama her nedense antolojilerde kalması gerekli görülmüş şiirlerin çarpıtılmış biçimlerini –nihai metinler deniyordu bunlara– hazırlamaktı. Elli kadar çalışanıyla bu salon, Arşiv Dairesi'nin uçsuz bucaksız karmaşık yapısı içinde yalnızca bir alt bölüm, tek bir hücreydi. Daha ileride, yukarıda, aşağıda öbek öbek işçiler bin bir çeşit işle uğraşıyorlardı. Baskı ve dizgi ustalarının çalıştıkları dev basımevleri, fotoğrafları değiştirip çarpıtmak için tam donanımlı stüdyolar vardı. Tele-programlar bölümünde, mühendisler, yapımcılar, özellikle ses taklidindeki ustalıkları nedeniyle seçilmiş oyuncular görev yapmaktaydı. Sonra, ıskartaya çıkartılması gereken kitaplar ve süreli yayınların listelerini hazırlamakla görevli bir yazmanlar ordusu vardı. Düzeltilmiş belgelerin saklandığı büyük depolar ve özgün kopyaların yok edildiği gizli fırınlar vardı. Ve bir yerlerde, tüm bu çalışmaların eşgüdümlü bir biçimde yürütülmesini sağlayan, geçmişin hangi bölümünün korunacağını, hangi bölümünün çarpıtılacağını, hangi bölümünün tümden silinip ortadan kaldırılacağını belirleyen politikaları saptayan kimliği belirsiz beyinler vardı.

Aslına bakılırsa, Arşiv Dairesi de, asıl işi geçmişi yeniden düzenlemek değil, Okyanusya yurttaşlarına gazetelerini, filmlerini, ders kitaplarını, tele-ekran programlarını, oyunlarını, romanlarını –heykelden slogana, lirik bir şiirden biyolojik bir incelemeye, çocuklar için alfabelerden Yenisöylem sözlüğüne, akla gelebilecek her türlü haber, bilgi ve eğlenceyi– sağlamak olan Gerçek Bakanlığı'nın bir bölümüydü yalnızca. Üstelik Bakanlığın, Parti'nin çok çeşitli gereksinimlerini sağlamakla kalmaması, tüm bu işleri proletarya için de daha düşük bir düzeyde gerçekleştirmesi gerekiyordu. Proleterlerin edebiyatı, müziği, tiyatrosu ve eğlencesiyle ilgilenen pek çok daire vardı. Spor, cinayet haberleri ve astrolojiden başka bir şey içermeyen beş para etmez gazeteler, iç gıcıklayıcı ucuz romanlar, seks sahneleriyle dolu filmler, uyakdüşüren diye bilinen özel bir kaleydoskopta tümüyle mekanik bir biçimde bestelenen hisli şarkılar buralarda üretiliyordu. Dahası, mühürlü kutular içinde dağıtılan ve hazırlayanlar dışında hiçbir Parti üyesinin bakmasına izin verilmeyen, en bayağısından pornografik yayınlar üreten koca bir alt bölüm –Yenisöylem'de *Pornoböl* deniyordu– vardı.

Winston çalışırken, basınçlı borudan üç mesaj daha düşmüştü; ama kolay işlerdi, İki Dakika Nefret araya girmeden üçünü de bitirmişti bile. Nefret sona erdikten sonra odacığına döndü, raftan Yenisöylem sözlüğünü aldı, söyleyaz'ı yana itti, gözlüğünün camlarını temizledi ve sabahın asıl işine koyuldu.

Winston'ın hayattaki en büyük zevki yaptığı işti. Gerçi büyük bir bölümü sıkıcı ve tekdüzeydi, ama bir matematik problemine dalmışçasına kendinizden geçebileceğiniz zor ve karmaşık işler de yok değildi; size, İngsos ilkeleri konusundaki bilginiz ve Parti'nin ne demenizi istediğine ilişkin sezginiz dışında yol gösteren hiçbir şeyin olmadığı, ince sahtecilik işleriydi bunlar. Winston bu işlerin ustasıydı. *Times*'ın tümüyle Yenisöylem'le yazılmış başyazılarının düzeltilmesi işinin ona verildiği bile olmuştu. Daha önce bir kenara ayırmış olduğu mesajı açtı. Şöyle diyordu:

times 3.12.83 bb günlükemir haber çiftartıyetersiz yokkişiler gönder yeniyaz tümle öndosya üstyet

Bu mesaj, Eskisöylem'e (ya da Standart İngilizceye) şöyle aktarılabilirdi:

Büyük Birader'in Günlük Emrinin, *Times*'ın 3 Aralık 1983 tarihli sayısındaki haberi son derece yetersiz, üstelik var olmayan kişilere göndermelerde bulunuyor. Tümüyle yeniden yaz ve taslağını dosyalamadan önce bir üst yetkiliye göster.

Winston, suçlanan yazıyı baştan sona okudu. Anlaşılan, Büyük Birader'in Günlük Emri, Yüzen Kaleler'deki denizcilere sigara ve başka nimetler sağlayan ve YKSN diye bilinen örgütün çalışmalarına övgülerle doluydu. Özellikle İç Parti'nin önde gelen üyelerinden Yoldaş Withers diye biri göklere çıkarılmış, ikinci dereceden Yararlık Nişanı'yla ödüllendirilmişti.

YKSN'nin varlığına üç ay sonra hiçbir gerekçe gösterilmeden birden son verilmişti. Withers ve çalışma arkadaşlarının gözden düşmüş oldukları geliyordu akla, ama bu konuda basında da, tele-ekranda da hiçbir haber verilmemişti. Siyasal suçlular mahkemeye çıkarılıp yargılanmak şöyle dursun, açıktan açığa bile suçlanmadığı için, buna şaşmamak gerekirdi. Binlerce kişiyi kapsayan büyük temizlikler, suçlarını alçakça itiraf ettikten sonra idam edilen hainler ve düşünce-suçlularının halk önünde yargılanmaları, ancak birkaç yılda bir rastlanan özel gösterilerdi. Genellikle, Parti'nin öfkesini çekmiş kişiler ortadan kayboluverirler, bir daha da onlardan hiçbir haber alınamazdı. Bazıları yaşıyor bile olabilirlerdi. Winston'ın, annesiyle babası dışında, yakından tanıdığı belki otuz kişi değişik zamanlarda ortadan kaybolmuştu.

Winston bir ataşla hafif hafif burnunu kaşıdı. Karşıki odacıkta Yoldaş Tillotson hâlâ öne eğilmiş, söyleyaz'a gizli gizli bir şeyler söylüyordu. Bir an başını kaldırdı: Gözlük camlarından yine o düşmanca parıltı yansıdı. Winston, Yoldaş Tillotson'ın kendisiyle aynı işi yapıp yapmadığını merak ediyordu. Pekâlâ mümkündü. Bu denli beceri isteyen, incelikli bir iş tek bir kişiye bırakılamazdı; öte yandan, böyle bir işi bir kurula vermek de işin içinde bir dalavere olduğunu açıkça kabullenmek olurdu. Şu anda büyük olasılıkla on on beş kişi Büyük Birader'in söylemiş olduklarının farklı yorumları üzerinde harıl harıl çalışmaktaydı. Ve çok geçmeden, İç Parti'nin beyin takımından biri o yorumlardan birini seçip yayına hazırlayacak, karmaşık işlemlerden geçirerek gerekli sağlamaları yapacak, böylece seçilmiş yalan kayıtlara geçerek gerçek olacaktı.

Winston, Withers'ın neden gözden düştüğünü bilmiyordu. Kim bilir, belki rüşvet almış ya da yetersiz bulunmuştu. Belki de Büyük Birader gereğinden fazla sevilen bir astını başından atıyordu. Belki Withers ya da bir yakınının sapkın eğilimlerinden kuşkulanılmıştı. Ya da temizlikler ve buharlaştırmalar yönetim mekanizmasının ayrılmaz bir parçası olup çıktığı için böyle yapılmıştı belki de; en yakın olasılık buydu. Elle tutulur biricik ipucu, Withers'ın çoktan ölmüş olduğunu gösteren "yokkişiler gönder" sözcüklerindeydi. Tutuklananların ille de ölmüş olduklarını düşünmek her zaman doğru değildi. Bazen salıveriliyorlar ve bir iki yıl özgür yaşamalarına izin verildikten sonra idam ediliyorlardı. Çok sık olmasa da bazen, çoktan ölmüş olduğuna inanılan biri halka açık bir mahkemede hortlayıveriyor, tanıklığıyla yüzlerce kişinin başını belaya sokuyor, sonra da sırra kadem basıyordu. Withers'a gelince, o artık bir *yokkişi*'ydi. Yoktu: Hiç var olmamıştı. Winston, Büyük Birader'in söylevinin akışını tersine çevirmenin yeterli olmayacağına karar verdi. Asıl konuyla hiçbir bağıntısı olmayan, tümden farklı bir söylev hazırlamak daha iyi olacaktı.

Söylevi, hainler ve düşünce-suçlularının yerden yere vurulduğu o alışılmış konuşmalardan birine dönüştürebilirdi, ama bu çok kör kör parmağım gözüne olurdu;

öte yandan, cephede yeni bir zafer ya da Dokuzuncu Üç Yıllık Plan kapsamında bir üretim fazlası başarısı icat etmek de kayıtları içinden çıkılmaz bir duruma getirebilirdi. Demek, tümüyle hayali bir şey bulmak gerekiyordu. Birden, düşündüğü şeye cuk oturan bir fikir geldi aklına: Kısa bir süre önce bir çarpışmada kahramanca can vermiş bir Yoldaş Ogilvy neden olmasındı? Büyük Birader'in, zaman zaman Günlük Emri, yaşamı ve ölümü örnek alınması gereken, alçakgönüllü, sıradan bir Parti üyesini anmaya ayırdığı olmuştu. Bugün de Yoldaş Ogilvy'yi anabilirdi. Gerçi Yoldaş Ogilvy diye biri yoktu, ama gazetede çıkmış birkaç satır yazıyla birkaç düzmece fotoğraf onu var edebilirdi.

Winston, bir an düşündükten sonra söyleyaz'ı ağzına yaklaştırdı, Büyük Birader'in o bildik üslubuyla söyleyip yazdırmaya başladı; hem askerî hem de bilgiç bir üsluptu bu, soru sorup sonra birden soruyu yanıtlama hilesini kullandığından ("Bütün bunlardan ne ders alıyoruz, yoldaşlar? İşte, İngsos'un da temel ilkelerinden biri olan bu ders..." vb. vb.) taklit edilmesi de kolaydı.

Yoldaş Ogilvy, daha üç yaşındayken, bir davul, bir hafif makineli tüfek ve bir helikopter dışında hiçbir oyuncağa ilgi duymuyordu. Altı yaşına geldiğinde –kuralların özel olarak esnetilmesiyle bir yıl erken– Casuslar'a katılmış, dokuzunda bölük komutanı olmuştu. On bir yaşında, kulak misafiri olduğu bir konuşmada suç işlemeye yönelik eğilimlerden kuşkulanınca, amcasını Düşünce Polisi'ne ihbar etmişti. On yedisinde, Seks Karşıtı Gençlik Birliği'nin bölge yöneticiliğine getirilmişti. On dokuzuna geldiğinde, Barış Bakanlığı'ndan onay alan bir el bombası icat etmiş, el bombası ilk denemede otuz bir Avrasyalı tutsağı havaya uçurmuştu. Bir harekâtta can verdiğinde yirmi üç yaşındaydı. Önemli belgelerle Hint Okyanusu üzerinde uçarken düşman jetleri ardına takı-

71

lınca, makineli tüfeğini ağırlık yapması için boynuna asarak belgelerle birlikte helikopterden atlamış, okyanusun derin sularında kaybolmuştu; kıskanılası bir son, diyordu Büyük Birader. Yoldaş Ogilvy'nin ne kadar dürüst ve içten bir yaşam sürdüğüne değinmeden de edemiyordu. Her türlü kötü alışkanlıktan uzak duran, hiç sigara içmeyen biriydi Yoldaş Ogilvy, her gün beden eğitimi salonunda geçirdiği bir saat dışında hiçbir eğlencesi yoktu; evlilik ve aile sorunlarının, insanın kendini yirmi dört saat görevine adamasını engelleyeceğine inandığından evlenmeme andı içmişti. Sohbetlerinde İngsos ilkeleri dışında hiçbir konuya yer olmadığı gibi, hayatta Avrasyalı düşmanların bozguna uğratılmasından, casuslar, kundakçılar, düşünce-suçluları ve hainlerin ele geçirilmesinden başkaca bir amacı da yoktu.

Winston, Yoldaş Ogilvy'ye bir de Yararlık Nişanı verilse mi acaba diye düşündüyse de, durup dururken bir sürü kaynak göstermeyi gerektireceği için vazgeçti.

Bir kez daha karşı odacıktaki hasmına göz attı. Tillotson'ın da kendisiyle aynı işi yaptığını sezinliyordu. Gerçi sonunda kimin yorumunun kabul göreceğini bilmek olanaksızdı, ama yine de kendi yorumunun benimseneceğinden handiyse emindi. Daha bir saat önceye kadar kimsenin hayalinden bile geçiremeyeceği Yoldaş Ogilvy şimdi bir gerçek olup çıkmıştı. Yaşayanların değil de ölülerin yaratılabilmesinin ne kadar tuhaf olduğunu geçirdi aklından. Yoldaş Ogilvy şimdide hiç yaşamamıştı ama, artık geçmişte yaşıyordu; üstelik, bu sahtecilik unutulduktan sonra, varlığı Charlemagne ya da Julius Caesar kadar gerçek, onlar kadar tanıtlı kanıtlı olacaktı.

V

Yerin epeyce altındaki yüksek tavanlı kantinde ağır ağır ilerliyordu. İçerisi daha şimdiden tıklım tıklım ve çok gürültülüydü. Tezgâhtaki ocaktan etli türlünün dumanları tütüyor, ama kekremsi kokusu Zafer Cini'nin keskin kokusunu pek bastıramıyordu. Salonun dibindeki, duvara oyulmuş bardan on sente küçük bir kadeh cin alınabiliyordu.

Winston'ın arkasından, "İşte aradığım adam," diye bir ses geldi.

Arkasına döndü. Araştırma Dairesi'nde görevli arkadaşı Syme'dı. "Arkadaşı" demek pek doğru değildi belki de. Bugünlerde arkadaş yok, yoldaş vardı: Ama bazı yoldaşların dostluğu daha keyifliydi. Syme bir filolog, bir Yenisöylem uzmanıydı. Yenisöylem Sözlüğü'nün On Birinci Baskısı'nı hazırlamakta olan dev ekipteki uzmanlardan biriydi. Ufak tefek, Winston'dan da kısa boylu, siyah saçlı, iri, patlak gözlü bir adamdı; biraz mahzun, biraz alaycı bakışlarını yüzünüzden ayırmadan konuşurdu.

"Jiletin var mı diye soracaktım," dedi.

Winston, suçluca bir telaşla, "Hiç yok!" dedi. "Sormadığım yer kalmadı. Artık hiçbir yerde jilet yok."

Herkes jilet peşindeydi. Aslında Winston'ın bir kenara ayırdığı kullanılmamış iki jileti vardı. Aylardır jiletin köküne kıran girmişti sanki. Parti dükkânlarının sağlayamadığı şeyler o kadar çoktu ki. Bu bazen düğme oluyordu, bazen örgü yünü, bazen ayakkabı bağı; şimdi de jilet bulunmuyordu işte. Ancak "serbest" piyasada uzun aramalardan sonra el altından birkaç tane bulunabiliyordu.

"Tam altı haftadır aynı jileti kullanıyorum," diye bir yalan kıvırdı Winston.

Kuyruk azıcık daha ilerledi. Durduklarında, Win-

73

ston dönüp bir kez daha Syme'a baktı. İkisi de tezgâhın kenarındaki yığından yağlı birer metal tepsi aldı.

"Dün mahkûmların asılışını seyretmeye gittin mi?" dedi Syme.

Winston, umursamaz bir sesle, "İşim vardı," dedi. "Filmini görürüm herhalde."

"Aynı şey değil," dedi Syme.

Alaycı bakışları Winston'ın yüzünde geziniyordu. Gözleri, "Seni tanıyorum. Ciğerini okuyorum senin. O mahkûmların asılışını seyretmeye neden gitmediğini çok iyi biliyorum," der gibiydi. Syme, kafaca, kötücül bir bağnazdı. Düşman köylerine yapılan helikopter baskınları, düşünce-suçlularının yargılanmaları ve itiraflarını, Sevgi Bakanlığı'nın mahzenlerindeki idamları konuşmaktan iblisçe bir zevk alırdı. Syme'la konuşabilmek için, onu bu tür konulardan uzak tutmak, onu mümkünse çok iyi bildiği ve ilginç şeyler anlattığı Yenisöylem'in teknik ayrıntılarına çekmek gerekirdi. Winston, iri siyah gözlerin delici bakışlarından kaçınmak için başını hafifçe yana çevirdi.

Syme, o günden söz açarak, "İyi bir idamdı," dedi. "Bana sorarsan, ayaklarını birbirine bağlamaları işin tadını kaçırıyor. Oysa bacakların havada tepinip durmasını seyretmek o kadar zevkli ki. Hele, sonunda dil dışarıya sarkıp masmavi, hatta mosmor kesilmiyor mu! En hoşuma giden ayrıntı o işte."

Beyaz önlüklü proleter, elinde kepçe, "Sıradaki, lütfen!" diye bağırdı.

Winston ile Syme, tepsilerini ızgaranın altına sürdüler. Tepsilere çabucak öğle tabldotu boşaltıldı: bir madeni kapta koyu pembe renkte etli türlü, irice bir parça ekmek, bir küçük dilim peynir, kulplu bardakta sütsüz Zafer Kahvesi ve bir tablet tatlandırıcı.

Syme, "Şurada, tele-ekranın altında bir masa var," dedi. "Oturmadan birer cin alalım."

Kulpsuz porselen fincanlarda verilen cinlerini aldılar. Salondaki kalabalığın arasından güçlükle geçerek tepsilerini madeni masaya bıraktılar; masanın bir köşesinde, kusmuğa benzeyen iğrenç bir türlü artığı kalmıştı. Winston cin fincanını alıp ağzına götürdü, bir an cesaretini topladıktan sonra, yağlı bir tadı olan içkiyi tiksinerek bir dikişte içti. Gözlerinden yaşlar geldi; uzun uzun gözlerini kırpıştırdıktan sonra birden acıktığını fark etti. Sulu ve yumuşak bir etli bulamacı andıran türlüyü kaşıklamaya başladı. Kaplarındaki türlüyü bitirinceye kadar ikisi de konuşmadı. Winston'ın soluna düşen, hemen arkasındaki masada oturan biri, salonunun gürültüsünü delip geçen ördek vaklamasına benzer bir sesle hızlı hızlı, noktasız virgülsüz konuşmaktaydı.

Winston, gürültüyü bastırmak için sesini yükselterek, "Sözlük nasıl gidiyor?" diye sordu.

"Yavaş gidiyor," dedi Syme. "Sıfatlara geldim. Büyüleyici."

Yenisöylem'den söz açılınca canlanıvermişti. Yemek kabını yana itti, zarif ellerini uzatıp ekmeğini ve peynirini aldı, bağırmadan konuşabilmek için masanın üzerine eğildi.

"On Birinci Baskı, nihai baskı," dedi. "Dile son biçimini veriyoruz; başka bir dil konuşan hiç kimse kalmadığında alacağı biçimi. Sözlüğü tamamladığımızda, senin gibilerin dili yeni baştan öğrenmeleri gerekecek. Bana öyle geliyor ki, sizler asıl işimizin yeni sözcükler icat etmek olduğunu sanıyorsunuz. Oysa ilgisi yok! Sözcükleri yok ediyoruz; her gün onlarcasını, yüzlercesini ortadan kaldırıyoruz. Dili en aza indiriyoruz. On Birinci Baskı'da, 2050 yılından önce eskiyecek tek bir sözcük bile bulunmayacak."

Ekmeğinden aç kurt gibi birkaç lokma aldıktan sonra, konuşmasını bilgiçce bir tutkuyla sürdürdü. İnce esmer yüzü cezbeye gelmiş, alaycı bakışı kaybolmuş, kendinden geçmişti.

"Sözcükleri yok etmek harika bir şey. Hiç kuşkusuz, asıl fazlalık fiiller ve sıfatlarda, ama atılabilecek yüzlerce isim de var. Yalnızca eşanlamlılar değil, karşıt anlamlılar da söz konusu. Bir sözcüğün karşıt anlamlısına ne gerek var ki? Kaldı ki, her sözcük karşıtını kendi içinde barındırır. Örneğin, 'iyi' sözcüğü. 'İyi' sözcüğü varken, 'kötü' sözcüğüne neden gerek duyalım ki? 'İyideğil' dersin, olur biter; hatta daha da iyi olur, çünkü 'iyideğil' 'iyi'nin tam karşıtı, 'kötü' ise tam karşıtı değil. Ya da 'iyi'nin yerine daha güçlü bir sözcük istiyorsan, 'mükemmel' ve 'fevkalade' gibi belirsiz ve yararsız sözcük kullanmanın ne anlamı var? 'Artıiyi' aynı anlamı karşılıyor; ya da, daha da güçlü bir sözcük istiyorsan, 'çifteartıiyi' diyebilirsin. Kuşkusuz, bu sözcükleri daha şimdiden kullanıyoruz; ama Yenisöylem son biçimini aldığında bunlardan başka hiçbir sözcük kullanılmayacak. Sonunda, iyilik ve kötülük kavramları yalnızca altı sözcükle karşılanıyor olacak; aslına bakarsan, tek bir sözcükle. Bilmem, işin güzelliğini görebiliyor musun, Winston?" Bir an durdu ve sonradan aklına gelmişçesine ekledi: "Tabii ki B.B.'nin fikriydi bütün bunlar."

Büyük Birader'in adı geçer geçmez Winston'ın yüzünde zoraki bir coşku belirdiyse de, Syme ondaki gönülsüzlüğü fark etmekte gecikmedi.

Nerdeyse üzülmüş gibi, "Yenisöylem'in önemini kavradığını sanmıyorum, Winston," dedi. "Yazarken bile Eskisöylem'de düşünüyorsun hâlâ. Zaman zaman *Times*'a yazdığın yazılardan bazılarını okudum. Hiç de fena sayılmazlar, ama hepsi çeviri. Tüm belirsizliğine, o gereksiz ince anlam ayrımlarına karşın Eskisöylem'den bir türlü kopamıyorsun. Sözcüklerin yok edilmesinin güzelliğini kavrayamıyorsun. Yenisöylem'in dünyada sözdağarcığı her yıl biraz daha küçülen tek dil olduğunu biliyor musun?"

Winston kuşkusuz biliyordu. Karşılık vermeyi göze alamadığı için, sevimli görüneceğini umarak gülümsemekle yetindi. Syme esmer ekmekten bir ısırık daha aldı, çabucak çiğneyip yuttuktan sonra yeniden söze girdi: "Yenisöylem'in tüm amacının, düşüncenin ufkunu daraltmak olduğunu anlamıyor musun? Sonunda düşüncesuçunu tam anlamıyla olanaksız kılacağız, çünkü onu dile getirecek tek bir sözcük bile kalmayacak. Gerek duyulabilecek her kavram, anlamı kesin olarak tanımlanmış, tüm yan anlamları yok edilmiş ve unutulmuş *tek bir* sözcükle dile getirilecek. On Birinci Baskı'da bu hedefe şimdiden yaklaştık sayılır. Ne ki, bu işlem bizler öldükten çok sonra da sürecek elbette. Sözcükler her yıl biraz daha azalacak, bilinç alanı her yıl biraz daha daralacak. Kuşkusuz, şu anda bile düşüncesuçu işlemenin bir nedeni ya da gerekçesi olamaz. Bu bir özdenetim, gerçeklik denetimi sorunu. Ama bir gün gelecek, buna da gerek kalmayacak. Dil yetkin bir duruma geldiğinde Devrim tamamlanmış olacak. Yenisöylem İngsos'tur, İngsos da Yenisöylem'dir," diye ekledi gizemli bir hoşnutlukla. "En geç 2050 yılına kadar, şu andaki konuşmamızı anlayabilecek tek bir kişinin kalmayacağını hiç düşündün mü, Winston?"

Winston, çekinerek, "Şeyler dışında..." diye söze girdiyse de vazgeçti.

Tam, "Proleterler dışında," diyecekti ki, Parti'ye körü körüne bağlılığa uygun düşmeyeceğini düşünerek kendini tuttu. Ne var ki, Syme, onun dilinin ucuna kadar geleni sezmişti.

"Proleterleri insandan sayma," dedi hiç umursamadan. "2050 yılına gelindiğinde –olasılıkla daha da önce– Eskisöylem'le ilgili tüm gerçek bilgiler silinip gitmiş olacak. Tüm eski edebiyat ortadan kalkmış olacak. Chaucer, Shakespeare, Milton, Byron, hepsi yalnızca Yenisöylem' deki biçimleriyle var olacaklar; yalnızca başka bir şeye dönüşmekle kalmayacaklar, aslında kendilerinin karşıtı bir şeye dönüşecekler. Parti edebiyatı bile değişecek. Sloganlar bile değişecek. Özgürlük kavramı ortadan kaldırıldıktan sonra 'özgürlük köleliktir' diye bir slogan kalabilir mi? Düşünce ortamı tümden farklı olacak. Aslına bakarsan, bugün anladığımız anlamda bir düşünce *olmayacak*. Bağlılık, düşünmemek demektir, düşünmeye gerek duymamak demektir. Bağlılık bilinçsizliktir."

Winston, birden, yürekten inanarak, çok sürmez, Syme'ı buharlaştırırlar, diye geçirdi aklından. Çok zeki. Her şeyi çok açık seçik görüyor ve sözünü sakınmıyor. Parti böylelerinden hoşlanmaz. Bir gün ortadan kaybolacak. Görünen köy kılavuz istemez.

Winston ekmeğiyle peynirini bitirmişti. Kahvesini içmek için, oturduğu yerde hafifçe yana döndü. Solundaki masada oturan bet sesli adam hiç susmayacak gibiydi. Belki de sekreteri olan ve sırtı Winston'a dönük oturan genç bir kadın, söylediği her şeyi onaylıyormuşçasına onu can kulağıyla dinliyordu. Arada sırada Winston'ın kulağına, genç ve biraz da sersemce bir kadınsılıkla söylenmiş "Bence çok haklısınız. Tamamen aynı fikirdeyim sizinle" gibisinden sözler çalınıyordu. Ama öteki ses bir an bile, genç kadın konuşurken bile susmuyordu. Winston'ın gözü adamı ısırıyordu, ama Kurmaca Dairesi'nde önemli bir görevi olduğu dışında hiçbir şey bilmiyordu. Kalın boyunlu, kocaman ağzı durmadan oynayan, otuz yaşlarında bir adamdı. Başını hafifçe geriye atmıştı; oturduğu açıdan dolayı ışık gözlük camlarına vuruyor, Winston gözlerinin yerinde iki boş yuvarlak görüyordu. İşin kötüsü, o kadar hızlı konuşuyordu ki, tek bir sözcüğü seçmek bile olanaksız gibiydi. Winston, bir ara, adamın ağzından hızla, bir anda, kalıp gibi dökülen "Goldsteincılığın tümden ve kökten yok edilmesi" diye bir söz yakalayabildi, o kadar. Geri kalanı, ördek vaklamasından farksız bir çığrışmadan başka bir şey değildi. Adamın ne dediği duyulamamakla birlikte, aşağı yukarı neden söz ettiğini kestirmek o kadar zor değildi. Ya Goldstein'ı suçlayarak düşüncesuçluları ve kundakçılara karşı daha sert önlemler alınmasını istiyor, ya Avrasya ordusunun gaddarlıklarına karşı esip gürlüyor, ya da Büyük Birader'i ve Malabar cephesindeki kahramanları göklere çıkarıyordu; ne fark ederdi ki. Ne söylüyor olursa olsun, her sözünün bağnazlık ve İngsos koktuğu apaçık belliydi. Winston, gözlerini göremediği, çenesi hızla açılıp kapanan bu yüze bakarken, tuhaf bir duyguya kapıldı: Bu adam gerçek bir insan değil de bir çeşit kuklaydı sanki. Konuşan, adamın beyni değil, gırtlağıydı. Ağzından çıkanlar sözcüklerdi gerçi, ama gerçek anlamda bir konuşma değildi bu: Ördek vaklaması gibi, bilinçsizce çıkarılan bir gürültüydü.

Bir süredir konuşmayan Syme, kaşığının sapıyla masadaki türlü artığını deşeliyordu. Öteki masadan gelen aralıksız vaklamalar, ortalığı saran gürültüye karşın, kolaylıkla duyulabiliyordu.

"Yenisöylem'de bir sözcük var," dedi Syme, "bilmem, biliyor musun: *ördeksöylem*, ördek gibi vaklamak. İki karşıt anlamı olan ilginç bir sözcük. Hasmın için söylendiğinde aşağılama oluyor, aynı düşüncede olduğun biri için söylendiğinde ise övgü."

Bu Syme kesin buharlaştırılacak, diye düşündü Winston bir kez daha. Syme'ın kendisini hor gördüğünü, kendisinden pek hoşlanmadığını, bir fırsatını bulsa kendisini hiç duraksamadan düşünce-suçlusu diye ihbar edeceğini çok iyi bilmesine karşın, onun buharlaştırılacağını düşünmek Winston'ın içine dokundu. Tuhaf bir terslik vardı Syme'da. Bir eksiklik vardı: Sağduyu mu, soğukkanlılık mı, koruyucu bir budalalık mı? Bağnaz olmadığı söylenemezdi. İngsos ilkelerine inanıyor, Büyük Birader'e tapıyor, elde edilen zaferlerle coşuyor, sapkınlardan nefret ediyordu, hem de yalnızca içtenlikle değil, sıradan bir Parti üyesinde rastlanmayan bir şehvetle, her şeyi günü gününe bilerek. Yine de, her an gözden düşebilirmiş gibi bir hali vardı Syme'ın. Söylenmese daha iyi olacak şeyler söylüyor, çok fazla kitap okuyor, ressamlar ve müzisyenlerin gediklisi oldukları Kestane Ağacı Kahvesi'ne takılıyordu. Kestane Ağacı Kahvesi'ne gitmeyi yasaklayan bir yasa olmadığı gibi, yazılı olmayan bir yasa da yoktu, gel gör ki kahvenin adı kötüye çıkmıştı. Parti'nin eski, gözden düşmüş önderleri ortadan kaldırılmadan önce burada toplanırlardı. Goldstein'ın bile yıllarca önce zaman zaman burada görüldüğü söyleniyordu. Syme'ın başına gelecekleri şimdiden kestirmek hiç de zor değildi. Ne var ki, Syme'ın, Winston'ın kafasından geçenleri azıcık okuyabilse onu anında Düşünce Polisi'ne ihbar edeceği de bir gerçekti. Kim etmezdi ki, ama Syme herkesten erken davranırdı. Coşku yeterli değildi. Bağnazlık bilinçsizlikti.

Syme başını kaldırıp baktı. "İşte Parsons geliyor," dedi.

Sesinin tonunda, "Şu geri zekâlı" demişçesine bir hava vardı. Winston'ın Zafer Konutları'ndaki komşusu Parsons, kalabalığın içinde kendine yol açarak ilerlemeye çalışıyordu; tombul, orta boylu, sarı saçlı, kurbağa suratlı bir adamdı. Otuz beş yaşında olmasına karşın boynu ve beli yağ bağlamaya başlamıştı, ama canlı ve çocuksu bir yürüyüşü vardı. Baştan ayağa erken büyümüş bir oğlan çocuğunu andırıyordu; o kadar ki, Parti tulumu giymiş olmasına karşın, onu Casuslar'ın mavi şortu, gri gömleği ve kırmızı boyunbağıyla düşünmemek nerdeyse olanaksızdı. Parsons denince, insanın gözünün önüne hep yumuk yumuk dizler, bıngıl bıngıl kollar gelirdi. Parsons, gerçekten de, ne zaman bir toplu doğa yürüyüşüne çıkacak ya da başka bir bedensel etkinliğe katılacak olsa şort giyme fırsatını asla kaçırmazdı. Winston ile Syme'ı, "Meraba, meraba!" diye neşeyle selamladıktan sonra, berbat bir ter kokusu saçarak masaya oturdu. Pembe yüzü boncuk boncuk terlemişti. Bu adam terlemiyor, ter içinde yüzüyordu. Dernek Merkezi'nde ne zaman masa tenisi oynadığı raket sapının ıslaklığından hemen anlaşılırdı. Syme, cebinden, üstünde yukarıdan aşağıya sözcükler yazılı ince uzun bir kâğıt parçası çıkarmış, parmaklarının arasında bir tükenmezkalem, gözden geçiriyordu.

Parsons, Winston'ı dürterek, "Şuna bak, öğle paydosunda bile çalışıyor," dedi. "Bu ne çalışma aşkı? Nedir o elindeki, oğlum? Benim aklımın ermeyeceği bir iş olsa gerek. Smith, evladım, neden peşinde olduğumu söyleyeyim. Mangırı vermeyi unuttun."

Winston, "Ne mangırı?" dedi, ayırdında olmadan cebini yoklayarak. Aylıkların dörtte bir kadarının gönüllü keseneklere ayrılması gerekiyordu, ama bunların sayısı akılda tutulamayacak kadar fazlaydı.

"Nefret Haftası için. Biliyorsun, ev ev para topluyoruz. Bizim blokun veznecisi benim. Büyük bir işe kalkıştık, görkemli bir gösteri düzenliyoruz. Bilesin, bizim Zafer Konutları baştan başa bayraklarla donanmazsa günah benden gider. İki dolar veririm demiştin."

Winston cebinden çıkardığı buruşmuş, kirli iki banknotu Parsons'a verdi, Parsons da cahillere özgü özenli bir elyazısıyla küçük bir deftere not düştü.

"Ha, aklıma gelmişken, oğlum," dedi. "Benim ufaklık dün sana sapanla taş atmış anlaşılan. Fırçayı yedi benden. Bir daha yaparsa sapanını alacağımı söyledim."

"İdamı seyretmeye gidemediği için biraz öfkeliydi sanırım," dedi Winston.

"Ya, evet; ruh var çocukta, öyle değil mi? Benim ufaklıklar biraz yaramaz, ama ikisi de hayat dolu piç kurularının. Varsa yoksa Casuslar ve savaş tabii. Geçen cumartesi benim küçük kız ne yapmış, biliyor musun? Birliğiyle Berkhamsted yolunda yürüyüşe çıktıklarında, iki kızı daha yanına alıp yürüyüş kolundan ayrılmış, akşama kadar tuhaf bir adamı izlemiş. Herifin ardına düşmüşler, ormanda iki saat peşinden gitmişler, Amersham'a vardıklarında da devriyelere teslim etmişler."

Winston, şaşkınlık içinde, "Ama neden böyle yapmışlar ki?" dedi. Parsons böbürlenerek devam etti:

"Benim kız, adamın düşman ajanı olduğunu düşünmüş; ne bileyim, paraşütle indirilmiş olabilir demiştir belki de kendi kendine. Ama işin asıl ilginç yanı başka, oğlum. Kızı kuşkulandıran ne olmuş, biliyor musun? Adamın ayakkabıları bir tuhafmış; daha önce kimsede öyle ayakkabı görmediğini söylüyor bizim kız. O yüzden adamın yabancı olma olasılığı yüksekmiş. Yedi yaşında bir velet için çok zekice, değil mi?"

"Adam ne oldu peki?" diye sordu Winston.

"Doğrusu, bilemiyorum," dedi Parsons. "Ama hiç şaşmam..." Tüfekle nişan alır gibi yaptıktan sonra tetiğe basmış gibi dilini şaklattı.

Syme, başını kâğıttan kaldırmadan, "İyi," dedi umursamaz bir sesle.

Winston, görevini yerine getirmiş olmak için, "Hiç kuşku yok ki işi şansa bırakamayız," dedi.

"Evet, efendim, savaş bitmiş değil," dedi Parsons.

Parsons'ı onaylarcasına, başlarının hemen üzerindeki tele-ekrandan bir borazan sesi duyuldu. Ama bu kez açıklanan askerî bir zafer değildi, Varlık Bakanlığı'nın bir duyurusuydu.

Genç bir ses, "Yoldaşlar!" diye haykırdı coşkuyla. "Dikkat, yoldaşlar! Olağanüstü haberlerimiz var size. Üretim savaşını kazanmış bulunmaktayız! Her türden tüketim maddelerinin üretimine ilişkin istatistikler tamamlanmış olup, yaşam düzeyinin son bir yıl içinde en az yüzde yirmi oranında yükselmiş olduğu görülmektedir. Bu sabah Okyanusya'nın dört bir yanında karşı durulmaz, kendiliğinden gösteriler düzenlenmiş, fabrikalar ve bürolardan sokağa dökülen işçiler, bilge önderliğinin bizlere bağışladığı yeni, mutlu yaşam için Büyük Birader'e şükranlarını dile getiren pankartlar açarak yürümüşlerdir. İşte bazı rakamlar. Gıda maddeleri..."

"Yeni, mutlu yaşam" deyimi birkaç kez tekrarlandı. Son zamanlarda Varlık Bakanlığı yetkililerinin dilinden düşmeyen bir deyimdi bu. Borazan sesiyle dikkat kesilmiş olan Parsons, oturduğu yerden, bilirbilmez bir ciddiyetle, sıkıldığını belli etmemeye çalışarak dinliyordu. Gerçi okunan rakamlardan bir şey anladığı yoktu, ama bunlardan hoşnutluk duyulması gerektiğinin ayırdındaydı. Yarısına kadar kömürleşmiş tütünle dolu, kocaman, kirli bir pipo çıkartmıştı. Haftalık yüz gram tütün tayınıyla bir pipoyu ağzına kadar doldurmak pek mümkün değildi. Winston ise, iki parmağının arasında özenle düz tuttuğu Zafer Sigarası'nı tüttürüyordu. Yeni tayın ertesi günden önce verilmeyecekti ve yalnızca dört sigarası kalmıştı. Kulaklarını çevreden gelen seslere tıkamış, tele-ekrandan dökülen saçmalıkları dinliyordu. Söylenenlere bakılırsa, çikolata tayınını haftada yirmi grama çıkardığı için Büyük Birader'e minnet gösterileri bile yapılmıştı. Winston, elinde olmadan, daha dün çikolata tayınının haftada yirmi grama *düşürüleceği* açıklanmamış mıydı, diye geçirdi aklından. Nasıl oluyordu da, üzerinden daha yirmi dört saat geçmeden kabullenebiliyorlardı bunu? Evet, kabulleniyorlardı işte. Parsons hayvanca bir aptallıkla kolayca kabulleniyordu. Yan masadaki, gözleri görünmeyen yaratık bağnazlıkla, körü körüne kabulleniyordu; çikolata tayınının daha geçen hafta otuz gram olduğunu ileri sürecek herkesi ortaya çıkarıp ihbar edecek ve buharlaştıracak kadar gözü dönmüştü. Çiftdüşün yoluyla biraz daha karmaşık bir biçimde de olsa, Syme da kabulleniyordu. Peki, belleğini yitirmeyen *bir tek* kendisi mi kalmıştı?

Tele-ekrandan akıllara durgunluk veren istatistikler birbiri ardı sıra yağıyordu. Geçen yıla oranla daha çok yiyecek, daha çok giyecek, daha çok konut, daha çok ev eşyası, daha çok tencere, daha çok yakıt, daha çok gemi, daha çok helikopter, daha çok kitap, daha çok bebek vardı; hastalık, suç ve cinnet dışında her şey daha çoktu. Her yıl, her dakika herkes ve her şey görülmemiş bir hızla çoğalıyordu. Winston, biraz önce Syme'ın yaptığı gibi, kaşığını eline almış, masanın üstündeki türlü artığıyla oynuyor, deşeleyip şekiller oluştururken, yaşadıkları yaşamın büründüğü görünümü düşünüyordu öfkeyle. Yaşam hep böyle mi olagelmişti? Yemeğin tadı her zaman böyle mi olmuştu? Kantine göz gezdirdi. Alçak tavanlı bir salon, bir sürü bedenin sürtüne sürtüne kararttığı duvarlar; insanların dirsek dirseğe oturmalarını gerektirecek kadar bitişik düzen yerleştirilmiş eski püskü madeni masalar ve iskemleler; eğri büğrü kaşıklar, ezik büzük tepsiler, kaba saba beyaz kulplu bardaklar; tüm yüzeyler yağ içinde, her çatlak kir dolu; ve kötü cin, kötü kahve, yavan türlü ve kirli giysi kokularının birbirine karıştığı ekşimsi, baygın bir koku. İnsanın içinden bütün benliğiyle isyan etmek geliyordu, hakkı olan bir şey elinden alınmış gibi bir duyguya kapılıyordu insan. Winston geçmişi düşündüğünde de aklına farklı bir şey gelmiyordu. Yeterince yiyecek bulabildiği, delik deşik çoraplar ve iç çamaşırları giymediği, evdeki eşyaların kırık dökük olmadığı bir dönem anımsamıyordu; odalar doğru dürüst ısınmazdı, metrolar hep tıklım tıklımdı, evler dökülüyordu, ekmekler kapkara, çay kıtı kıtınaydı, kahve bulaşık suyu gibiydi, sigara bulmak her zaman sorun olmuştu; şu yapay cin dışında tek bir şey yoktu ki ucuz ve bol olsun. Ve bu sıkıntı, pislik ve kıtlık, bitmek bilmeyen kışlar, yapış yapış çoraplar, hiçbir zaman çalışmayan asansörler, bir türlü ısınmayan sular, pürtüklü sabunlar, dağılıveren sigaralar, tatsız tuzsuz yemekler nicedir insanın yüreğini daraltıyorsa ve insan yaşlandıkça her şey daha da kötüye gidiyorsa, bütün bunlar dünyanın bu düzeninin doğal olmadığını göstermiyor muydu? İnsan bu durumun dayanılmaz olduğunu düşünüyorsa, bir zamanlar düzenin şimdikinden çok farklı olduğuna ilişkin anıları olması gerekmez miydi?

Winston kantine bir kez daha göz gezdirdi. Hemen herkes çirkindi, üstelik sırtlarında şu birbirinin aynı mavi tulumlar olmasa da bir şey değişmeyecekti. Kantinin öbür ucunda ufak tefek, böcek gibi bir adam tek başına oturmuş, kahvesini içiyor, minik gözleriyle sağa sola kuşkulu bakışlar fırlatıyordu. İnsan çevresine şöyle bir bakmasa, diye düşündü Winston, Parti'nin ideal tipler olarak belirlediği sarışın, hayat dolu, güneşte yanmış, kaygısız gençlerin, uzun boylu, güçlü kuvvetli delikanlılarla diri göğüslü genç kızların gerçekten var olduğuna, hem de çoğunlukta olduklarına kolayca inanabilir. Oysa, görebildiği kadarıyla, Havaşeridi Bir'de yaşayanların çoğu ufak tefek, kara kuru, biçimsiz insanlardı. Bakanlıkların şu böceksi tiplerden geçilmemesi ne kadar tuhaftı: genç yaşta göbek bağlayan, kısa bacaklı, oradan oraya seğirtip duran, çipil gözlü, ablak suratlı, yerden bitme bir sürü adam. Anlaşılan, Parti'nin egemenliğinde en çok bu tipler yetişiyordu.

Varlık Bakanlığı'nın açıklaması ikinci bir borazan sesiyle sona erdi ve yerini tangır tungur bir müziğe bıraktı. Tele-ekrandan yağdırılan rakamlar karşısında aşka gelen Parsons piposunu ağzından çıkardı.

"Varlık Bakanlığı belli ki bu yıl büyük iş başarmış," dedi başını bilgiçce sallayarak. "Bana bak, Smith oğlum, bana verebileceğin bir jiletin var mı?"

"Hiç yok," dedi Winston. "Ben de altı haftadır aynı jileti kullanıyorum."

"İyi, ne yapalım; bir soralım dedik, oğlum."

"Kusura kalma," dedi Winston.

Bakanlığın açıklaması okunurken kesilmiş olan, yan masadaki vaklama yeniden yükseliverdi. Nedendir bilinmez, Winston'ın aklına birden, çalı süpürgesini andıran saçları ve yüzündeki tozlu kırışıklarıyla Bayan Parsons geldi. O çocuklar, iki yıla kalmaz, kadıncağızı Düşünce Polisi'ne ihbar ederlerdi. Bayan Parsons da, Syme da, Winston da, O'Brien da buharlaştırılacaktı. Ama Parsons asla buharlaştırılmayacaktı. Gözleri görünmeyen, ördek sesli yaratık asla buharlaştırılmayacaktı. Bakanlıkların labirenti andıran koridorlarında koşar adım gidip gelen böceksi küçük adamlar da asla buharlaştırılmayacaktı. Kurmaca Dairesi' nde çalışan şu esmer kız, o da hiçbir zaman buharlaştırılmayacaktı. Winston, kimin hayatta kalacağını, kimin yok olacağını içgüdüleriyle biliyordu sanki: Peki, neydi hayatta kalmayı sağlayacak olan? Bunu bilmek kolay değildi.

Birden, daldığı düşüncelerden sıçrayarak kendine geldi. Yan masadaki kız hafifçe dönmüş, ona bakıyordu. O esmer kızdı. Yan dönmüş bakıyordu ama gözleriyle yiyordu Winston'ı. Göz göze gelir gelmez başını çevirdi.

Winston'ın sırtından aşağı ter boşandı. Bir an gövdesini tepeden tırnağa kaplayan dehşet dalgası çok geçmeden yerini bezdirici bir tedirginliğe bıraktı. Neden ona bakıp duruyordu bu kız? Neden ardını bırakmıyordu? Kantine geldiğinde kız masada mıydı, yoksa daha sonra mı gelip oturmuştu, ne yazık ki anımsayamıyordu. Ama daha dün, İki Dakika Nefret sırasında hiç gereği yokken gelip arkasına oturuvermişti. Niyeti, büyük olasılıkla, onu dinlemek ve yeterince bağırıp bağırmadığını anlamaktı.

Kızla ilgili daha önce düşündüklerini anımsadı: Olasılıkla, Düşünce Polisi değildi de, en tehlikelisinden bir amatör casustu. Kızın ne kadardır kendisine bakmakta olduğunu bilmiyordu; kim bilir, belki beş dakikadır gözünü üzerinden ayırmamıştı ve bu süre içinde Winston yüzündeki anlatımı tümüyle denetleyememiş olabilirdi. Herkesin ortasında ya da tele-ekranın görüş alanı içindeyken düşüncelerinizi başıboş bırakmak çok tehlikeliydi. En ufak bir şey sizi ele verebilirdi. Sürekli gözünüzün seğirmesi, farkında olmadan yüzünüzün kaygılı bir anlatıma bürünmesi, kendi kendinize söylenip durmanız, olağandışılık belirtisi gösteren ya da bir şeyler gizlediğiniz izlenimi uyandıran herhangi bir şey. Kaldı ki, yüzünüzde belirecek uygunsuz bir anlatım bile (örneğin, bir zafer açıklanırken inanmamış görünmek) cezayı gerektiren bir suçtu. Yenisöylem'de bu suç için bir sözcük bile vardı: *Yüzsuçu* diyorlardı.

Kız, Winston'a yeniden arkasını dönmüştü. Belki de onu izlediği yoktu; belki iki gündür onun bu kadar yakınlarında oturması yalnızca bir rastlantıydı. Winston sönmüş olan sigarasını özenli bir biçimde masanın kenarına bıraktı. İçindeki tütün dökülmezse, geri kalanını işi bittikten sonra içebilirdi. Yan masadaki adam Düşünce Polisi'nin casuslarından biri olabilirdi, eğer öyleyse Winston üç güne kadar kendini Sevgi Bakanlığı'nın mahzenlerinde bulabilirdi, ama ne olursa olsun bir sigara izmariti boşa harcanmamalıydı. Syme, elindeki ince uzun kâğıdı katlayıp cebine koymuştu. Parsons yine konuşup duruyordu.

"Sana söylemiş miydim, oğlum," dedi piposunun sapını çekiştirerek, "benim iki velet bir gün bir de bakmışlar, yaşlı bir satıcı kadın Büyük Birader'in posterine sosis sarıyor, o saat ateşe vermişler kadının eteğini. Çaktırmadan arkadan yaklaşmışlar, kibriti çakıp tutuşturuvermişler eteğini kadının. Eminim, fena yanmıştır karı. Fırlamalık işte! Ama şeytana pabucunu ters giydirir ikisi de! Şimdilerde Casuslar'ı dört dörtlük eğitiyorlar, benim zamanımdan bile daha iyi yetiştiriyorlar. En son bunlara ne vermişler dersin? Anahtar deliklerinden içeriyi dinleyebilmeleri için kulak boruları! Benim ufak kız geçen gece bir tanesini eve getirip bizim oturma odasının kapısında denedi; kulağını dayayıp da dinlediğinden çok daha iyi işitiliyormuş. Tabii bunlar sadece bir oyuncak. Ama doğru yolu gösteriyorlar çocuklara, değil mi?"

Tam o sırada tele-ekrandan kulak tırmalayıcı bir düdük sesi geldi. İşbaşı yapma vaktinin geldiğini gösteriyordu. Üçü birden yerinden fırlayıp asansörlerin önünde itişip kakışan kalabalığa katıldı; bu arada, Winston'ın sigarasında kalan tütün yere döküldü.

VI

Winston güncesini yazıyordu:

Üç yıl oluyor. Akşam hava kararmıştı, büyük tren istasyonlarından birinin yakınlarındaki dar bir ara sokaktaydım. Soluk bir sokak lambasının altında, bir kapı aralığının yakınında bir kadın duruyordu. Genç yüzü boyaya batmış gibiydi. Beni çeken de o boyanın maskı andıran beyazlığı ve parlak kırmızı dudaklar oldu. Partili kadınlar hiçbir zaman yüzlerini boyamazlardı. Sokak bomboştu, tek bir tele-ekran yoktu. İki dolar dedi. Kadınla...

Bir an durdu, yazmayı sürdüremedi. Gözlerini kapattı, durmadan yinelenen görüntüyü silip atmak istercesine parmaklarını gözlerine bastırdı. Yüreğinden yeri göğü inleterek ağız dolusu sövmek geldi. Ya da başını duvara vurmak, masayı bir tekmede devirmek, mürekkep hokkasını camdan dışarı fırlatmak... içini kemiren anıyı belleğinden kazımak için zorbaca, mahalleyi ayağa kaldıran, can yakan bir şey yapmak.

Winston, en kötü düşmanın kendi sinir sistemin, diye düşündü. İçindeki gerilim her an gözle görülür bir belirtiye dönüşebilir. Birkaç hafta önce sokakta yanından geçen bir adam geldi aklına: Son derece sıradan görünüşlü bir Parti üyesi, otuz beş kırk yaşlarında, uzun boylu, zayıf bir adam, elinde bir çanta. Aralarında birkaç metre kalmışken, birden adamın yüzünün sol tarafı kasılıvermişti. Adam Winston'ın yanından geçerken kasılma bir kez daha yinelenmişti; bir fotoğraf makinesinin objektif kapağının klik sesi kadar kısa, ama belli ki alışkanlık edinilmiş bir seğirme, bir titreme. Winston, o sırada, zavallı adam hapı yutmuş, diye düşündüğünü anımsadı. Kasılmanın büyük olasılıkla istem dışı olması çok korkunçtu. En tehlikelisi ise, insanın uykusunda konuşmasıydı. Görebildiği kadarıyla, bundan korunmanın hiçbir yolu yoktu.

Derin bir nefes aldıktan sonra yazmayı sürdürdü:

Kadınla birlikte kapıdan girdik, bir avludan geçerek bir bodrum katının mutfağına geldik. İçeride duvara dayalı bir yatak, masanın üstünde iyice kısılmış bir lamba vardı. Kadın...

Winston'ın dişleri kamaşmıştı. Tükürmek istiyordu. Bodrum katının mutfağındaki kadını düşünürken, aklına karısı Katharine geldi. Winston evliydi; daha doğrusu bir zamanlar evlenmişti. Belki hâlâ evliydi, çünkü bildiği kadarıyla karısı ölmüş değildi. O bodrum mutfağının ağır, küflü kokusunu, tahtakurusu, kirli giysi ve iğrenç ama ayartıcı ucuz parfüm kokularının birbirine karıştığı o kokuyu yeniden duyar gibi oldu; Partili kadınlar asla koku sürmezlerdi, böyle bir şey düşünülemezdi bile. Yalnızca proleter kadınlar parfüm kullanırlardı. Parfüm kokusu, Winston'ın kafasında, fahişelikle bütünleşmişti.

O kadına gidişi, nerdeyse iki yıldır yaptığı ilk kaçamaktı. Fahişelerle birlikte olmak hiç kuşkusuz yasaktı, ama ara sıra çiğnemeyi göze alabileceğiniz kurallardandı bu. Tehlikeli olmasına tehlikeliydi, ama işin ucunda ölüm yoktu. Bir fahişeyle yakalanmak, daha önce işlenmiş bir suçunuz yoksa, size zorunlu çalışma kampında topu topu beş yıla patlayabilirdi. Kolayca göze alınabilecek bir suçtu bu, yeter ki suçüstü yakalanmayın. Yoksul mahalleler kendilerini satmaya hazır kadınlardan geçilmiyordu. Bazılarını, proleterlere yasak olan bir şişe cine satın almak mümkündü. Parti, tümüyle bastırılması olanaksız içgüdülerin giderilebilmesi için, fahişeliği el altından özendiriyordu bile. Fuhuş, gizlice ve zevk almadan yapıldığı, yalnızca aşağı ve horlanan sınıftan kadınları kapsadığı sürece o kadar önemli değildi. Asıl bağışlanmaz suç, Parti üyeleri arasındaki rastgele cinsel ilişkiydi. Ne ki, büyük temizlik hareketleri sırasında sanıkların itiraf ettikleri suçlardan biri olsa da, böyle bir şeyin gerçek olabileceğini hayal etmek bile zordu.

Parti'nin amacı, yalnızca, erkeklerle kadınlar arasında sonradan denetleyemeyeceği bağlılıkların oluşmasını önlemek değildi. Parti'nin açıklamadığı gerçek amacı, cinsel ilişkiden zevk almayı tümden yok etmekti. Evlilikte olsun, evlilik dışı olsun, düşman görülen, aşktan çok erotizmdi. Parti üyeleri arasındaki tüm evliliklerin, bu iş için atanmış bir kurul tarafından onaylanması gerekiyor ve kural hiçbir zaman açıkça dile getirilmese de, birbirlerini fiziksel olarak çekici buldukları izlenimi uyandıran çiftlerin evlenmesine asla izin verilmiyordu. Evliliğin kabul gören tek bir amacı vardı, o da Parti'ye hizmet edecek çocuklar dünyaya getirmekti. Cinsel ilişkinin, lavman yapmaktan farksız, hiç de iç açıcı olmayan sıradan bir işlem olarak görülmesi gerekiyordu. Bu da hiçbir zaman açıkça dile getirilmiyor, çocukluklarından başlayarak dolaylı bir biçimde Parti üyelerinin beyinlerine işleniyordu. Dahası, her iki cins için de sonuna kadar bakir kalmayı savunan Seks Karşıtı Gençlik Birliği gibi örgütler bile kurulmuştu. Bir gün tüm çocukların yapay döllenme (Yenisöylem'de *yapdöl* deniyordu) yoluyla dünyaya getirileceği ve kamu kurumlarında yetiştirileceği söyleniyordu. Winston, bunun, çok ciddiye bindirilmese de, Parti'nin genel ideolojisine uygun düştüğünün ayırdındaydı. Parti, cinsel içgüdüyü yok etmeye, yok edemediğinde de çarpıtmaya ve karalamaya çalışıyordu. Winston neden böyle yapıldığını bilmiyordu, ama böyle olması gerektiğini doğal karşılıyordu. Kaldı ki, Parti'nin kadınlar arasındaki çabaları büyük ölçüde başarılıydı.

Winston bir kez daha Katharine'i düşündü. Ayrılalı dokuz, on, belki on bir yıl olmuştu. Nedense Katharine pek ender aklına geliyordu. Kimi zaman, evli olduğunu bile günlerce unuttuğu oluyordu. Yalnızca on beş ay kadar birlikte yaşamışlardı. Parti boşanmaya izin vermese de, çocuğu olmayan çiftleri ayrı yaşamaya özendiriyordu.

Katharine uzun boylu, sarı saçlı, çok düzgün, alımlı bir kızdı. İnsanın, arkasının tümüyle boş olduğunu anlayıncaya kadar soylu diyebileceği, kişilikli, sert bir yüzü vardı. Winston, evliliklerinin daha başında –belki de yalnızca, Katharine'i çoğu insandan daha yakından tanıdığı için– hayatında ondan daha salak, daha kalın kafalı, daha beyinsiz birine rastlamadığı sonucuna varmıştı. Kafası sloganlardan başka bir şey almazdı; her türlü ahmaklığa inanabilirdi, yeter ki Parti tarafından söylensin. Winston, kendi kendine, "ses bandı" adını takmıştı ona. Yine de, şu cinsellik denen şey olmasa, onunla yaşamaya katlanabilirdi.

Ona ne zaman dokunacak olsa, ürküp kaskatı kesilirdi. Ona sarılmak, tahtadan bir kuklaya sarılmaktan farksızdı. En tuhafı da, Katharine kendisini kucakladığında, onu olanca gücüyle ittiği duygusuna kapılmasıydı. Kasları o kadar sertti ki, Winston ister istemez böyle bir duyguya kapılırdı. Katharine, gözleri kapalı, öylece uzanır, karşı koymadığı gibi sevişmeye de katılmaz, yalnızca *boyun eğerdi*. Bu son derece utanç verici durum bir süre sonra korkunç bir hal alırdı. Yine de, cinsel ilişkide bulunmama konusunda anlaşabilseler, Winston onunla birlikte yaşamaya katlanabilirdi. Ama ne tuhaftır ki, buna yanaşmayan Katharine' di. Ona kalırsa, bir çocuk yapmaya bakmalıydılar. Dolayısıyla, bu iş düzenli olarak haftada bir gün sürüp gitmişti. Katharine, akşam yapılması ve asla unutulmaması gereken bu işi sabahtan hatırlatırdı Winston'a. İki ad takmıştı bu işe. Ya "bebek yapmak" derdi ya da "Parti'ye karşı görevimiz": Evet, gerçekten de bu deyimi kullanırdı. Çok geçmeden Winston o gün geldiğinde korkuya kapılır olmuştu. Neyse ki çocuk olmamıştı da, Katharine sonunda denemekten vazgeçmişti; bir süre sonra da ayrılmışlardı.

Winston sessizce içini çekti. Kalemi alıp yeniden yazmaya başladı:

Kadın kendini yatağa attı ve hiçbir ön sevişmeye gerek duymadan, akla gelebilecek en bayağı, en tiksinç biçimde eteğini kaldırdı. Lambayı...

Tahtakurusu ve ucuz parfüm kokusundan geçilmeyen odada, lambanın soluk ışığında, yüreğinde, o anda bile Katharine'in, Parti'nin afyonlayıcı gücüyle donup kalmış, beyaz bedeninin hayaline karışan bir yeniklik ve öfkeyle, öylece dikilişi gözünün önüne geldi. Neden hep böyle olmak zorundaydı? Birkaç yılda bir giriştiği bu pis ilişkiler yerine, neden kendine ait bir kadını olamıyordu? Ne ki, gerçek bir aşk ilişkisinin düşünü kurmak bile olanaksızdı nerdeyse. Partili kadınların hepsi birbirinin aynıydı. İffetlilik, tıpkı Parti'ye bağlılık gibi iliklerine işlemişti. Küçük yaşlarda başlayan koşullandırmalar, oyunlar ve soğutmalarla, okulda, Casuslar ve Gençlik Birliği'nde beyinlerine işlenen saçmalıklarla, konferanslar, geçit törenleri, şarkılar, sloganlar ve marşlarla, o doğal duygu içlerinden sökülüp atılmıştı. Mantığı ayrıksı örneklerin mutlaka olması gerektiğini söylüyor, ama yüreği buna inanmıyordu. Kadınların hepsi de, Parti'nin olmalarını istediği gibi, erişilmezdi. Winston, şu erdemlilik duvarını hayatında bir kez olsun yıkmayı sevilmekten de daha çok istiyordu. Hakkını vererek sevişmek, isyan demekti. Arzu ise düşüncesuçu olarak görülüyordu. Hani, Katharine'de bir istek uyandırmayı başarabilse, kendi karısını baştan çıkarmış gibi olacaktı.

Ama hikâyeyi tamamlamak gerekiyordu. Yazdı:

Lambayı iyice açtım. Işıkta bakınca...

Gaz lambasının zayıf ışığı bile karanlık odayı bayağı aydınlatmıştı. Kadını ilk kez doğru dürüst görebiliyordu. Kadına doğru bir adım attıktan sonra, şehvet ve dehşet içinde kalakalmıştı. Oraya gitmekle göze aldığı riskin fena halde farkındaydı. Çıkarken devriyelere yakalanmak işten bile değildi: Dahası, o sırada onu kapının önünde bekliyor bile olabilirlerdi. Ama oraya yapmak için gittiği şeyi yapmadan çıkıp giderse de!..

Bütün bunlar yazılmalı, itiraf edilmeliydi. Lambanın ışığı biraz daha açılınca, birden kadının *yaşlı* olduğunu görmüştü. Yüzü o kadar kalın bir boya tabakasıyla kaplıydı ki, karton bir mask gibi kırılıverecekmiş gibi görünüyordu. Saçına ak düşmüştü; ama en fecisi, ağzı hafifçe aralanmıştı ve içerisi karanlık bir mağarayı andırıyordu. Tek bir diş bile kalmamıştı ağzında.

Winston, çabuk çabuk çiziktirdi:

Işıkta bakınca, kadının oldukça yaşlı olduğunu gördüm, en azından ellisindeydi. Ama hiç aldırmadım, yaptım yine de.

Parmaklarını yeniden gözlerine bastırdı. En sonunda yazmış, ama hiçbir şey değişmemişti. Terapi işe yaramamıştı. Bağıra bağıra sövüp sayma isteği eskisi kadar güçlüydü.

VII

Bir umut varsa, proleterlerde, diye yazdı Winston.

Bir umut varsa, proleterlerde *olmalıydı*, çünkü Parti'yi yok edecek güç ancak Okyanusya nüfusunun yüzde 85'ini oluşturan bu hor görülmüş kitlelerde harekete geçirilebilirdi. Parti içeriden yıkılamazdı. Düşmanlarının, varsa tabii, bir araya gelmeleri, dahası birbirlerini tanımaları bile olanaksızdı. Efsanevi Kardeşlik örgütü varsa bile, ki gerçekten olabilirdi, üyelerinin iki üç kişiden fazla bir araya gelip toplanmaları kesinlikle mümkün değildi. Bir bakış, sesteki bir titreşim, fısıldanan bir sözcük bile isyan anlamına geliyordu. Oysa proleterler, kendi güçlerinin bilincine bir varabilseler, belki gizli etkinlikler yürütmeye bile gerek kalmayacaktı. Yalnızca ayağa kalkıp, sırtına konan sinekleri savuşturan bir at gibi silkinmeleri yetecekti. İsteseler, Parti'yi akşamdan sabaha yerle bir edebilirlerdi. Hiç kuşkusuz, önünde sonunda akılları başlarına gelecekti. Gel gör ki!..

Bir gün kalabalık bir caddede yürürken, biraz ileride ki bir sokaktan yüzlerce kişinin haykırışları –kadın bağırtıları– gelmişti kulağına. Öfke ve umarsızlık dolu korkunç bir bağırtı kopuyordu; bir çan sesinin yankılanışının uzayıp gitmesi gibi, "Uuuu!" diye derinden yükselen bir uğultu. Winston'ın yüreği yerinden oynamıştı. Başladı! diye geçirmişti içinden. İsyan! Proleterler zincirlerini kırıyorlar sonunda! Oraya vardığında, iki yüz üç yüz kadar kadının pazar yerindeki tezgâhların çevresinde toplanmış olduğunu görmüştü; batmakta olan bir geminin bahtsız yolcuları gibi yılgı bürümüştü yüzlerini. Ama tam o sırada, umarsızlık yerini adım başı patlak veren kavgalara bırakmıştı. Anlaşılan, tezgâhlardan birinde teneke tavalar satılıyordu. Hepsi de eğri büğrü, eften püften şeylerdi, ama tencere tava gibi şeyleri bulmak hiç de kolay değildi. Tavalar göz açıp kapayıncaya kadar satılmış, tek bir tava bile kalmamıştı. Birer tava kapmayı başaran kadınlar ötekilerin itip kakmaları arasında kendilerine yol açmaya çabalarken, bir sürü kadın da tezgâhın çevresine toplanmış, satıcıyı öbürlerini kayırmakla, tavaların bir bölümünü saklamakla suçluyordu. O sırada yeni bir cayırtı kopmuştu. İki kızgın kadın, birinin saçları darmadağın, aynı tavaya yapışmış, birbirinden çekip almaya çalışıyordu. Bir süre çekiştirip durmuşlar, sonunda tavanın sapı birinin elinde kalmıştı. Winston iğrenerek seyretmişti onları. Oysa çok kısa bir süre önce yalnızca birkaç yüz gırtlaktan yükselen çığlıkta yüreklere korku salan bir güç yatıyordu! Neden gerçekten önemli sorunlar söz konusu olduğunda böyle haykıramıyorlardı?

Winston yazmayı sürdürdü:

Bilinçleninceye kadar asla başkaldırmayacaklar, ama başkaldırmadıkça da bilinçlenemezler.

Bu sözün, Parti'nin ders kitaplarından birinden de alınmış olabileceğini düşündü. Parti, hiç kuşku yok ki, proleterleri kölelikten kurtardığını ileri sürüyordu. Proleterler Devrim'den önce kapitalizm tarafından acımasızca ezilmişler, aç kalıp dayak yemişler, kadınlar zorla kömür madenlerinde çalıştırılmışlar (aslında hâlâ kömür madenlerinde çalışıyorlardı), çocuklar daha altı yaşında fabrikalara satılmışlardı. Ama Parti bu konuda çiftdüşün ilkelerine bağlı kalarak birkaç basit kuralı uygulayıp, proleterlerin tıpkı hayvanlar gibi doğuştan düşkün yaratıklar olduğunu, o yüzden de baskı altında tutulmaları gerektiğini savunuyordu. Aslında proleterler hakkında pek az şey biliniyordu. Çok fazla şey bilmeye de gerek yoktu. Çalışmayı, üremeyi sürdürdükleri sürece, başka ne yaptıklarının bir önemi yoktu. Kendi başlarına bırakıldıklarında, Arjantin ovalarına salıverilmiş sığırlar gibi, doğal buldukları bir yaşam biçimine geri dönmüşler, bir anlamda atalarının yolundan gitmişlerdi. Doğuyorlar, sokaklarda büyüyorlar, on iki yaşında çalışmaya başlıyorlar, güzelleşip cinsel isteklerinin uyandığı kısa bir gelişme çağının ardından yirmisinde evleniyorlar, otuzunda orta yaşlı insanlar olup çıkıyorlar, altmışına geldiklerinde de ölüp gidiyorlardı. Ağır koşullarda çalışmaktan, boğaz kavgasından, komşularla didişmekten, sinema, futbol, bira ve en önemlisi de kumar yüzünden kafalarını çalıştırmaya fırsat bulamıyorlardı. Onları denetim altında tutmak hiç de zor değildi. Düşünce Polisi'nin aralarına saldığı birkaç ajan asılsız söylentiler yayıyor, tehlikeli olabileceği düşünülenleri saptayıp etkisiz kılıyordu; ama onlara Parti ideolojisini aşılamak için bir çabada bulunulmuyordu. Proleterlerin güçlü siyasal düşüncelerinin olması istenen bir şey değildi. Onlardan tek istenen, çalışma saatlerinin uzatılmasını ya da tayınların kısıtlanmasını kabullenmeleri gerektiğinde kışkırtılabilecek ilkel bir yurtseverlikti. Proleterlerin zaman zaman duydukları hoşnutsuzluklar da bir yere varmıyordu, asıl sorunları göremediklerinden hoşnutsuzlukları ancak belirli küçük sorunlara odaklanıyordu. Büyük kötülükler hep gözlerinden kaçıyordu. Proleterlerin büyük çoğunluğunun evlerinde tele-ekran bile yoktu. Sivil polisler bile pek üstlerine gitmiyordu. Londra her türlü suçun işlendiği bir kent olmuş çıkmıştı, hırsızlardan, soygunculardan, fahişelerden, uyuşturucu satıcılarından, haraççılardan geçilmiyordu; ama bütün bunlar proleterler arasında olup bittiğinden en küçük bir önem taşımıyordu. Proleterlerin ahlak konusunda atalarının yolundan gitmelerine ses çıkarılmıyordu. Parti'nin cinsel sofuluğu onlara dayatılmıyordu. Rastgele cinsel ilişkilere göz yumuluyor, boşanmaya izin veriliyordu. Proleterler gereksinim ya da istek duyduklarına ilişkin en küçük bir belirti gösterseler, ibadet etmelerine bile izin verilecekti. Kuşku bile duyulmuyordu onlardan. Parti sloganında dendiği gibiydi: "Proleterler ve hayvanlar özgürdür."

Winston eğilip varis çıbanını kaşıdı. Yine kaşınmaya başlamıştı. İnsan hep aynı konuya takılıp kalıyordu: Yaşamın Devrim'den önce nasıl olduğunu bilmek olanaksızdı. Çekmeceden, Bayan Parsons'tan ödünç aldığı, çocuklar için hazırlanmış tarih kitabını çıkardı, kitaptan bir bölümü güncesine aktarmaya koyuldu:

Eskiden [deniyordu], *şanlı Devrim'den önce, Londra bugün yaşadığımız güzel kente hiç benzemiyordu. İnsanların karınlarını doyuramadığı, yüzlerce, binlerce yoksul insanın yalınayak başı kabak dolaştığı, başını sokacak bir ev bulamadığı, karanlık, pis, berbat bir yerdi. Sizin kadar çocuklar, acımasız efendileri için günde on iki saat çalışırlar, yavaş çalışacak olurlarsa kırbaçlanırlar, boğazlarından kuru ekmekle sudan başka bir şey geçmezdi. Böylesi korkunç bir yoksulluk hüküm sürerken, çok büyük ve çok güzel birkaç evde, bir sürü uşağın hizmet ettiği zenginler yaşardı. Bu zenginlere kapitalist denirdi. Bunlar, yan sayfadaki resimde gördüğünüz gibi, göbekli, çirkin, umacı gibi adamlardı. Resimde de görebileceğiniz gibi, frak dedikleri siyah, kuyruklu ceketler, silindir şapka dedikleri, soba borusuna benzeyen, acayip, parlak şapkalar giyerlerdi. Kapitalistle-*

rin üniforması olan bu giysileri başkalarının giymesi ya-saktı. Bu dünyada ne varsa hepsi kapitalistlerindi, herkes de onların kölesiydi. Tüm topraklar, tüm evler, tüm fabrikalar ve tüm para onlarındı. Onların sözünü dinlemeyegörün, ya hemen hapsi boylar ya da işinizden olur ve aç kalırdınız. Sıradan biri, bir kapitalistle konuşurken, onun önünde boyun büküp eğilmek, şapkasını çıkarmak ve ona "Efendim" demek zorundaydı. Kapitalistlerin başkanına Kral denirdi, sonra...

Winston daha sonra sıralananları biliyordu: geniş kollu giysiler içindeki piskoposlar, kürklü kaftanlara bürünmüş yargıçlar, ceza boyunduruğuna geçirilerek teşhir edilen, tomruğa bağlanarak dolaştırılan, işkence çarklarına bağlanan insanlar, dokuz kamçılı kırbaçlar, Londra Belediye Başkanı'nın verdiği görkemli şölenler, Papa'nın ayaklarını öpmeler. Bir de, *jus primae noctis* diye bir şey vardı ki, çocukların ders kitaplarında geçmesi sakıncalıydı. Kapitalistlere, fabrikalarında çalışan her kadınla yatma hakkı tanıyan bir yasaydı bu.

Bunların ne kadarının yalan olduğunu nasıl bilecektiniz ki? Sıradan insanların artık Devrim'den önceki dönemden daha iyi durumda oldukları doğru *olabilirdi*. Doğru olmadığının biricik kanıtı, yüreğinizden yükselen o sessiz protesto, içinde yaşadığınız koşulların dayanılmaz olduğunu duyumsatan, eskiden böyle değildi herhalde diye düşündüren o sezgiydi. Winston birden, çağdaş yaşamın asıl özelliğinin acımasızlığı ve güvensizliği değil, yavanlığı, donukluğu ve kayıtsızlığı olduğunu fark etti. Yaşamın yalnızca tele-ekranlardan yağdırılan yalanlarla değil, Parti'nin erişmeye çalıştığı ülkülerle de hiç benzeşmediğini görmek için çevrenize bir göz atmanız yeterliydi. Bir Parti üyesi için bile, yaşamın çok büyük bir bölümü yansız ve siyasetten uzak, sıkıcı işlerle uğraşmakla, metroda bir yer kapmak için itişip kakışmakla, delik çorapları yamamakla, bir tatlandırıcı tableti için yalvar yakar olmakla, sigara izmaritleri biriktirmekle geçiyordu. Parti'nin erişmeye çalıştığı ülkü, muazzam, dehşetengiz ve heybetli bir şeydi: ürkünç makineler ve korku salan silahlardan oluşan bir çelik ve beton dünyası; uygun adım yürüyen, hepsi aynı şeyleri düşünen ve aynı sloganları atan, durmadan çalışan, savaşan, zafer kazanan, zulmeden bir savaşçılar ve bağnazlar ulusu; hepsinin yüzü birbirine benzeyen üç yüz milyon insan. Gerçeğe gelince; gerçek, karnı karnına geçmiş insanların su alan ayakkabılarıyla dolanıp durdukları, lahana ve hela kokusundan geçilmeyen, derme çatma on dokuzuncu yüzyıl evlerinde oturdukları köhnemiş, kasvetli kentlerdi. Londra, Winston'ın gözünün önüne gelir gibi oldu; milyonlarca çöp tenekesinin kapladığı, koskocaman, harabeye dönmüş kentin görüntüsü, yüzü kırışıklarla dolu, süpürge saçlı, tıkalı lavaboyu açmaya çabalayan Bayan Parsons'ın görüntüsüne karıştı.

Yine uzanıp ayak bileğini kaşıdı. Tele-ekranlar sabahtan akşama kadar sayıp döktükleri iç bayıltıcı istatistiklerle, insanların artık daha çok yiyecek, daha çok giysi, daha iyi evler, daha çok eğlence olanağı bulabildiklerini, elli yıl önceye oranla daha uzun yaşayıp daha az çalıştıklarını, daha yapılı, daha sağlıklı, daha güçlü, daha mutlu, daha zeki olduklarını, daha iyi eğitim gördüklerini kanıtlamaya çabalıyordu. İşin ilginci, bu söylenenleri doğrulamanın da, çürütmenin de mümkün olmamasıydı. Örneğin, Parti, bugün yetişkin proleterlerin yüzde kırkının okuma yazma bildiğini ileri sürüyordu; söylenenlere bakılırsa, bu oran Devrim'den önce yüzde on beşi geçmiyordu. Parti, çocuk ölümlerinin Devrim'den önce binde üç yüz iken, bu oranın artık binde yüz altmışa düştüğünü öne sürüyordu; istatistikler böyle sürüp gidiyordu işte.

İki bilinmeyenli bir denklem gibiydi hepsi. Tarih kitaplarındaki her sözcük, dahası tartışmasız kabul edilen şeyler bile tümüyle hayal ürünü olabilirdi. *Jus primae noctis* diye bir yasa, kapitalist diye bir yaratık ya da silindir şapka diye bir şey belki de hiç olmamıştı, kim bilebilirdi ki? Her şey bir sis bulutu içinde yitip gidiyordu. Geçmiş silinmekle kalmıyor, silindiği de unutuluyor, sonunda yalan gerçek olup çıkıyordu. Winston, yalanın somut, şaşmaz kanıtını, olup bittikten *sonra* da olsa, hayatında yalnızca bir kez ele geçirebilmiş, onu da ancak otuz saniye kadar tutabilmişti elinde. 1973 yılı olmalıydı; Katharine'den ayrıldığı sıralar olsa gerekti. Ama olayın gerçek tarihi o günlerin de yedi sekiz yıl öncesine uzanıyordu.

Olayın başlangıcı, altmışların ortalarına, Devrim'in ilk önderlerinin ortadan kaldırıldığı büyük temizlikler dönemine gidiyordu. 1970'e gelindiğinde, Büyük Birader dışında, ilk başlardaki önderlerin hiçbiri kalmamıştı. Büyük Birader dışında hepsi hain ve karşıdevrimci ilan edilmişti. Goldstein kaçmış, sırra kadem basmıştı; ötekilere gelince, bazıları ortadan kaybolmuş, çoğu ise halka açık mahkemelerde suçlarını kabullendikten sonra idam edilmişti. O dönemden sağ kalanlar, Jones, Aaronson ve Rutherford adında üç adamdı. Bu üçü 1965'te tutuklanmış olmalıydı. Sık sık olduğu gibi, birkaç yıl ortadan kaybolmuşlar, yaşayıp yaşamadıklarını kimse öğrenememişti; sonra birden her nasılsa ortaya çıkarak suçlarını bildik biçimde kabullenivermişlerdi. Düşmanın (o günlerde düşman Avrasya'ydı) istihbarat örgütlerine çalıştıklarını, zimmetlerine para geçirdiklerini, bazı güvenilir Parti üyelerini öldürdüklerini, Devrim'in çok öncesinden başlayarak Büyük Birader'in önderliğine karşı entrikalar çevirdiklerini ve yüz binlerce insanın ölümüyle sonuçlanan kundaklama eylemlerine giriştiklerini itiraf etmişlerdi.

Bütün bunları itiraf ettikten sonra da bağışlanmışlar, yeniden Parti'ye alınmışlar ve önemli görünen, ama aslında yan gelip yatacakları birtakım görevlere getirilmişlerdi. Üçü de *Times*'da uzun, onursuz yazılar yazarak, yanlış yola sapmalarının nedenlerini çözümlemiş, doğru yolu tutacaklarına söz vermişlerdi.

Winston, salıverilmelerinden bir süre sonra üçünü de Kestane Ağacı Kahvesi'nde görmüştü. Onlara, gözünün ucuyla hem korku hem de hayranlıkla nasıl baktığını anımsadı. Ondan çok yaşlıydılar, eski dünyanın yadigârları, Parti'nin destansı ilk günlerinin handiyse son büyük temsilcileriydiler. Yeraltı savaşımı ve içsavaşın görkeminden izler taşıyorlardı hâlâ. Daha o sıralar olaylar ve tarihler belirsizleşmeye başlamış olmasına karşın, Winston onların adlarını Büyük Birader'in adını öğrendiğinden yıllar önce öğrenmişti sanki. Ama aynı zamanda düşman sayılan, aforoz edilmiş yasaklı kişilerdi, birkaç yıla kadar ortadan kaldırılacakları kesindi. Düşünce Polisi'nin eline düşenlerin postu kurtardıkları görülmemişti. Üçü de mezarı boylamayı bekleyen birer cesetti.

Çevrelerindeki masalarda oturan yoktu. Böyle insanların yakınında görülmek bile akıllıca sayılmazdı. Kestane Ağacı Kahvesi'nin spesiyalitesi olan karanfilli cinlerini sessizce yudumluyorlardı. İçlerinde görünüşüyle Winston'ı en çok etkileyen Rutherford'du. Rutherford, bir zamanların ünlü bir karikatürcüsüydü; gerek Devrim öncesinde, gerek Devrim sırasında çarpıcı karikatürleriyle kamuoyunu derinden etkilemişti. Şimdi bile karikatürleri arada sırada da olsa *Times*'da yayımlanıyordu. Eskiden yaptıklarına öykünen, ama nedense tatsız tuzsuz, çarpıcılıktan yoksun karikatürlerdi. Eski konuları –yoksul mahallelerdeki gecekondular, aç açına dolaşan çocuklar, sokak çatışmaları, barikatlarda bile silindir şapkalarını başlarından çıkarmayan kapitalistler– ısıtıp ısıtıp gündeme getiriyor, geçmişe geri dönmek için bitmek bilmeyen, umarsız bir çaba gösteriyordu. Ağarmış, yağlı saçları yeleyi andıran, gözlerinin altı torba torba, yüzü kırış kırış, kalın zenci dudaklı, ızbandut gibi bir adamdı. Bir zamanlar müthiş güçlü olsa gerekti; oysa şimdi o iri gövdesi bükülmüş, yassılmış, pırtlamış, her yanı sarkmıştı. Herkesin gözlerinin önünde yıkılan, çöküp giden bir dağı andırıyordu.

Saat on beşti, kahve bu saatlerde tenha olurdu. Winston şimdi o saatte neden kahvede olduğunu anımsayamıyordu. İçeride in cin top oynuyordu. Tele-ekrandan cangıl cungul bir müzik sesi geliyordu. Üç adam, bir köşede, nerdeyse hiç kımıldamadan, ağzını açmadan oturuyordu. Garson, kimsenin istemesine kalmadan, biten cinleri tazeliyordu. Yanlarındaki masada bir satranç tahtası duruyordu; taşlar yerlerine yerleştirilmiş, ama hiç oynanmamıştı. Az sonra, tele-ekranlarda bir şey olmuştu. Çalmakta olan ezgiyle birlikte müziğin tonu da değişmişti. Tarif edilmesi zor bir nağme duyulmuştu. Tuhaf, çatlak, alaycı bir nağme: Winston, sararmış nağmeler, diye geçirmişti içinden. Çok geçmeden, tele-ekrandan bir şarkı yükselmişti:

Güzelim kestane ağacının altında
Ben seni sattım, sen de beni havada:
Onlar yatar orada, bizler burada
Güzelim kestane ağacının altında.

Hiçbiri istifini bozmamıştı. Ama Winston, Rutherford'un yıkıntıya dönmüş yüzüne yeniden bakınca, gözlerinin dolu dolu olduğunu görmüştü. Çok geçmeden de, içi titreyerek, ama *neden* titrediğini de anlayamadan, Aaronson ile Rutherford'un burunlarının kırık olduğunu fark etmişti ilk kez.

Kısa bir süre sonra üçü de yeniden tutuklanmıştı. Söylenenlere bakılırsa, serbest bırakılır bırakılmaz yeni komplolara girişmişlerdi. İkinci yargılanmalarında eski suçlarının tümünü bir kez itiraf etmekle kalmamışlar, yeni suçlarını da olduğu gibi kabul etmişlerdi. Üçü de idam edilmiş ve bundan sonrakilere ders olsun diye, başlarına gelenler Parti tarihine geçirilmişti. Winston, bu olaydan beş yıl sonra, 1973'te, az önce basınçlı borudan masasına düşmüş bir belge tomarını açtığında, ötekilerin arasına karışıp unutulmuş olduğu anlaşılan bir kâğıt parçasına rastlamıştı. Kâğıdı açıp düzeltir düzeltmez, önemini anlayıvermişti. *Times* gazetesinin on yıl kadar önceki bir sayısından yırtılmış bu yarım sayfada –sayfanın üst yarısı olduğu için tarih görülebiliyordu– New York'taki bir Parti toplantısına katılmış temsilcilerin fotoğrafı vardı. Topluluğun ortasında Jones, Aaronson ve Rutherford açık seçik görülüyordu. Yanılmak olanaksızdı, fotoğrafın altında adları da yazılıydı.

İşin ilginç yanı, iki duruşmada da üçünün de o tarihte Avrasya topraklarında olduğunu itiraf etmiş olmasıydı. Kanada'daki gizli bir havaalanından Sibirya'ya uçmuşlar, orada bir yerde Avrasya Genelkurmayı'ndan birileriyle buluşarak önemli askerî sırları onlara vermişlerdi. Yazdönümüne, 24 Haziran'a denk geldiği için Winston tarihi asla unutmamıştı; kaldı ki, tüm olup biten daha pek çok yerde kayıtlara geçmiş olmalıydı. Bundan tek bir sonuç çıkıyordu: İtiraflar yalandı.

Bu, hiç kuşkusuz, yepyeni bir keşif sayılmazdı. Winston, o günlerde bile, temizlik hareketlerinde ortadan kaldırılan insanların kendilerine yüklenen suçları işlemiş olduklarını düşünmemişti. Ama bu somut bir kanıttı; yanlış toprak katmanında ortaya çıkarak koskoca bir yerbilim kuramını çürütüveren fosilleşmiş bir kemik gibi, yok edilmiş geçmişin bir parçasıydı. Yayımlanarak tüm dünyaya duyurulabilse, ne kadar önemli olduğu anlatılabilse, Parti yerle bir edilebilirdi.

Hiçbir şey olmamış gibi çalışmayı sürdürmüştü. Fotoğrafı görüp de ne anlama geldiğini anlar anlamaz, üstünü başka bir kâğıtla örtüvermişti. Bereket versin, tomarı açtığında, fotoğraf tele-ekrandan baş aşağı görünmekteydi.

Bloknotunu dizinin üstüne yerleştirdi, tele-ekrandan elden geldiğince uzaklaşabilmek için iskemlesini geriye itti. İnsanın yüzündeki her türlü anlatımı silmesi o kadar zor değildi, dahası biraz uğraşırsanız nefes alıp verişinizi bile denetleyebilirdiniz: Ama kalbinizin atışını denetlemeniz olanaksızdı, üstelik tele-ekran kalp atışlarınızı saptayabilecek kadar duyarlıydı. Hiç akla gelmedik bir kaza –örneğin, masasının üstündekileri uçurabilecek bir hava akımı– kendisini ele verecek diye ecel teri dökerek on dakika kadar bekledikten sonra, fotoğrafı, üstünü açmadan, atılacak kâğıtlarla birlikte bellek deliğine bırakmıştı. Fotoğraf, göz açıp kapayıncaya kadar yanıp kül olmuştu herhalde.

On on bir yıl oluyordu. Bugün olsa, belki de fotoğrafı saklardı. Tuhaftı ama fotoğraf da, yansıttığı olay da artık yalnızca bir anı olmasına karşın, o fotoğrafı bir zamanlar elinde tutmuş olması şimdi bile her şeyi değiştiriyor gibi geliyordu ona. Artık var olmayan bir kanıt sırf *bir zamanlar* var olduğu için, Parti'nin geçmiş üzerindeki denetimi eskisi kadar güçlü değil miydi yoksa?

Ama bugün, fotoğraf küllerinden yeniden doğsa bile kanıt yerine geçmeyebilirdi. Okyanusya, Winston daha o fotoğrafı ele geçirmeden, Avrasya'yla savaşa son vermiş olduğuna göre, artık hayatta olmayan bu üç adam vatanını Doğuasya ajanlarına satmış olmalıydı. O zamandan bu zamana adamlara şimdi anımsayamadığı başka suçlamalar da yöneltilmişti. Büyük olasılıkla, itiraflar yeniden yazıla yazıla, sonunda ilk baştaki gerçekler ve tarihlerin en küçük bir önemi kalmamıştı. Geçmiş değişmekle kalmıyor, sürekli olarak değişiyordu. Onu en çok perişan eden de, bu büyük sahtekârlığın *neden* yapıldığını bir türlü açık seçik anlayamamasıydı. Geçmişi çarpıtmanın dolaysız yararları apaçık ortadaydı, gel gör ki gerçek neden bilinemiyordu. Winston kalemini alıp yazdı:

NASIL'ını anlıyorum: NEDEN'ini anlamıyorum.

Daha önce de pek çok kez olduğu gibi, yoksa ben deli miyim, sorusu geçti aklından. Belki de, deli dedikleri tek kişilik bir azınlıktı. Bir zamanlar dünyanın güneşin çevresinde döndüğüne inanmak nasıl delilik belirtisi olarak görüldüyse, şimdi de geçmişin değiştirilemeyeceğine inanmak delilik belirtisi olarak kabul ediliyordu. Bu inancı *bir tek kendisi* taşıyor olabilirdi ve eğer öyleyse, o zaman delinin tekiydi. Ama deliliği pek dert etmiyordu, onu asıl ürküten yanılıyor olabileceğiydi.

Çocuklar için hazırlanmış tarih kitabını alıp Büyük Birader'in kapaktaki portresine baktı. O ipnotize eden gözlerle bakıştı. Sanki büyük bir güç üzerinize yükleniyordu; kafatasınızda bir delik açıp beyninizi tepikliyor, yüreğinize korku salarak inançlarınızı koparıp alıyor, handiyse aklınızın tanıklığını yadsımaya razı ediyordu sizi. Sonunda Parti iki kere ikinin beş ettiğini söyler, siz de buna inanmak zorunda kalırdınız. Önünde sonunda bunu söylemeleri kaçınılmazdı: İçinde bulundukları konumun mantığı bunu gerektiriyordu. Felsefeleri, yalnızca yaşananların geçerliliğini değil, gözler önündeki gerçekliğin varlığını da üstü kapalı olarak yadsıyordu. Sapkınlıkların sapkınlığı sağduyuydu. Ve işin asıl korkunç yanı, farklı düşündüğünüz için sizi öldürecek olmaları değil, haklı olabilecekleriydi. İki kere ikinin dört ettiğini nereden biliyorduk ki? Yerçekimi diye bir şey olduğunu nereden biliyorduk ki? Geçmişin değiştirilemez olduğunu nereden biliyorduk ki? Madem geçmiş de, dış dünya da yalnızca zihinlerdeydi, madem zihin de denetlenebiliyordu, söylenecek ne kalıyordu ki geriye?

Ama hayır! Winston birden cesarete gelir gibi oldu. O'Brien'ın yüzü, durup dururken, gözünün önüne gelmişti. O'Brien'ın ondan yana olduğuna artık daha da emindi. Günceyi O'Brien için, daha doğrusu O'Brien'a yazıyordu: kimsenin okumayacağı, ama belirli birine yazılmış ve özelliğini bundan alan, sonu gelmeyen bir mektup gibiydi.

Parti, gözlerinizle gördüğünüze, kulaklarınızla duyduğunuza inanmamanızı söylüyordu. Bu onların en temel, en can alıcı buyruğuydu. Karşısına dikilen dev gücü, herhangi bir Partili aydının bir tartışmada onu ne kadar kolaylıkla alt edebileceğini, ortaya atılacak kurnazca savları yanıtlamak şöyle dursun anlamakta bile zorluk çekeceğini düşününce umarsızlığa kapıldı. Hem de haklı olmasına karşın! Onlar haksız, kendisi haklıydı. Akılsızca da olsa, apaçık ve gerçek olanın savunulması gerekiyordu. Söz götürmez gerçeklere sarılmalıydı! Var olan somut dünyanın yasaları değişmezdi. Taş sert, su ıslaktı, desteksiz nesneler yere düşerdi. O'Brien'la konuşuyormuş ve önemli bir kural koyuyormuş gibi yazdı:

Özgürlük, iki kere iki dört eder diyebilmektir. Buna izin verilirse, arkası gelir.

VIII

Bir pasajın dibinde bir yerden sokağa kavrulmuş kahve –Zafer Kahvesi değil, gerçek kahve– kokusu yayılıyordu. Winston elinde olmadan durdu. Birkaç saniyeliğine, çocukluğunun nerdeyse unutulup gitmiş dünyasına gitti. Sonra bir kapı küttedek kapandı ve sanki bir ses kesilir gibi kesiliverdi kahve kokusu.

Winston kaldırımlarda birkaç kilometre yürümüştü, varis çıbanı zonkluyordu. Dernek Merkezi'ndeki akşam toplantısını üç haftadır ikinci kez kaçırıyordu: Pek akıllıca sayılmazdı bu yaptığı, çünkü Merkez'e devamlılığın sürekli denetlendiği kesindi. Bir Parti üyesinin ilke olarak hiç boş vaktinin olmaması ve yatak dışında hiç yalnız kalmaması gerekiyordu. Çalışmak, yemek yemek ya da uyumak dışında kalan zamanlarda mutlaka ortaklaşa bir etkinliğe katılmalıydı: Yalnızlıktan keyif aldığını gösteren herhangi bir şey yapması, dahası kendi başına yürüyüşe çıkması bile her zaman biraz tehlikeli olabilirdi. Yenisöylem'de buna, bireycilik ve ayrıksılık anlamında *ayrıyaşam* deniyordu. Ama o akşam Bakanlık'tan çıktığında, nisan havasının dinginliğine kapılmıştı Winston. Göğün mavisi o yıl hiç olmadığı kadar canlıydı; Merkez'de geçirilecek uzun, gürültülü bir akşam, sıkıcı, bıktırıcı oyunlar, cinle pekiştirilen zoraki dostluklar birden gözünde büyümüştü. Ani bir dürtüyle otobüs durağından geri dönmüş, Londra'nın dolambaçlı yollarına dalmış, ilkin güneye, sonra doğuya, sonra yeniden kuzeye vurmuş, ne yöne gittiğini umursamaksızın hiç bilmediği sokaklarda kaybolmuştu.

Güncesine, "Bir umut varsa, proleterlerde," diye yazmıştı. Belirsiz bir gerçeği ve apaçık bir saçmalığı dile getiren bu sözcükler sürekli aklına düşüyordu. Bir zamanlar

Saint Pancras İstasyonu'nun bulunduğu yerin kuzeyine ve doğusuna düşen, gün görmez, kör karanlık kenar mahallelerden birindeydi. Sıçan deliklerini andıran kırık dökük kapıları doğruca kaldırıma açılan küçük, iki katlı evlerin sıralandığı, taş döşeli bir sokakta yürüyordu. Taşların aralarında yer yer kirli su birikintileri oluşmuştu. Karanlık eşiklerin ardı önü, sokağın iki yanındaki dar aralıklar mahşer gibiydi: serilip serpilmiş, sürüp sürüştürmüş kızlar, onların peşinden ayrılmayan delikanlılar, kızların on yıl sonra neye benzeyeceklerinin kanıtı, göbek salmış, paytak kadınlar, kocaman ayaklarını sürüyerek yürüyen iki büklüm ihtiyarlar, kirli su birikintilerinin içinde oynarken analarının öfkeli bağırtılarıyla çil yavrusu gibi dağılan, yalınayak başı kabak çocuklar. Sokağa bakan camların pek çoğu kırıktı, tahtalarla kapatılmıştı. İnsanların çoğunun Winston'a aldırış ettiği yoktu; bazıları ise ürkek bir merakla, göz ucuyla bakıyorlardı. Bir kapının ağzında, kadana gibi iki kadın, ıstakoz gibi olmuş kollarını önlüğünün üstünde kavuşturmuş, gevezelik ediyordu. Winston yanlarından geçerken, kulağına birkaç laf çalındı.

"'Evet, hakkın var,' dedim karıya. 'Başım gözüm üstüne, ama benim yerimde olaydın sen de aynını yapardın. Atıp tutmak kolay. Bendeki dertler sende olaydı görürdüm seni.'"

"Hay, aklınla bin yaşa, kardeşim. Helal olsun, valla. Fazla yüz vermiyceksin böylelerine."

Cırlak sesler birden kesiliverdi. Kadınlar, önlerinden geçen Winston'ı düşmanca bakışlarla süzdüler. Aslında, tam olarak düşmanlık da denemezdi buna; insanların, yanlarından geçen ne idüğü belirsiz bir hayvan karşısındaki temkinliliği, bir anlık sakınganlığı vardı bakışlarında. Böyle bir sokakta Parti'nin mavi tulumlarına pek sık rastlanmazdı. Belirli bir işiniz olmadıkça, böyle yerlerde dolaşmak pek akıllıca sayılmazdı. Kaldı ki, devriyelerle karşılaşırsanız sizi durdurabilirlerdi. "Belgelerinizi görebilir miyim, yoldaş? Ne işiniz var burada? İşten kaçta çıktınız? Eve hep bu yoldan mı gidersiniz?"... falan filan. Gerçi eve alışılmadık bir yoldan gidilemez diye bir kural yoktu, ama Düşünce Polisi'nin kulağına gitmeyegörsün, yıldırımları üzerinize çekmek için yeter de artardı bile.

Birden ortalık birbirine girdi. Millet çığlık çığlığaydı. İnsanlar tavşanlar gibi kaçışıyor, kapılardan içeri atıyorlardı kendilerini. Winston'ın hemen önündeki bir kapıdan genç bir kadın fırladığı gibi su birikintisinin içinde oynayan küçük bir çocuğu kaptı, çabucak önlüğüne sarıp yeniden kapıdan içeri daldı. Tam o sırada, yandaki aralıklardan birinden fırlayan, akordeon gibi olmuş siyah takım elbiseli bir adam, göğü işaret ederek deliler gibi Winston'a koştu.

"Dikkat, gemi!" diye haykırdı. "Aman, babalık! Tepemizde patlayacak! Çabuk yere yat!"

Proleterler, nedense, bombaya "gemi" diyorlardı. Winston kendini hemen yüzükoyun yere attı. Proleterler bu tür uyarılarda bulunduklarında hemen hep haklı çıkarlardı. Bombalar sesten hızlı yol almasına karşın, proleterlerin bir bombanın gelmekte olduğunu birkaç saniye öncesinden sezmelerini sağlayan bir içgüdüleri vardı sanki. Winston ellerini başının üstünde kavuşturdu. Kaldırım yerinden oynuyormuşçasına bir gümbürtü koptu; sırtına patır patır bir şeyler yağdı. Ayağa kalktığında, sırtının, en yakındaki pencereden yağan cam kırıklarıyla kaplı olduğunu fark etti.

Yeniden yürümeye başladı. Bomba, sokağın iki yüz metre kadar yukarısındaki evleri göçertmişti. Göğü kaplayan kapkara dumanların altında, sıva tozlarının yükseldiği yıkıntıların çevresinde bir kalabalık toplanmaya başlamıştı. Winston'ın gözüne, az ilerideki sıva yığınının ortasında kıpkırmızı bir şey ilişti. Biraz yaklaşınca, bunun, bilekten kopmuş bir el olduğunu gördü. Koptuğu yer dışında, alçıdan dökülmüş bir yontu gibi bembeyazdı.

Winston eli yolun kıyısına doğru tekmeledi, sonra kalabalığın içine düşmemek için sağdaki bir ara sokağa girdi. Üç dört dakika sonra, bombanın etkilediği bölgenin dışındaydı artık; sokaklardaki kitlelerin mahşer yerine çevirdiği yaşam hiçbir şey olmamışçasına sürüyordu. Nerdeyse akşamın sekiziydi ve proleterlerin gittikleri içkili lokantalar (onlar "meyhane" diyorlardı) adam almıyordu. Durmadan açılıp kapanan kirli kapılardan hela, talaş ve ekşi bira kokuları geliyordu. Bir evin çıkıntı yaptığı köşede üç adam birbirine sokulmuş dikiliyor, ortadakinin elinde tuttuğu katlanmış gazeteyi öbür ikisi onun omuzlarının üzerinden okuyordu. Winston, daha yüzlerini doğru dürüst görecek kadar yaklaşmamış olmasına karşın, tepeden tırnağa dikkat kesilmiş olduklarını anlamıştı. Belli ki ciddi bir haberi okuyorlardı. Aralarında birkaç adım kalmıştı ki, adamlar birden birbirlerinden koptular ve ikisi ağız dalaşına tutuştu. Nerdeyse yumruk yumruğa geleceklerdi.

"Bi dakka sus da dinle, be adam! Ne diyorum ben sana, sonu yediyle biten hiçbir numara on dört aydır kazanmadı!"

"Bal gibi de kazandı!"

"Hayır, kazanmadı işte! İki yıldan fazla oldu, evde hepsini bir kâğıda döküyorum, bir bir kaydını tutuyorum, kaz kafalı! Anlasana, sonu yediyle biten hiçbir numara..."

"Kazandı ulan, kazandı! Anasını sattığımın numarasını bile söyleyebilirim. Dört sıfır yediyle bitiyordu. Şubattaydı... Şubatın ikinci haftası..."

"Başlatma şimdi şubatından! Hepsini yazdım diyorum sana. Anlamıyorsun ki, sonu yediyle..."

Sonunda, üçüncü adam, "Kesin be, yeter artık!" dedi.

Piyangodan söz ediyorlardı. Winston otuz metre kadar yürüdükten sonra dönüp arkasına baktı. Hâlâ tartışıyorlardı, suratları pancar gibiydi. Her hafta inanılmaz ikramiyeler dağıtan Piyango, proleterlerin büyük bir ciddiyetle izledikleri tek toplumsal olaydı. Büyük olasılıkla, milyonlarca proleterin biricik olmasa da başlıca varlık nedeniydi. Piyango'dan başka bir eğlenceleri, çılgınlıkları, afyonları, zihinsel uyarıcıları yoktu. İş Piyango'ya geldi mi, kör cahiller bile en karışık hesapları yapabiliyorlar, bir gördükleri numarayı bir daha unutmuyorlardı. Bir sürü insan sırf Piyango'da kazanma sistemleri, tahminler ve tılsımlar satarak geçiniyordu. Winston'ın, Varlık Bakanlığı'nca yürütülen Piyango'nun işleyişi konusunda pek bilgisi yoktu, ama ikramiyelerin çoğunlukla hayali olduğunun farkındaydı (aslında Parti'deki herkes farkındaydı). Yalnızca küçük ikramiyeler ödeniyordu, büyük ikramiyeleri kazananlar ise gerçekte var olmayan kişilerdi. Okyanusya'nın bir bölgesi ile başka bir bölgesi arasında doğru dürüst bir iletişim bulunmadığı için, bunu ayarlamak zor değildi.

Biricik umut proleterlerdeydi. Buna sımsıkı sarılmak zorundaydınız. Söylendiğinde akla yatkın geliyordu, ama sokakta yanınızdan geçen insanlara bir göz attığınızda, bunun bir inançtan öteye gitmediğini görüyordunuz. Girdiği sokaktan yokuş aşağı iniliyordu. Buralardan daha önce de geçtiğini, az ileride bir yerden anacaddeye çıkıldığını sanıyordu. Yakınlarda bir yerden bağırtılar geliyordu. Birden keskin bir dönüş yapan sokak, birkaç basamakla, pazarcıların buruş buruş olmuş sebzeler sattıkları saklı bir aralığa indi. Winston o anda nerede olduğunu anımsayıverdi. İndiği aralık ana caddeye çıkıyordu; ilk sapaktan beş dakika kadar yürüyünce, şimdi günce olarak kullandığı not defterini aldığı eskici dükkânına varılıyordu. Biraz ileride küçük kırtasiyeciden de kalem sapıyla mürekkep şişesini almıştı.

Basamakların başında bir an durdu. Tam karşıda salaş bir meyhane çarptı gözüne, camları buzlanmış gibi görünüyorsa da aslında tozla kaplanmıştı. Posbıyıklı, çok yaşlı, iki büklüm yürüyebilen bir adam meyhanenin kapısını itip içeri girdi. Winston, durduğu yerden izlerken, en az sekseninde olan bu ihtiyar Devrim meydana geldiği sırada orta yaşlıydı herhalde, diye geçirdi aklından. O ve onun gibiler, yitip gitmiş kapitalizm dünyasıyla bugünün son bağlantılarıydı. Parti içinde, düşünceleri Devrim'den önce oluşmuş pek fazla insan kalmamıştı. Eski kuşak elliler ve altmışların büyük temizlik hareketleri sırada büyük ölçüde ortadan kaldırılmış, sağ kalanlar ise çoktandır tam bir düşünsel teslimiyete zorlanmışlardı. Hâlâ hayatta olup da yüzyıl başlarında olup bitenlere ilişkin doğru bilgi verebilecek tek kişi ancak proleterler arasından çıkabilirdi. Winston birden tarih kitabından güncesine aktardığı bölümü anımsadı ve çılgınca bir isteğe kapıldı. Meyhaneden içeri girecek, ihtiyarla muhabbeti koyultacak ve sorguya çekecekti. "Senin çocukluğunda nasıl bir hayat yaşanıyordu? Şimdiki hayata benziyor muydu? Durum bugünkünden daha mı iyiydi, yoksa daha mı kötüydü?" diyecekti yaşlı adama.

Korkuya kapılıp vazgeçmemek için bir koşu basamakları indi, dar sokağa dalıp karşıya geçti. Tam bir çılgınlıktı bu yaptığı. Gerçi proleterlerle konuşulmayacak, onların gittiği meyhanelere gidilmeyecek diye bir kural yoktu, ama yine de kimsenin gözünden kaçmayacak kadar olağandışı bir davranıştı bu. Devriyelerle karşılaşırsa baygınlık geçirdiğini söyleyebilirdi, ama yutmazlardı. Meyhanenin kapısını araladığında, insanın burnunun direğini kıran berbat bir ekşi bira kokusu çarptı suratına. Winston içeri girer girmez, sesler kesilir gibi oldu. Herkesin gözünü mavi tulumuna diktiğinin ayırdındaydı. Bir köşede dart oynayanlar oyuna otuz saniye kadar ara verdiler. İzlediği ihtiyar, barda dikilmiş, iriyarı, demir bilekli, gaga burunlu, genç barmene kafa tutuyordu. Bazıları da, ellerinde bardaklarıyla çevrelerini almışlar, onları izliyorlardı.

Yaşlı adam, omuzlarını kaldırarak, "Adam gibi soruyoruz, değil mi?" dedi. "Yani sen şimdi şu rezil meyhanede bir payntlık bir bardağın olmadığını söylüyorsun, öyle mi?"

Barmen, ellerini tezgâha dayayıp öne eğilerek, "Paynt da neymiş ulan?" dedi.

"Şuna bakın! Payntın ne olduğunu bilmiyor, bir de kendine barmen diyor! Bilmiyorsan öğren, bir paynt kuartın yarısıdır, dört kuart da bir galon eder. İstersen işe alfabeden başlayalım."

Barmen, "Hiçbirini duymadım," diye kestirip attı. "Bizim burada litrelik, bir de yarım litrelik bira var. Bak, bardaklar karşındaki rafta işte."

"Ben paynt isterim," diye diretti ihtiyar. "İstesen, bir payntlık bira çekiverirsin şuracıkta. Bizim gençliğimizde litre mitre yoktu."

Barmen, göz ucuyla öteki müşterilere bakarak, "Sizin gençliğinizde biz daha beşikteydik," dedi.

Bir kahkaha patladı; Winston'ın gelişinin yarattığı tedirginlik ortadan kalkmış gibiydi. İhtiyarın bembeyaz yüzü kıpkırmızı kesilmişti. Homurdanarak arkasına dönünce Winston'a tosladı. Winston usulca kolundan tuttu.

"Size bir içki söyleyebilir miyim?" dedi.

"Çok naziksiniz," dedi ihtiyar yine omuzlarını kaldırarak. Winston'ın mavi tulumunun farkında değil gibiydi. Barmene dönüp, "Paynt!" diye ekledi sert bir sesle. "Kallavi olsun."

Barmen, tezgâhın altındaki kovada yıkadığı iki kalın bardağa yarımşar litre siyah bira doldurdu. Proleterlerin gittiği meyhanelerde içilebilen tek içki biraydı. Proleter-

113

ler, cin içmemeleri gerekmesine karşın, pek çok yerde kolayca cin bulabiliyorlardı. Dart oyunu yeniden bütün hızıyla başlamış, bardakiler ise piyango biletlerinden söz etmeye koyulmuşlardı. Winston'ı unutmuş gibiydiler. Pencerenin önünde, Winston'ın yaşlı adamla kimse duymadan konuşabileceği bir oyun masası vardı. Gerçi ihtiyarla oturup sohbet etmek yine de çok tehlikeliydi, ama neyse ki meyhaneye tele-ekran yerleştirilmemişti; Winston içeri girer girmez saptamıştı bunu.

Yaşlı adam, bardağının başına çökerken, "Bir payntlık doldursaydı eli mi kırılırdı?" diye homurdandı. "Yarım litre kesmiyor. Beti bereketi yok. Bir litre de fazla geliyor. Hem kesene zarar, hem de durmadan helaya taşınıyorsun."

Winston, "Gençliğinizden beri kim bilir ne değişikliklere tanık oldunuz," diye yokladı ihtiyarı.

Yaşlı adamın soluk mavi gözleri, sanki bütün değişiklikler bu meyhanede yaşanmış gibi, dart tahtasından bara, bardan erkekler tuvaletinin kapısına gezindi.

Sonunda, "Eskiden biralar daha iyiydi," dedi. "Hem de daha ucuzdu! O zamanlar kallavi derdik, beyaz biranın bir payntı dört peniydi. Savaştan önce tabii."

"Hangi savaştan?" diye sordu Winston.

"Savaştan ne zaman başımızı alabildik ki," dedi ihtiyar duyulur duyulmaz bir sesle. Yine omuzlarını dikleştirerek bardağını kaldırdı. "Hadi bakalım, sağlığına!"

İncecik boynundaki sivri âdemelmasının şaşırtıcı bir hızla inip kalkmasıyla biranın bitmesi bir oldu. Winston bara gidip yarımşar litrelik iki bira daha getirdi. Yaşlı adam, bir litre fazla geliyor dediğini çoktan unutmuş gibiydi.

Winston, "Siz benden çok büyüksünüz," dedi. "Sanırım ben daha doğmadan siz koca adamdınız. Devrim'den önceki eski günleri anımsıyorsunuzdur. Benim yaşımdakiler o günleri hiç bilmiyorlar. Ancak kitaplardan okuya-

114

biliyoruz, o da doğruysa tabii. Sizin ne düşündüğünüzü bilmek isterim. Tarih kitaplarında, Devrim'den önceki hayatın şimdikinden tümüyle farklı olduğu yazıyor. Bugün hayal bile edemeyeceğimiz kadar korkunç bir baskı, adaletsizlik ve yoksulluk varmış. Burada, Londra'da bile halkın büyük çoğunluğu yarı aç yarı tok yaşıyormuş. Halkın yarısının ayağına giyecek ayakkabısı bile yokmuş. Günde on iki saat çalışır, dokuz yaşında okulu terk eder, bir odada on kişi yatarlarmış. Buna karşılık, kapitalist dedikleri zengin ve güçlü küçük bir azınlık varmış ki, sayıları birkaç bini geçmezmiş. Her şeyin sahibi onlarmış. Otuz uşağın hizmet ettiği görkemli konaklarda otururlar, otomobilleri ve dört atlı arabalarıyla gezerler, şampanya içerler, silindir şapkalar takarlarmış..."

Birden ihtiyarın gözleri parladı.

"Silindir şapkalar, ha!" dedi. "Çok matrak doğrusu. Nedense aynı şey daha dün benim de kafamdan geçti. Düşündüm de, silindir şapka görmeyeli yıllar olmuş. Silindir şapka tarih oldu, evlat. En son baldızımın cenazesinde takmıştım. Tam gününü söyleyemem ama, elli yıl olmuştur herhalde. Cenaze için kiralamıştım tabii, bilirsin işte."

Winston, dişini sıkarak, "Boş verin şimdi silindir şapkaları," dedi. "Asıl sorun, şu kapitalistler ve onlardan nasiplenen avukatlar ve rahipler; bu dünyanın efendileri kapitalistlermiş. Her şey onların çıkarı içinmiş. Sizler –sıradan insanlar, emekçiler– onların kölesiymişsiniz. Ne isterlerse yapabilirlermiş size. Sığır sürüsü gibi bir gemiye doldurup Kanada'ya yollayabilirlermiş. Canları çekerse, kızlarınızla yatabilirlermiş. Dokuz kamçılı kırbaçlarla dövdürebilirlermiş. Önlerinde şapkanızı çıkarmak zorundaymışsınız. Uşakları yanlarından eksik olmazmış..."

Yaşlı adamın yeniden gözleri parladı.

"Uşaklar, ha!" dedi. "Yıllardır duymamıştım bu keli-

115

meyi. Uşaklar! Yıllar öncesine götürdü beni. Hatırlıyorum, senelerce senelerce evveldi, pazar günleri öğleden sonra Hyde Park'a gider, birtakım heriflerin çektikleri nutukları dinlerdim. Selamet Ordusu, Katoliği, Yahudisi, Hintlisi, hepsi. Hele bir herif vardı ki, şimdi adı aklıma gelmiyor, müthiş bir hatipti, kimse eline su dökemezdi. Hepsinin canına okurdu. 'Uşaklar!' derdi, 'Burjuvazinin uşakları! Egemen sınıfın çanak yalayıcıları!' 'Asalaklar,' derdi bir de. 'Sırtlanlar,' derdi. Evet, evet, 'Sırtlanlar,' derdi onlara. Tabii ki İşçi Partisi'ni kerteriz veriyordu, anlarsın ya."

Winston, ayrı tellerden çaldıklarının farkındaydı.

"Benim asıl bilmek istediğim şu," dedi. "Bugün eskisinden daha özgür olduğunuzu söyleyebilir misiniz? Bugün daha mı insanca davranılıyor size? Bir zamanlar, zenginler, baştakiler..."

Yaşlı adam, birden aklına gelmişçesine Winston'ın lafını keserek, "Lordlar Kamarası," diyecek oldu.

"Tamam, Lordlar Kamarası. Ama benim sorduğum şu: Sırf onlar zengin, siz yoksul olduğunuz için adam yerine koymuyorlar mıydı sizi? Örneğin, gerçekten de onlara 'Efendim' demek, önlerinde şapkanızı çıkarmak zorunda mıydınız?"

Yaşlı adam bir an dalıp gitti. Birasından koca bir yudum aldıktan sonra yanıtladı.

"Evet," dedi. "Karşılarında selama durmanız hoşlarına giderdi. Onlara saygı duyduğunuzu gösterirdi. Gerçi bana ters gelirdi, ama ben de yapmışımdır kaç kere. Yapmak zorunda kalmışımdır, diyelim istersen."

"Peki —tarih kitaplarında okuduklarımdan aktarıyorum—, o insanlar ve uşakları sizleri kaldırımdan çamurların içine mi iterlerdi hep?"

"Bir keresinde biri itmişti beni," dedi ihtiyar. "Dünmüş gibi hatırımda. İçki Yarışı gecesiydi —İçki Yarışı gecesi korkunç kabalaşırlardı–, Shaftesbury Caddesi'nde gençten bir herife toslamayayım mı! Efendiden birine benziyordu; smokin, silindir şapka, siyah palto. Kaldırımda yalpalaya yalpalaya gidiyordu, ben de bindiriverdim herifçioğluna, bir kazadır oldu işte. 'Önüne baksana, ulan!' demesin mi! Ben de, 'Koca kaldırımı satın mı aldın?' deyiverdim. 'Ulan, bana efelenme, beynini dağıtırım,' deyince, ben de, 'Sarhoşsun sen,' dedim, 'polis çağırayım da aklın başına gelsin.' İster inan, ister inanma, herif yakamdan tutup öyle bir itti ki, az daha otobüsün altında kalıyordum. O zamanlar delikanlıydık icabında, bir geçirsem bir de yerden yerdi, ama..."

Winston artık iyice çaresizliğe kapılmıştı. Yaşlı adamın belleği tam bir ayrıntı çöplüğüne dönmüştü. Akşama kadar soru sorsa hiçbir şey öğrenemeyecekti. Ama Parti tarihi az çok doğru olabilirdi, hatta tümüyle doğru bile olabilirdi. Son bir kez şansını denedi.

"Galiba ne demek istediğimi iyi anlatamadım," dedi. "Söylemek istediğim şu ki, çok uzun bir süredir yaşıyorsunuz, hayatınızın yarısı Devrim öncesinde geçmiş. Örneğin, 1925'te yetişkin bir insandınız. Anımsadığınız kadarıyla söyler misiniz, 1925'te hayat şimdikinden daha mı iyiydi, yoksa daha mı kötüydü? Seçme şansınız olsaydı, o zaman mı yaşamak isterdiniz, şimdi mi?"

Yaşlı adam dart tahtasına bakarak dalıp gitti. Öncekinden daha yavaş yudumlayarak birasını bitirdi. Birayı içince yumuşamışçasına, hoşgörülü, filozofça bir edayla konuşmaya başladı.

"Ne söylememi istediğini biliyorum," dedi. "Keşke genç olaydım, dememi bekliyorsun benden. Pek çok insan, sorulduğunda, keşke genç olaydım, der. Gençken sağlıklısındır, gücün kuvvetin yerindedir. Ama benim yaşıma gelmeyegör, hastalıktan başını alamazsın. Ayaklarım başıma dert, sidiktorbam rezalet. Geceleri altı yedi

117

kere çişe kalkıyorum. Hoş, yaşlılığın faydaları da yok değil. Bazı sorunlar ortadan kalkıyor. Mesela, kadınlarla işin kalmıyor, muazzam bir şey bu. İnanır mısın, bir kadınla yatmayalı nerdeyse otuz yıl oluyor. Canım da istemedi zaten."

Winston sırtını pencereye vermişti. Daha fazla soru sormanın anlamı yoktu. Bir bira daha ısmarlayacaktı ki, ihtiyar birden kalktı, ayaklarını sürüye sürüye meyhanenin yan tarafındaki, leş gibi kokan helaya yollandı. Fazladan içtiği bira hemen etkisini göstermişti. Winston birkaç dakika boş bardağına bakarak öylece oturdu, sonra farkında bile olmadan yeniden sokakta buldu kendini. Yirmi yıla kalmaz, şu basit ama müthiş soruyu, "Devrim'den önce hayat şimdikinden daha mı iyiydi?" sorusunu yanıtlayacak bir tek kişi kalmaz ortalıkta, diye geçirdi içinden. Gerçi bu sorunun yanıtını almak daha şimdiden olanaksızlaşmıştı, o günlerden sağ kalan birkaç kişi de eski ile yeniyi kıyaslamayı beceremiyordu. Milyonlarca ilgisiz ayrıntı anımsıyorlardı, bir iş arkadaşıyla yapılmış bir kavga, kayıp bir bisiklet pompasının nasıl arandığı, çok önce ölmüş bir kız kardeşin yüzü, yetmiş yıl önce rüzgârlı bir sabah havaya kalkan toz bulutları; önemli gerçeklerin tekmili birden belleklerden silinmişti. Küçük nesneleri görebilen, ama büyük nesneleri göremeyen karıncalara benziyorlardı. Bellekler şaşıp kayıtlar çarpıtılınca da, Parti'nin yaşam koşullarını iyileştirdiği yolundaki savını kabullenmekten başka çare kalmıyordu, çünkü bu savın sınanabileceği hiçbir ölçüt yoktu ve hiçbir zaman da olmayacaktı.

Dalıp gittiği düşüncelerden birden sıyrıldı. Durup çevreye göz gezdirdi. Daracık bir sokaktaydı, evlerin arasına sıkışıp kalmış birkaç izbe dükkân göze çarpıyordu. Başının hemen yukarısında, bir zamanlar yaldızlı olduğu anlaşılan, rengini yitirmiş üç madeni top asılıydı. Bildiği bir yerdi sanki. Tabii! Güncesini yazdığı defteri aldığı eskici dükkânının önündeydi.

Tepeden tırnağa ürperdi. Defteri satın almakla bile kendini ateşe atmıştı zaten; sonradan, bir daha bu dükkânın yakınından bile geçmeyeceğine ant içmişti. Gel gör ki, başka düşüncelere dalar dalmaz, ayakları onu gerisingeri buraya getirmişti. Oysa günce tutmaya başlamakla, kendini intihardan farksız böylesi güdülere karşı korumaya alacağını ummuştu. Bu arada, nerdeyse akşamın dokuzu olmasına karşın dükkânın hâlâ açık olduğunu fark etti. Kaldırımda dikilip durmaktan daha az kuşku çekeceğini düşünerek dükkândan içeri girdi. Sorulacak olursa, jilet aradığını söyleyerek işin içinden sıyrılabilirdi.

Dükkân sahibinin yeni yaktığı anlaşılan, tavana asılı gaz lambasından baygın ama hoş bir koku yayılıyordu. Altmış yaşlarında, çelimsiz, kamburu çıkmış bir adamdı, haşmetli bir burnu vardı, gözleri gözlüğünün kalın camlarının ardında boncuk gibi kalmıştı. Saçı epeyce ağarmış olmasına karşın, kaşları çalı gibi ve hâlâ simsiyahtı. Gözlüğü, kibar ve nazik tavırları, eprimiş siyah kadife ceketi ona entelektüel bir hava veriyor, bir edebiyatçı ya da müzisyen olduğu izlenimini uyandırıyordu. Alçak perdeden yumuşak bir sesle konuşuyordu, şivesi proleterlerin çoğu kadar bozuk değildi.

"Sizi kaldırımda görür görmez tanıdım," dedi hemen. "Siz o genç hanımın hatıra defterini alan beysiniz. Harikulade bir kâğıdı var. Bir zamanlar kaymak kâğıt dedikleri cinsten. Aah ah, belki elli yıldır öyle kâğıt yapmıyorlar, azizim." Gözlüğünün üzerinden Winston'a baktı. "Sizin için ne yapabilirim? Yoksa sadece bir göz atmak mı istediniz?"

Winston, "Buradan geçiyordum," dedi alçak sesle. "Öylesine uğradım. Bir şey alacak değilim."

"Doğrusu sevindim," dedi adam, yumuşacık ellerini

özür dilercesine açarak, "çünkü elimde size göre bir şey yok. Görüyorsunuz işte, dükkân tamtakır. Aramızda kalsın ama. Bu antika işi sonuna geldi. Alıcı da kalmadı, satacak mal da. Ne mobilya, ne porselen, ne kristal; hiçbir şey kalmadı. Maden işlerinin çoğu da eritildi tabii. Pirinç şamdan görmeyeli yıllar oldu diyebilirim."

Aslında ufacık dükkân tıka basa doluydu, ama değerli sayılabilecek hemen hiçbir şey yoktu. Duvar diplerine çepeçevre tozlu resim çerçeveleri istif edilmiş olduğu için, içeride nerdeyse adım atacak yer kalmamıştı. Vitrinde tepsilerin içinde cıvatalar ve somunlar, eskimiş keskiler, bıçağı kırılmış çakılar, doğru dürüst çalışmayan kirli paslı saatler ve daha bir sürü ıvır zıvır göze çarpıyordu. Ancak köşedeki küçük bir masanın üstünde, aralarında ilginç bir şeyler bulunabileceği izlenimi uyandıran irili ufaklı nesneler duruyordu: mineli enfiye kutuları, akik taşından broşlar falan. Winston masaya yaklaştığında, gaz lambasının ışığında belli belirsiz parıldayan, yuvarlak, pürüzsüz bir nesne çarptı gözüne; uzanıp aldı.

Bir yanı kıvrık, bir yanı yassı, nerdeyse yarımküre biçiminde, irice bir cam parçasını andıran bir şeydi bu. Renginde ve dokusunda dalgalı bir yumuşaklık vardı. Tam ortasında, eğik yüzeyin büyülttüğü, bir gül ya da denizlalesini anıştıran, tuhaf, pembe, sarmal bir nesne görünüyordu.

Winston, büyülenmişçesine, "Nedir bu?" diye sordu.

"Buna mercan diyorlar, efendim," diye yanıtladı yaşlı adam. "Hint Okyanusu'ndan geliyor sanırım. Camın içine yerleştirirlermiş. En az yüz yıllık olmalı. Aslında daha da eski gibi görünüyor."

"Çok güzel bir şey," dedi Winston.

"Evet, harikulade," dedi yaşlı adam övgüyle. "Bugünlerde bunu anlayacak pek fazla insan kalmadı." Öksürdü. "Ola ki almak isterseniz, size dört dolara veririm. Böyle bir parçanın sekiz sterlin ettiği günleri hatırlıyorum; sekiz sterlin de ne ederdi şimdi çıkaramıyorum ama, çok paraydı. Bugün pek nadir bulundukları halde gerçek antika parçalar kimin umurunda ki?"

Winston hemen dört doları verdi, gözünü alamadığı parçayı cebine attı. Ona çekici gelen, güzelliğinden çok, şimdikinden çok farklı bir çağa ait olduğu izlenimini uyandırmasıydı. Bu yumuşak, dalgalı cam nesne, daha önce gördüklerinin hiçbirine benzemiyordu. Gerçi Winston bir zamanlar kâğıt ağırlığı olarak kullanılmış olabileceğini kestirebiliyordu, ama artık hiçbir işe yaramaması onu bir kat daha çekici kılıyordu. Çok ağırdı, ama bereket cebinde şişkinlik yapmıyordu. Bir Parti üyesinin böyle bir nesneyi bulundurması biraz tuhaftı, dahası başına iş açabilirdi. Eski, o yüzden de güzel olan her şey, belli belirsiz de olsa kuşku çekiyordu. Dört doları cebine attıktan sonra yaşlı adamın neşesi bayağı yerine gelmişti. Belli ki, aslında üç, hatta iki dolara bile razıydı.

"Yukarıda bir oda daha var, belki bir göz atmak istersiniz," dedi. "Gerçi pek fazla bir şey yok. Birkaç parça bir şey işte. Yukarı çıkacaksak lambayı yakayım."

Başka bir lambayı yakıp iki büklüm öne düştü, dik ve aşınmış merdivenleri ağır ağır çıkıp dar bir koridordan geçti; sokağa değil de bir taş avluya ve bacalar ormanına bakan bir odaya girdiler. Winston, içerisinin bir oturma odası gibi döşenmiş olduğunu fark etti. Yere ince uzun bir halı serilmişti, duvarda birkaç resim vardı, şöminenin önüne kirli bir kanape yerleştirilmişti. Şömine rafının üstünde cam kapaklı, kadranı on iki rakamlı eski model bir saatin tıkırtıları duyuluyordu. Pencerenin altında, odanın nerdeyse dörtte birini kaplayan kocaman bir karyola vardı; şiltesi hâlâ üstündeydi.

Yaşlı adam, handiyse özür dilercesine, "Karım ölünceye kadar burada yaşadık," dedi. "Eşyaları yavaş yavaş satıyorum. Mesela, şu maun karyola harikulade bir parça; bir de tahtakurularından temizlenirse. Ama biraz kaba bulabilirsiniz tabii."

Odanın tümünü aydınlatsın diye lambayı havaya kaldırmıştı; belki şaşırtıcıydı ama, loş ışıkta içerisi son derece çekici görünüyordu. Winston'ın aklından bir düşünce geçti: Tehlikeyi göze alırsa, odayı haftada birkaç dolara rahatlıkla kiralayabilirdi. Akla düşer düşmez kovulması gereken, çılgınca, umutsuz bir düşünceydi bu; ama oda onu bir tür nostaljiye, eski zaman anılarına sürüklemişti. Böyle bir odada, çaydanlık kaynayadursun, şöminenin karşısındaki kanapede ayaklarını uzatıp oturmak, hiç de yabancısı olmadığı bir şey gibi gelmişti: bir başına, tümüyle güvende, ne bir gözetleyen ne buyurgan bir duyuru, çaydanlığın fokurtusu ve saatin dostça tiktakları dışında ne bir ses ne bir nefes.

"Tele-ekran yok!" diye mırıldanmaktan alamadı kendini.

"Ya, evet," dedi yaşlı adam, "hiç olmadı. Çok pahalı. Hiç gerek de duymadım galiba. Köşede duran şu açılır kapanır masaya ne dersiniz? Ama kanatlarını açacaksanız menteşelerini yenilemeniz gerekir."

Bu arada, Winston çoktan öbür köşedeki küçük kitaplığa yönelmişti. Kitaplıkta kitaptan başka her şey vardı. Kitap aramaları her yerde olduğu gibi proleter mahallelerinde de büyük bir titizlikle gerçekleştirilmiş, ele geçirilen tüm kitaplar yok edilmişti. Okyanusya'nın herhangi bir yerinde 1960'tan önce basılmış bir kitap bulmak hemen hemen olanaksızdı. Yaşlı adam, lamba hâlâ elinde, şöminenin öbür yanında karyolanın tam karşısındaki duvara asılı, gülağacı çerçeveli bir resmin önünde duruyordu.

"Bakın, eski baskılara merakınız varsa..." diyecek oldu nezaketten kırılırcasına.

Winston resmin karşısına geçip inceledi. Dikdörtgen

pencereleri olan, önünde küçük bir kule bulunan oval bir binanın betimlendiği bir metal baskıydı. Binanın yanından bir parmaklık dolanıyor, arkada da heykele benzer bir şey görünüyordu. Winston bir süre baktı. Heykeli pek anımsamıyordu, ama bina hiç yabancı gelmemişti.

Yaşlı adam, "Çerçeve duvara raptedilmiştir," dedi, "ama isterseniz hemen çıkarabilirim."

Winston, sonunda, "Bu binayı biliyorum," dedi. "Şimdi harabe halinde. Adalet Sarayı'nın bulunduğu caddenin orta yerinde."

"Haklısınız. Adliye'nin karşısında. Bombalanmıştı, hangi yıldı, çok yıl oldu. O zamanlar kiliseydi. St. Clement Kilisesi'ydi adı." Saçma bir şey söyleyeceğinin farkındaymışçasına, özür dilercesine gülümseyerek ekledi: "'Portakal var, limon var' diye çalar çanları St. Clement'in!"

"O da ne?" dedi Winston.

"Küçükken söylediğimiz çocuk şarkılarından biri işte; 'Portakal var, limon var, diye çalar çanları St. Clement'in.' Devamı nasıldı hatırlamıyorum, ama sonu aklımda: 'Al şu mumu, doğru yatağına, yoksa yersin baltayı kafana.' Bir tür dans da denebilir. Altından geçmen için kollarını kaldırırlar, tam 'Yoksa yersin baltayı kafana' derken de kollarını indirip seni yakalarlardı. Şarkı boyunca kilise adları sıralanırdı. Londra'da ne kadar kilise varsa, belli başlıları tabii."

Winston kilisenin hangi yüzyıla ait olduğunu çıkarmaya çalıştı. Londra'daki binaların hangi yüzyılda yapıldığını anlamak hiç de kolay değildi. Büyük ve göz alıcı tüm binaların, hele görünüşleri de yeniyse, Devrim'den sonra yapıldığını ileri sürüyorlar, daha eski oldukları çok belli olan binaları ise Ortaçağ dedikleri karanlık bir döneme yakıştırıyorlardı. Kapitalizmin egemenliği altında geçen çağlarda değerli hiçbir şey yapılmadığı söyleniyordu. İnsan, tarihi, kitaplardan öğrenemediği gibi mimariden de öğrenemiyordu. Heykeller, yazıtlar, anıtlar, sokak adları... geçmişe ışık tutabilecek her şey sistemli bir biçimde değiştirilmişti.

"Eskiden kilise olduğunu bilmiyordum," dedi.

Yaşlı adam, "Aslına bakarsanız, böyle çok kilise var," dedi, "ama artık başka amaçlarla kullanılıyorlar. Hay Allah, nasıldı şu şarkının devamı? Hah, tamam! Hatırladım işte!

'Portakal var, limon var' diye çalar çanları St. Clement'in,
'Nerde benim üç çeyreğim' diye çalar çanları St. Martin'in...

evet evet, galiba böyleydi. Çeyrek dedikleri küçük bir bakır paraydı, bir sent gibi bir şey."

"St. Martin neredeydi, peki?" dedi Winston.

"St. Martin mi? Nerede olacak, olduğu yerde duruyor. Zafer Meydanı'nda, resim galerisinin hemen yanında. Hani, girişinde üçgen bir alınlığı ile koca koca sütunları, bir sürü merdiveni olan bina var ya, o işte."

Winston binayı çok iyi biliyordu. Çeşitli propaganda sergilerinin açıldığı, tepkili bombalar ve Yüzen Kaleler'in modellerinin, balmumundan yapılmış heykellerle düşmanın gaddarlıklarını betimleyen sahnelerin sergilendiği bir müzeydi.

"Eskiden Kırların St. Martin'i derlerdi," diye ekledi yaşlı adam, "gerçi oralarda kır mır görmedim ama."

Winston resmi almadı. Bu resmi almak kâğıt ağırlığını almaktan da uygunsuz olacaktı, üstelik çerçevesinden çıkarmadan eve kadar taşımak da olanaksızdı. Yaşlı adamla çene çalarak dükkânın içinde biraz daha dolandı; sohbet sırasında, adamın adının vitrinde yazdığı gibi

Weeks değil, Charrington olduğunu öğrendi. Bay Charrington, anlattıklarına bakılırsa, altmış üç yaşında bir duldu ve otuz yıldır bu dükkânı işletiyordu. Bunca zamandır hep vitrindeki adı değiştirmeye niyetlenmiş, ama bir türlü eli değmemişti işte. İhtiyarın yarım yamalak anımsadığı çocuk şarkısı sohbet boyunca Winston'ın kafasında dolandı durdu. Portakal var, limon var, diye çalar çanları St. Clement'in / Nerde benim üç çeyreğim, diye çalar çanları St. Martin'in! Tuhaftı ama, şarkıyı kendi kendinize söylerken çanların sesini, yitip gitmiş olsa da bir yerlerde başka bir görünüme bürünmüş ve unutulmuş olarak hâlâ var olan Londra'nın çanlarının sesini duyar gibi oluyordunuz. Winston, kiliselerin çan kulelerinin karaltıları arasında birbiri ardı sıra yükselen çan seslerini duyar gibiydi. Oysa, anımsadığı kadarıyla, hayatında hiç çan sesi duymamıştı.

Dışarı çıkmadan sokağı kolaçan ettiğini Bay Charrington'ın görmesini istemediği için, yaşlı adamın elinden kurtulup kendini hemen merdivenden alt kata attı. Aslında bir ay gibi uygun bir aradan sonra dükkâna yeniden uğrama tehlikesini göze almaya çoktan karar vermişti bile. Gerçi Merkez'i bir akşam kırmaktan daha tehlikeli değildi belki de. Asıl enayiliği, günceyi aldıktan sonra buraya yeniden gelmekle yapmıştı; hem de dükkân sahibinin güvenilir biri olup olmadığını öğrenmeden. Ama neylersin işte!..

Evet, kararını vermişti, buraya yeniden gelecekti. O güzelim işe yaramaz şeylerden alacaktı yine. St. Clement Kilisesi gravürünü alacak, çerçevesinden çıkarıp ceketinin altına gizleyerek eve götürecekti. Bir yolunu bulup şarkının geri kalan sözlerini Bay Charrington'dan öğrenecekti. Üst kattaki odayı kiralamak gibi çılgınca bir düşünce bile aklından bir kez daha geçti. Kısacık bir süre için de olsa aşka gelince dikkati dağıldı ve dışarıyı kolaçan etmeden kendini sokağa attı. Dahası, çocuk şarkısını o anda uydurduğu bir ezgiyle mırıldanmaya başlamıştı:

"'Portakal var, limon var,' diye çalar çanları
St. Clement'in,
'Nerde benim üç çeyreğim,' diye çalar..."

Birden yüreği ağzına geldi, aklı başından gitti. Karşıdan mavi tulumlu biri geliyordu, aralarında on metre var yoktu. Kurmaca Dairesi'nde çalışan siyah saçlı kızdı gelen. Ortalık aydınlık olmamasına karşın Winston onu kolayca tanımıştı. Kız Winston'la göz göze geldi, ama onu hiç görmemiş gibi geçip gitti.

Winston birkaç saniye kadar hiç kımıldamadan öylece kaldı. Sonra sağa döndü, yanlış yöne gittiğinin farkına varmadan ağır ağır uzaklaştı. Hiç değilse bir sorun çözülmüştü. Artık kızın kendisini sürekli gözetlediğinden kuşkusu kalmamıştı. Genç kızın Parti üyelerinin yaşadığı yerlerden kilometrelerce uzaklarda, aynı akşam ve aynı karanlık arka sokakta dolaşıyor olması asla bir rastlantı olamayacağına göre, onu buraya kadar izlemiş olmalıydı. Rastlantının böylesi mümkün değildi. Gerçekten de Düşünce Polisi'nin bir ajanı mı, yoksa yalnızca meraklı bir amatör casus mu olduğu pek önemli değildi. Onun meyhaneye girdiğini de görmüş olsa gerekti.

Winston güçlükle yürüyordu. Cebindeki iri cam parçası her adım atışında bacağına çarpıyor, cebinden çıkarıp atmak geçiyordu içinden. En fecisi de midesine saplanan sancıydı. Bir ara, kendini hemen bir helaya atmazsa ölecekmiş gibisinden bir duyguya kapıldı. Ne ki, böyle bir mahallede umumi hela bulmak olanaksızdı. Sonunda midesindeki spazm geçti, ardında bir buruntu kaldı.

Bir çıkmaz sokaktaydı. Durdu, ne yapması gerektiğini düşünerek kısa bir süre bekledi, sonra dönüp gerisingeri yürümeye başladı. Genç kız yanından geçip gideli yalnızca birkaç dakika olmuştu, koşsa ona yetişebilirdi. İzini sürüp tenha bir yerde kıstırabilir, sonra da bir kaldırım taşıyla kafasını ezebilirdi. Aslında cebindeki iri cam parçası da bu işi görebilirdi. Ama çabucak vazgeçti bu düşünceden, çünkü zor kullanmayı aklından geçirmek bile dayanılmaz gelmişti. Üstelik koşması da, birine vurması da olanaksızdı. Kaldı ki, kız hem genç hem de güçlü kuvvetliydi, kendini savunması işten bile değildi. Bu arada, kendini hemen Dernek Merkezi'ne atmayı ve kapanıncaya kadar orada kalmayı geçirdi aklından; böylece akşam boyunca orada olduğunu kanıtlayabilirdi. Ne ki, bu da olanaksızdı. Kendini çok bitkin hissediyordu. Bir an önce eve gitmekten, oturup sakinleşmekten başka bir şey istemiyordu.

Eve vardığında akşamın onunu geçiyordu. Ana girişin ışıkları on bir buçukta söndürülürdü. Mutfağa gitti, bir çay fincanı Zafer Cini'ni mideye indirdi. Oturma odasındaki girintide bulunan masanın başına oturup çekmeceden günceyi çıkardı. Ama hemen açmadı. Tele-ekranda, bir kadın cıyak cıyak bağırarak milliyetçi bir şarkı söylüyordu. Oturduğu yerde gözlerini defterin ebrulu kapağına dikerek kulaklarını tele-ekrandan gelen sese tıkamaya çalıştı, ama boşuna.

Sizi götürmek için gece gelirlerdi, her zaman geceleri. En doğrusu, sizi ele geçirmelerine fırsat vermeden canınıza kıymaktı. Besbelli, bazıları böyle yapmıştı. Ortadan kaybolanların birçoğu aslında intihar etmişti. Ama ateşli silahların ya da çabuk ve kesin etki eden zehirlerin asla bulunamadığı bir ortamda insanın intihar edebilmesi için gözü dönecek kadar umarsız olması gerekiyordu. Acı ve korkunun biyolojik yararsızlığını, tam da özel bir çaba göstermek gerektiğinde hemen her zaman donup kalan insanın bedeninin ihanetini nerdeyse şaşkınlıkla geçirdi

127

aklından. Yeterince hızlı davransa, siyah saçlı kızın işini bitirmiş olacaktı; ama tehlikenin büyüklüğü karşısında eyleme geçememişti. Gerilimli anlarda insanın bir dış düşmana karşı değil de, hep kendi bedenine karşı savaştığını fark ediyordu. Şimdi bile, içtiği cine karşın, midesindeki buruntu doğru dürüst düşünmesini engelliyordu. Bunun destansı ya da trajik görünen tüm durumlar için de geçerli olduğunu anlıyordu şimdi. Uğrunda savaştığınız davalar, savaş alanında, işkence odasında, batmakta olan bir gemide hep unutuluveriyordu, çünkü beden şişip büyüyerek tüm evreni kaplıyordu; korkudan çarpılmadığınız ya da acı içinde haykırmadığınız durumlarda bile, yaşam her an açlığa, soğuğa, uykusuzluğa, mide buruntusuna ya da diş ağrısına karşı verilen bir savaşımdı.

Winston günceyi açtı. Bir şeyler yazması gerekiyordu. Tele-ekrandaki kadın yeni bir şarkıya başlamıştı. Kadının sesi, sanki sivri cam parçaları gibi beynine saplanıyordu. Günceyi uğruna ya da hitaben yazdığı O'Brien'ı düşünmek istediyse de, Düşünce Polisi tarafından alınıp götürüldükten sonra başına gelecekleri düşünmeye başladı. Hemen öldürülmek hiç sorun değildi. Öldürülmek, beklenen bir şeydi. Asıl önemlisi, ölmeden önce (kimsenin ağzına almadığı, ama herkesin bildiği) o konuşturma işleminden geçmek gerekiyordu: yerlerde sürünüp çığlıklar atarak merhamet dilenmek, kırılan kemiklerin çatırtısı, dökülen dişler ve kan pıhtılarıyla keçeleşen saçlar. Madem sonuç değişmeyecekti, bütün bunlara katlanmaya değer miydi? Hayatınızdan birkaç gün ya da birkaç haftayı çıkarıp atmak neden mümkün değildi? Yakalanmaktan kurtulan da, konuşmamayı başaran da yoktu. Başınıza düşüncesuçu dolanmayagörsün, önünde sonunda ölüm kesindi. Öyleyse, neden hiçbir şeyi değiştirmeyen bu dehşetle yaşamak zorundaydınız?

O'Brien'ı gözünün önüne getirmek için kendini biraz daha zorladı. "Bir gün karanlığın olmadığı bir yerde buluşacağız," demişti O'Brien. Bu sözün ne anlama geldiğini biliyor ya da bildiğini sanıyordu. Karanlığın olmadığı yer, düşlenen gelecekti; hiçbir zaman göremeyeceğimiz, ama belli belirsiz de olsa paylaşabileceğimizi sezdiğimiz gelecek. Ama tele-ekrandan kulaklarını tırmalayan ses yüzünden, düşünmeyi daha fazla sürdüremedi. Ağzına bir sigara iliştirdi. Tütünün yarısı diline dökülüverdi, acımsı tütünleri güçlükle tükürmeye çalıştı. O'Brien'ın yüzü silindi, Büyük Birader'in yüzü geldi gözlerinin önüne. Birkaç gün önce yaptığı gibi, cebinden bir bozuk para çıkarıp baktı. Büyük Birader kaba, dingin, koruyucu bakışlarla ona dikmişti gözlerini; bu siyah bıyığın altında nasıl bir gülümseyiş gizliydi acaba? O kurşun gibi ağır sözler yeniden düştü aklına:

SAVAŞ BARIŞTIR
ÖZGÜRLÜK KÖLELİKTİR
CAHİLLİK GÜÇTÜR.

İkinci bölüm

I

Henüz öğle olmamıştı; Winston odacığından çıkmış,
tuvalete gidiyordu.

Uzun, aydınlık koridorun öbür ucundan ona doğru
gelen birini gördü. Siyah saçlı kızdı gelen. Eskici dükkâ-
nının önünde karşılaşmalarının üzerinden dört gün geç-
mişti. Biraz daha yaklaşınca, kızın sağ kolunun askıda
olduğunu fark etti; askı kızın tulumuyla aynı renkte ol-
duğundan, uzaktan ayırt edememişti. Anlaşılan, elini,
roman taslaklarının "hazırlandığı" büyük kaleydoskop-
lardan birine kıstırmıştı. Kurmaca Dairesi'nde sık rastla-
nan kazalardandı.

Aralarında dört metre kadar bir uzaklık kalmıştı ki,
kız tökezleyerek yüzükoyun yere kapaklandı ve acı için-
de çığlığı bastı. Herhalde sakat kolunun üstüne düşmüş-
tü. Winston öylece kaldı. Kız dizlerinin üstünde doğrul-
du. Yüzü sapsarı kesildiğinden, dudaklarının kırmızılığı
daha da göze çarpıyordu. Winston'a diktiği gözlerinde,
acıdan çok umarsız bir korku okunuyordu.

Winston tuhaf bir heyecana kapıldı. Karşısında onu
öldürmeye çalışan bir düşman, ama aynı zamanda acı
içinde kıvranan, belki de bir yeri kırılmış bir insan duru-
yordu. Kıza yardım etmek için kendiliğinden ileri atıl-
mıştı Winston. Sargılı kolunun üstüne düştüğünü gördü-

günde, acıyı kendi bedeninde duyar gibi olmuştu.

"Canınız yandı mı?" dedi.

"Bir şey yok. Kolum. Geçer şimdi."

Kız, konuşurken, titriyor gibiydi. Beti benzi atmıştı. "Kırık falan yoktur umarım."

"Yok, iyiyim. Canım yandı, o kadar."

Elini Winston'a uzattı, Winston elinden tutup kalkmasına yardım etti. Yüzünün rengi biraz olsun yerine gelmişti, çok daha iyi görünüyordu.

"Bir şeyim yok," diye kestirip attı. "Bileğimi burktum galiba. Teşekkürler, yoldaş!"

Sonra da, hiçbir şey olmamışçasına yürüyüp gitti. Her şey yarım dakika içinde olup bitmişti. İnsanların duygularını yüzlerinden belli etmemeleri nerdeyse içgüdüsel denebilecek bir alışkanlık olmuştu, kaldı ki olay tele-ekranlardan birinin tam karşısında meydana gelmişti. Yine de, Winston bir anlık şaşkınlığını gizleyebilmek için akla karayı seçmişti, çünkü kızın ayağa kalkmasına yardım ettiği iki üç saniye içinde kız kaşla göz arasında eline bir şey tutuşturmuştu. Bilerek yaptığı apaçıktı. Küçük, yassı bir şeydi. Tuvaletin kapısından girerken elindekini cebine attı ve parmaklarının ucuyla yokladı. Katlanmış bir kâğıt parçasıydı.

Pisuarın önünde dikilirken, parmaklarıyla kâğıdı açmayı becerdi. Belli ki, bir mesaj yazılıydı kâğıtta. Bir an, tuvaletlerden birine girip hemen okumak geçti kafasından. Ama bunun tam bir çılgınlık olacağını çok iyi biliyordu. Hiç kuşku yok ki, tuvaletlerdeki tele-ekranlar sürekli izleniyordu.

Odacığına dönüp oturdu, kâğıt parçasını rastgele masanın üstündeki öteki kâğıtların arasına attı, gözlüğünü takıp söyleyaz'ı kendine doğru çekti. "Beş dakika," dedi kendi kendine, "hiç değilse beş dakika!" Yüreği yerinden oynamıştı sanki, küt küt atıyordu. Bereket, elinde son derece sıradan bir iş vardı, bir sürü rakamı yeniden düzenleyecekti, tüm dikkatini vermesi gerekmiyordu.

Kâğıtta, politik anlamı olan bir şey yazıyordu herhalde. Görebildiği kadarıyla iki olasılık vardı. Birincisi, ki bu daha büyük bir olasılıktı, kız tahmin ettiği gibi Düşünce Polisi'nin bir ajanı olabilirdi. Düşünce Polisi'nin mesaj iletmek için neden böyle bir yol seçtiğini anlamak mümkün değildi, ama kendilerine göre bir nedenleri olsa gerekti. Kâğıtta yazan, bir tehdit, bir celp, bir intihar emri ya da bir tür tuzak olabilirdi. Ama aklından bir türlü kovamadığı, çok daha çılgınca bir başka olasılık daha vardı. Mesaj belki de Düşünce Polisi'nden değil, bir yeraltı örgütünden geliyordu. Kardeşlik diye bir örgüt gerçekten vardı belki de! Kız o örgütün üyesi olabilirdi! Hiç kuşkusuz saçma bir fikirdi bu, ama kâğıt daha eline tutuşturulur tutuşturulmaz böyle bir düşünce aklından geçmişti. Daha olası görünen öteki açıklama ancak birkaç dakika sonra aklına gelmişti. Mantığı şu anda bile mesajın ölüm anlamına geldiğini söylese de, inandığı bu değildi, mantıksız da olsa umudunu koruyordu; eli ayağı birbirine karışmıştı; yeniden düzenlediği rakamları söyleyaz'a mırıldanırken sesinin titremesini elinden geldiğince bastırmaya çalışıyordu.

İşi biten kâğıtları tomar yapıp basınçlı boruya tıktı. Sekiz dakika olmuştu. Gözlüğünü burnunun üstünde geriye itti, derin bir nefes aldıktan sonra en üstte o kâğıt parçasının durduğu öteki kâğıt yığınını önüne çekip kâğıdı açtı. İri harflerle, kargacık burgacık bir elyazısıyla şöyle yazıyordu:

Seni seviyorum.

Donup kaldığı için, insanın başını derde sokabilecek bu kâğıdı birkaç saniye kadar bellek deliğine atamadı.

Gerçi bir şeye gereğinden fazla ilgi göstermenin ne kadar tehlikeli olduğunu biliyordu, ama yine de iyice emin olmak için, kâğıdı bellek deliğine atmadan önce bir kez daha okumadan edemedi.

Öğleye kadar güçbela çalışabildi. Bir sürü saçma sapan işe odaklanmak sorun değildi, en kötüsü yüreğindeki coşkuyu tele-ekrandan gizlemek zorunda olmasıydı. Midesi yanıyordu sanki. Sıcak, kalabalık ve gürültülü kantindeki öğle yemeği tam bir işkenceye dönüştü. Yemek saatinde hiç değilse bir süre başını dinlemeyi umuyordu, ama ne gezer, kuş beyinli Parsons gelip yanına oturmasın mı; ter kokusunun türlünün berbat kokusunu bile bastırması yetmiyormuş gibi, Nefret Haftası hazırlıklarını anlata anlata bitiremiyor, susmak bilmiyordu. Özellikle Büyük Birader'in başının iki metre genişliğindeki kartonpiyerden modeli konusunda çok heyecanlıydı; model, Nefret Haftası için Büyük Birader'in kızının Casuslar'daki birliği tarafından yapılmıştı. Hele, onca şamata arasında Parsons'ın güçlükle duyabildiği o sersemce sözlerini ikide bir yinelemesini istemek zorunda kalmak Winston'ı illet ediyordu. Bir ara gözüne genç kız ilişti; kantinin öbür ucundaki bir masada iki kızla birlikte oturuyordu. Onu görmemiş gibiydi, Winston da bir daha o tarafa bakmadı.

Öğleden sonra biraz daha katlanılırdı. Öğle yemeğinden hemen sonra, önüne, birkaç saatini alacak ve her şeyi bir yana bırakmasını gerektirecek kadar incelikli ve güç bir iş geldi. İç Parti'nin şimdilerde kuşku altında olan, önde gelen bir üyesini gözden düşürmek için, iki yıl öncesine ilişkin üretim raporlarının çarpıtılması gerekiyordu. Winston'ın iyi kıvırdığı işlerden biriydi bu, o yüzden kızı kafasından silerek iki saatten fazla bir zaman çalıştı. Ne ki, iş biter bitmez kız yeniden aklına düştü ve yalnız kalmak için dayanılmaz bir istek duydu. Bu yeni gelişmeyi iyice düşünebilmek için yalnız kalması gerekiyordu. Oysa bu gece Dernek Merkezi'nde olmak zorundaydı. Kantindeki tatsız tuzsuz yemeği çalakaşık mideye indirdikten sonra kendini Merkez'e atıp bir "tartışma grubu"nun insanın yüreğini daraltan saçma sapan konuşmalarına katıldı, bir süre masa tenisi oynadı, birkaç kadeh cin yuvarladı ve yarım saat "İngsos'un satrançla ilişkisi" konulu bir konferansı dinledi. Ruhu daralmasına karşın, bu akşam belki de ilk kez Merkez'den kaçıp gitmek gelmiyordu içinden. *Seni seviyorum* sözünü görünce, yüreğinde hayatta kalmak için müthiş bir istek uyanmış, birden gereksiz tehlikelere atılmayı aptalca bulmaya başlamıştı. Eve dönüp yatağa yattıktan sonra düşünceye daldığında gecenin on biriydi; karanlıkta sesini çıkarmadan uzandığında tele-ekrana yakalanması bile olanaksızdı.

Kızla bağlantıya geçip randevulaşmak gibi çözülmesi gereken ciddi bir sorun vardı. Artık kızın kendisine tuzak kuruyor olabileceği aklının ucundan bile geçmiyordu. Öyle olmadığından en küçük bir kuşkusu yoktu, çünkü pusulayı eline tutuştururken kızın nasıl aşka geldiğini gözleriyle görmüştü. Üstelik aklının başından gittiği de apaçık ortadaydı. Kızın kendisine yaklaşmak için gösterdiği çabayı geri çevirmeyi düşünmüyordu elbette. Gerçi daha beş gece önce aklından kızın kafasını kaldırım taşıyla ezmek geçmişti, ama artık bunun hiç önemi kalmamıştı. Onu, rüyasında gördüğü gibi, çırılçıplak düşündü, gözlerinin önüne genç kızın taze bedenini getirdi. Oysa onun da öteki salaklardan bir farkı olmadığını, kafası yalan ve nefretle dolu, o soğuk ve donuk kızlardan olduğunu sanmıştı. Bir an onu kaybedebileceği, o sütbeyaz gencecik bedenin elinin altından kayıp gidebileceği düşüncesiyle sarsıldı! En çok da, onunla hemen bağlantıya geçmezse kızın bu işin arkasını bırakacağından korkuyordu. Ama kızla buluşmanın zorluğu gözünü yıldırıyordu. Satrançta mat olmuşken hamle yapmaya çalışmak gibi bir şeydi. İnsan ne yana dönse karşısına tele-ekran çıkıyordu. Aslında, kızın notunu ilk okuduğunda, onunla bağlantı kurabilmenin tüm yollarını beş dakika içinde aklından geçirivermişti; ama artık, uzun uzun düşünebilir, tüm aletlerini masanın üstüne dizercesine hepsini bir bir gözden geçirebilirdi.

Bu sabahkine benzer bir karşılaşmanın yinelenemeyeceği çok açıktı. Kız Arşiv Dairesi'nde çalışıyor olsaydı işler bir ölçüde kolaylaşabilirdi, ama Winston Kurmaca Dairesi'nin binanın neresinde olduğunu bilmediği gibi, oraya gitmek için bir bahane de bulamıyordu. Kızın nerede oturduğunu ve işten kaçta çıktığını bilseydi, onunla eve dönerken buluşmanın bir yolunu bulabilirdi; ama onu izlemeye kalkışmak hiç de güvenli değildi, Bakanlığın önünde dolanıp durması gerekeceğinden ister istemez dikkatleri üzerine çekecekti. Mektup göndermek ise söz konusu bile olamazdı. Mektupların açıldığını bilmeyen kalmamıştı. Kaldı ki, pek mektup yazan da yoktu artık. Bir haber iletmeniz gerekiyorsa, uzun bir mesaj listesi içeren kartpostallar vardı, gerekmeyen mesajların üstünü çiziyordunuz. Hem, kızın adresi şöyle dursun, daha adını bile bilmiyordu. Sonunda en güvenli yerin kantin olduğuna karar verdi. Eğer kızı kantinin ortalarında, tele-ekranlara pek yakın olmayan bir masada tek başına otururken yakalayabilirse, ortalık da çene çalanların gürültüsünden geçilmiyorsa ve tüm bu koşullar hiç değilse otuz saniye sürerse, onunla iki çift laf edebilmek mümkün olabilirdi.

Bütün bir hafta kâbus gibi geçti. Ertesi gün, tam zil çalmış, Winston yemekten kalkıyordu ki, kız kantinden içeri girdi. Belki de daha sonraki bir vardiyaya aktarılmıştı. Birbirlerine bakmadan geçip gittiler. Kız bir sonraki gün kantine tam vaktinde geldi, ama yanında üç kız daha vardı ve bir tele-ekranın tam altına oturdular. Sonra, kızın ortalıkta görünmediği üç gün Winston'a kâbus gibi geldi. Beyni ve bedeni amansız bir duyarlılık, bir tür saydamlık kazanmıştı sanki; öyle ki, her hareket, her ses, her ilişki, söylemek ya da duymak zorunda kaldığı her söz yüreğini dağlıyordu. Uykusunda bile onu görür gibi oluyordu. O üç gün boyunca günceye elini bile sürmedi. Bir tek çalışırken rahatlıyor, on dakikalığına da olsa kendini unutabiliyordu. Kıza ne olduğu konusunda en küçük bir bilgisi yoktu. Sorup soruşturması da mümkün değildi. Kim bilir, belki buharlaştırılmıştı, belki intihar etmişti, belki de Okyanusya'nın öbür ucuna gönderilmişti; en kötüsü ve en güçlü olasılık ise, fikir değiştirmiş ve ondan uzak durmaya karar vermiş olabileceğiydi.

Ertesi gün kız yeniden göründü. Kolu askıdan çıkmıştı, bileği plasterle sarılıydı. Kızı görünce nerdeyse kendinden geçen Winston bir süre gözünü alamadı ondan. Bir sonraki gün ise kızla handiyse konuşacaktı. Kantine girdiğinde, kız duvardan uzakta bir masada yalnız başına oturuyordu. Henüz erken olduğu için kantin pek kalabalık değildi. Kuyruk ağır ağır ilerlemiş, sıra nerdeyse Winston'a gelmişti ki, iki dakikalık bir duraklama oldu; önlerdeki bir adam sakarin tabletini alamadığından yakınıyordu. Winston tepsisini alıp da onun masasına doğru yürümeye başladığında, kız hâlâ yalnız başına oturuyordu. Winston, kızın arkasında boş bir masa aranıyormuş gibi yaparak ilgisizce ilerledi. Aralarında üç metre kalmış kalmamıştı. İki üç saniye sonra yanı başında olacaktı ki, arkasından biri, "Smith!" diye sesleniverdi. Duymamış gibi yaptıysa da, adam bu kez sesini yükselterek, "Smith!" diye bağırdı. Çaresi yoktu. Arkasına döndü. Doğru dürüst tanımadığı, sarı saçlı, salak bakışlı, Wilsher adında genç bir adam sırıtarak onu masasına davet ediyordu. Geri çevirmek tehlikeli olabilirdi. Artık tanınmıştı bir kez, gidip yalnız bir kızın masasına oturamazdı. Herkesin içinde olmazdı. Dostça gülümseyerek Wilsher'ın masasına oturdu. Wilsher ahmak ahmak sırıtarak bakıyordu. Winston, suratının ortasına kazmayı indirsem ne güzel olur, diye geçirdi içinden. Biraz sonra kızın oturduğu masa dolmuştu bile.

Ama kız, Winston'ın kendisine doğru gelmekte olduğunu görmüş, dahası meramını anlamış olsa gerekti. Ertesi gün erkenden kantindeydi Winston. Kız da, tabii ki, aynı yerdeki masalardan birinde, yine yalnız başına oturmaktaydı. Kuyrukta, Winston'ın hemen önünde ufak tefek, yassı suratlı, pire gibi bir adam duruyor, minik gözleriyle etrafı kolaçan ediyordu. Winston, tam elinde tepsisiyle tezgâhtan ayrılıyordu ki, adamın doğruca kızın masasına yöneldiğini gördü ve yeniden umutsuzluğa kapıldı. Aslında daha ilerideki bir masada da boş yer vardı, adamın halinden rahatına düşkün biri olduğu ve en boş masayı seçeceği anlaşılıyordu. Winston yüreğine taş basarak adamın ardına takıldı. Kızı yalnız yakalamadıkça masasına oturmanın bir anlamı olmayacaktı. İşte tam o sırada büyük bir şangırtı koptu. Ufak tefek adam yüzükoyun yere kapaklanmış, tepsi elinden fırlayıp yeri boylamış, çorba da, kahve de yerlere dökülmüştü. Winston'a öfkeyle bakarak ayağa kalktı, belli ki kendisine çelme taktığından kuşkulanmıştı. Ama sorun çözülmüştü işte. Winston biraz sonra kızın masasına oturmuştu bile; yüreği yerinden fırlayacak gibiydi.

Kıza bakmadan tepsisindekileri masaya boşalttı ve hemen yemeye başladı. Kimse gelmeden hemen konuşması gerekiyordu, ama müthiş bir korkuya kapılmıştı. Kızın kendisine yakınlık gösterdiği günün üzerinden bir hafta geçmişti. Belki de fikir değiştirmişti, belki değil, mutlaka değiştirmişti fikrini! Böylesi bir serüvenin bir yere varması olanaksızdı; gerçek yaşamda böyle şeyler

140

olmuyordu. Tam o sırada, kulakları kıllı şair Ampleforth'un, elinde tepsisi, oturacak bir yer arandığını görmeseydi, belki de konuşmaya hiç cesaret edemeyecekti. Ampleforth her nedense Winston'a yakınlık duyan biriydi, onu görür görmez masasına damlayacağı kesindi. Bir an önce harekete geçmek gerekiyordu. İkisi de hızlı hızlı atıştırıyordu. Sözüm ona etli kuru fasulyeydi yedikleri, oysa çorbadan farksızdı, kuru fasulye çorbası gibi bir şey. Winston mırıldanırcasına konuşmaya başladı. İkisi de başını kaldırmadan önündeki sulu yemeği kaşıklıyor, iki lokma arasında birbirine alçak sesle kuru kuruya en gerekli sözleri söylemekle yetiniyordu.

"Kaçta çıkıyorsun işten?"

"Altı buçukta."

"Nerede buluşabiliriz?"

"Zafer Meydanı'nda, anıtın orada."

"Orada bir sürü tele-ekran var."

"Kalabalıksa fark etmez."

"Bir işaret verecek misin?"

"Hayır. Kalabalığın ortasında değilsem gelme yanıma. Sakın bana bakma. Yakınımda bir yerde dur, yeter."

"Kaçta?"

"Yedide."

"Tamam."

Ampleforth, Winston'ı görmediği için gidip başka bir masaya oturdu. Winston'la genç kız başka bir şey konuşmadıkları gibi, aynı masada karşılıklı oturmalarına karşın elden geldiğince birbirlerine bakmamaya çalıştılar. Kız yemeğini çabucak bitirip kalktı, Winston ise oturduğu yerde bir sigara yaktı.

Zafer Meydanı'na kararlaştırdıkları saatten önce vardı. Tepesinde Büyük Birader'in güneye dönük heykelinin, Havaşeridi Bir Çarpışması'nda Avrasya uçaklarının (birkaç yıl önce Doğuasya uçaklarıydı bunlar) hakkından geldiği gökyüzüne baktığı görkemli yivli sütunun kaidesinin çevresinde dolandı. Sütunun önünden geçen caddede, Oliver Cromwell'i at sırtında gösteren bir heykel vardı. Randevu saatini beş dakika geçmiş, ama kız hâlâ görünmemişti. Winston bir kez daha müthiş bir korkuya kapıldı. Demek gelmeyecekti, vazgeçmişti! Ağır ağır meydanın kuzey yakasına doğru yürüdü ve çanları bir zamanlar "Nerde benim üç çeyreğim" diye çalmış olan St. Martin Kilisesi'ni görünce buruk bir hoşnutluk duydu. Sonra birden kızı gördü; anıtın kaidesinin orada durmuş, sütunu sarmalayan bir posteri okuyor ya da okuyormuş gibi yapıyordu. Orası biraz daha kalabalıklaşıncaya kadar kızın yanına gitmek tehlikeliydi. Binanın alınlığının çevresi tele-ekrandan geçilmiyordu. Ama tam o sırada bir patırtı koptu, sol taraftan ağır araçların uğultusu duyuldu. Birden herkes meydanın ortasında koşuşturmaya başladı. Kız da çabucak anıtın kaidesindeki aslanların çevresini dolandı ve koşuşanların arasına karıştı. Winston da arkasından. Koşarken, sağdan soldan gelen bağırtılardan, Avrasyalı tutsakları taşıyan bir konvoyun geçmekte olduğunu anladı.

Meydanın güney yakasında yoğun bir kalabalık birikmişti. Her zaman bu tür kargaşalardan uzak durmayı seçen Winston bu kez dirseklerini kullanarak, omuz atarak, ite kaka kalabalığın içine daldı. Kıza iyice yaklaşmıştı ki, araya insan azmanı bir proleter ile karısı olduğu anlaşılan, fıçı gibi bir kadın girdi; kızla arasında aşılmaz bir etten duvar oluşturmuşlardı. Winston solucan gibi kıvrıldı, var gücüyle hamle yaparak bir omzunu adamla kadının arasına soktu. Bir an iki koca kalça arasında yassılır gibi olduysa da, sonunda aradan sıyrılıverdi; ter içinde kalmıştı. Artık kızın yanındaydı. Omuz omuzaydılar, ama ikisi de gözlerini önüne dikmişti.

Donuk bakışlı muhafızların, ellerinde yarı makineli

tüfekleriyle her bir köşesinde dimdik dikildikleri kamyonlar caddede ağır ağır ilerliyor, konvoyun ardı arası kesilmiyordu. Kamyonlara balık istifi doldurulmuş, yırtık pırtık yeşilimtırak üniformalarıyla sarı yüzlü ufak tefek adamlar çömelip oturmuşlardı. Hüzünlü çekik gözleriyle kamyonların kenarından boş boş dışarıya bakıyorlardı. Arada sırada kamyonlardan biri sarsıldığında demir şakırtıları duyuluyordu: Tüm tutsakların ayaklarına pranga vurulmuştu. Kederli yüzlerle dolu kamyonlar birbiri ardı sıra geçip gidiyordu. Winston onların orada olduklarını biliyor, ama yüzlerini arada bir görebiliyordu. Kızın omzu ve kolu dirseğine kadar Winston'ın koluna yaslanmıştı. Yanağı o kadar yakındı ki, handiyse sıcaklığı duyulacaktı. Kız, tıpkı kantinde yaptığı gibi, hemen dizginleri ele aldı. Daha önce de yaptığı gibi, dudaklarını nerdeyse hiç kıpırdatmadan, soğuk bir sesle konuşmaya başladı; sesi, bağrışmalar ve kamyonların gürültüsü arasında boğulup gidiyordu.

"Beni duyabiliyor musun?"

"Evet."

"Pazar öğleden sonra işin var mı?"

"Hayır."

"O zaman dinle. Aklında tutman gerekecek. Paddington İstasyonu'na git..."

Winston'ın ağzını açık bırakan, nerdeyse askerî bir şaşmazlıkla, izleyeceği yolu tarif etti. Yarım saatlik bir tren yolculuğu; istasyondan çıkınca sola dön; yol boyunca iki kilometre yürü; en üstteki çıtası eksik olan bir kapıdan girip çayırın ortasından geçen bir patikaya gireceksin; otlarla kaplı dar bir yoldan yürüyüp çalılar arasında bir keçiyolundan geçecek, yosun tutmuş kupkuru bir ağaca varacaksın. Sanki kafasının içinde bir harita vardı. En sonunda, "Bunların hepsini aklında tutabilecek misin?" diye mırıldandı.

"Evet."

"Önce sola, sonra sağa, sonra yeniden sola dön. Unutma, kapının en üstteki çıtası yok."

"Tamam. Kaçta?"

"Öğleden sonra üç sularında. Beklemen gerekebilir. Ben başka bir yoldan geleceğim. Her şeyi aklında tutabileceğinden emin misin?"

"Evet."

"Öyleyse hemen uzaklaş benden."

Aslında bunu söylemesine gerek yoktu. Ama kalabalığın ortasında sıkışıp kalmışlardı. Kamyonlar hâlâ birbiri ardı sıra geçiyordu, insanlar göz kesilmiş, seyre dalmışlardı. İlk başta yuhalayıp ıslıklayanlar olmuştu, ama bunlar kalabalığın arasındaki Parti üyeleriydi ve çok geçmeden susmuşlardı. Kalabalığın heyecanı tümüyle meraktan kaynaklanıyordu. Yabancılara, ister Avrasyalı ister Doğuasyalı olsunlar, yabansı hayvanlar gözüyle bakılıyordu. Onları yalnızca tutsak durumunda, o da ancak götürülürlerken şöyle bir görüyorlardı. Savaş suçlusu olarak idam edilenler dışında başlarına neler geldiğini kimse bilmiyordu; idam edilmeyenler ortadan kayboluveriyor, olasılıkla kendilerini zorla çalıştırıldıkları kamplarda buluyorlardı. Yuvarlak Moğol yüzlerin yerini şimdi daha Avrupalı, pis, sakallı ve bitkin yüzler almıştı. Bazen gözler, çıkık elmacıkkemiklerinin üzerinden tuhaf bir ısrarla Winston'ın gözlerinin içine bakıyor, sonra çabucak bir başka yöne çevriliyordu. Konvoyun sonu gelmişti. Son kamyonun içinde dimdik duran yaşlı bir adam çarptı Winston'ın gözüne; ak saçları yüzünü örtmüştü; sanki hep böyle duruyormuşçasına kollarını önünde kavuşturmuştu. Artık Winston'la kızın ayrılmaları gerekiyordu. Ama son anda, henüz kalabalıktan kurtulamamışken, kız Winston'ın elini tutup usulca sıktı.

On saniye sürmüş sürmemişti, ama Winston'a elleri uzunca bir süre birbirine kenetliymiş gibi geldi. O kısacık an, kızın elini tüm ayrıntılarıyla tanımasına yetti. Uzun parmaklarını, biçimli tırnaklarını, çalışmaktan nasır tutmuş avcunu, bileğinin altındaki yumuşacık teni keşfetti. Artık yalnızca dokunarak bile tanıyabilirdi bu eli. Birden, kızın gözlerinin ne renk olduğunu bilmediğini düşündü. Herhalde kahverengiydiler, ama siyah saçlılar bazen mavi gözlü de olabiliyorlardı. İçinden dönüp bakmak geçtiyse de, böylesi bir çılgınlığı göze alamadı. Elleri birbirine sımsıkı kenetlenmiş, yüzlerce gövde arasında sıkışıp kaybolmuş, gözlerini öylece karşıya dikmişlerdi; kızın gözleri yerine, ihtiyar tutsağın kederli gözleri, yüzünü örten saçlarının arasından, Winston'a bakıyordu.

II

Winston, dallar arasından vuran ışıkla bir aydınlanan, bir gölgeye gömülen dar bir yolda, altın rengi su birikintilerine basarak koşar adım yürüyordu. Solundaki ağaçların altındaki toprak çançiçeklerinden görünmüyordu. Hava insanın tenini okşuyordu sanki. Mayısın ikisiydi. Ormanın derinliklerinden tahtalı güvercinlerin cıvıltıları geliyordu.

Biraz erken gelmişti. Yolu bulmakta en küçük bir güçlük çekmemişti; belli ki kız bu konuda deneyimliydi, o yüzden her zamanki kadar korkmuyordu Winston. Kız güvenli bir yer bulmuş olmalıydı. Doğrusu, kırsal yörelerin Londra'dan daha güvenli olduğu söylenemezdi. Gerçi buralarda hiç tele-ekran yoktu, ama bir yerlere yerleştirilmiş olabilecek gizli mikrofonlardan sesinizi kaydedip tanıyabilirlerdi; üstelik, kimsenin dikkatini çekmeden bir başınıza yolculuk etmeniz hiç de kolay değildi. Yüz kilometreyi geçmeyen yolculuklarda pasaportunuzu onaylatmanız gerekmiyordu, ama bazen tren istasyonlarının çevresinde dolaşan devriyeler oralarda rastladıkları bütün Parti üyelerinin kâğıtlarına bakıyorlar, akla gelmedik sorular soruyorlardı. Ne ki, Winston hiçbir devriyeye rastlamamış, istasyonda indikten sonra yola koyulduğunda da ikide bir dönüp arkasına bakmış, izlenmediği kanısına varmıştı. Tren, hava günlük güneşlik olduğu için gezintiye çıkmış proleterlerle doluydu. Winston'ın oturduğu ahşap koltuklu kompartmanı, dişleri dökülmüş bir nineden bir aylık bir bebeğe kadar kalabalık bir aile tıka basa doldurmuştu; öğleden sonrayı kırda oturan "yakınlarıyla" birlikte geçirecekler ve Winston'a hiç çekinmeden anlattıkları gibi, biraz karaborsa tereyağı alacaklardı.

Yol önce genişledi, ama çok geçmeden, kızın sözünü ettiği patikaya vardı Winston; iki yanı çalılık bir keçiyoluydu burası. Saati yoktu ama, üçü geçtiğini sanmıyordu. Yerleri boydan boya kaplayan çançiçeklerine basmadan yürümek olanaksızdı. Biraz vakit geçirmek için çömelip çiçek toplamaya başladı; ne ki, aklından, buluştuklarında kıza bir demet çiçek sunmak da geçmiyor değildi. Koca bir demet toplamış, çiçeklerin baygın kokusunu içine çekiyordu ki, arkasından gelen bir sesle donup kaldı; belli ki, çalıları çıtırdatarak yaklaşan biri vardı. En iyisi, çiçek toplamaya devam etmekti. Gelen ya kızdı ya da biri tarafından izlenmişti. Başını kaldırıp çevreye bakınsa, kuşku çekebilirdi. Bir çiçek daha, bir çiçek daha derken, bir el usulca omzuna dokundu.

Başını kaldırıp baktı. Kızdı gelen. Sesini çıkarmaması için başıyla uyardıktan sonra çalıları araladı ve ormana giden dar yolda hızla ilerlemeye başladı. Balçıklara hiç basmadan yürüdüğüne bakılırsa, buradan çok geçmişti. Winston da, çiçek demetini sımsıkı tutarak, ardına düştü. İlkin büyük bir rahatlık duymuştu, ama önünde ilerleyen dipdiri, incecik bedene, beline sımsıkı sarılmış kırmızı kuşakla kalçalarının daha da ortaya çıkan yuvarlaklığına bakarken yüreğine ağır bir eziklik çöktü. Şimdi bile, kız arkasına dönüp kendisine bir baksa, vazgeçebilirmiş gibi geliyordu Winston'a. Havanın güzelliği, yemyeşil yapraklar gözünü korkutuyordu. Daha istasyondan buraya yürürken, mayıs güneşi altında kendini sararmış solmuş, Londra'nın toz dumanı derisinin gözeneklerine işlemiş, gün yüzü görmeyen bir yaratık gibi hissetmişti. Kızın onu şimdiye kadar hiç gün ışığında görmediğini fark etmişti birden. Daha önce kızın sözünü ettiği, kuruyup devrilmiş ağacın oraya gelmişlerdi. Kız ağacın üzerinden atladı ve geçit vermez gibi görünen çalıları araladı. Winston da ardından yürüdü ve bir açıklığa çıktılar; çepeçevre yüksek, körpe ağaçlarla kuşatılmış çimenlik bir tepecikteydiler. Kız durup arkasına döndü.

"İşte geldik," dedi.

Aralarında yalnızca birkaç adım kalmış olmasına karşın, Winston kıza iyice sokulmayı göze alamıyordu.

"Patikada yürürken, gizli bir mikrofon falan olabilir diye konuşmak istemedim," dedi kız. "Sanmıyorum ama, belli de olmaz. Neme lazım, ya o soysuzlardan biri sesimizi tanırsa. Neyse, burada güvende sayılırız."

Winston hâlâ kıza yaklaşacak cesareti bulamıyordu kendinde. "Demek burada güvendeyiz, öyle mi?" diye alık alık yineledi.

"Evet. Ağaçlara baksana." Çevreleri, bir süre önce budanıp yeniden sürgün vermiş, bilek kalınlığında dişbudaklarla kaplıydı. "Dalları arasına mikrofon gizlenebilecek kadar büyümemişler. Hem ilk gelişim değil buraya."

Konuşadursunlar, Winston kıza biraz daha sokulmayı başarmıştı. Kız karşısında dimdik duruyordu; yüzünde, neden bu kadar ağırdan aldığını sorgularcasına hafif

147

alaycı bir gülümseyiş belirmişti. Ayaklarının altı çançiçekleriyle kaplıydı. Sanki toprağı kendiliğinden örtüvermişlerdi. Winston kızın elini tuttu.

"İnanır mısın," dedi, "şu ana kadar gözlerinin renginin farkında değildim." Kirpikleri kopkoyu, gözleri kahverengiydi, açık kahverengi. "İşte sen de gördün neye benzediğimi sonunda, hâlâ bakabiliyor musun bana?"

"Neden bakamayacakmışım ki?"

"Otuz dokuz yaşındayım. Yakamı kurtaramadığım bir karım, bacaklarımda varislerim, beş takma dişim var."

"Umurumda değil," dedi kız.

Hangisinin önce davrandığı belli değildi ama, az sonra kollarındaydı kız. Winston ilk başta, olup bitene inanamadı. Kızın dipdiri bedeni bedenine sımsıkı yaslanmıştı, simsiyah saçlarından önünü göremiyordu. Ve evet! Kız başını kaldırıp ona baktı, Winston o geniş, kırmızı ağzı öptü. Kız, kollarını Winston'ın boynuna dolamış, sevgilim, bir tanem, canım, diye mırıldanıyordu. Winston kızı çekip yere yatırdı, kız hiç karşı koymadı, ona istediğini yapabilirdi. Ne ki, kıza dokunuyordu ama, bedeninde en küçük bir uyanma yoktu Winston'ın. Şaşkın ve gururluydu, o kadar. Olup bitenden hoşnuttu, ama en küçük bir cinsel istek duymuyordu. Her şey ansızın oluverdiği için mi, kızın gençliği ve güzelliği gözünü korkuttuğundan mı, yoksa kadınsız yaşamaya fazla alıştığı için mi, nedenini bilemiyordu. Kız toparlanıp kalktı, saçına ilişen bir çançiçeğini aldı. Winston'ın yanına oturup kolunu beline doladı.

"Aldırma, bir tanem. Acelemiz ne? Akşama kadar buradayız. Burası saklanmak için biçilmiş kaftan, değil mi? Hep birlikte çıkılan o doğa yürüyüşlerinden birinde yolumu kaybedince kendimi burada bulmuştum. Birinin geldiğini yüz metreden duyuyorsun."

Winston, "Adın ne?" diye sordu.

"Julia. Ben seninkini biliyorum. Winston... Winston Smith."

"Nasıl öğrendin?"

"Galiba bazı şeyleri öğrenmekte senden daha becerikliyim, canım. Söyle bakalım, sana o pusulayı vermeden önce hakkımda neler düşünüyordun?"

Winston yalan söyleme isteğine kapılmadı. Dahası, en kötüsünden başlamak bir tür ilanı aşk yerine bile geçebilir, diye düşündü.

"Senden resmen nefret ediyordum," dedi. "Irzına geçmek, sonra da öldürmek istiyordum seni. İki hafta önce, başını bir kaldırım taşıyla ezmeyi geçirdim aklımdan ciddi ciddi. Doğrusunu istersen, senin Düşünce Polisi'yle bir ilişkin olduğunu düşünüyordum."

Gülüşüne bakılırsa kızın hoşuna gitmişti; belli ki, Winston'ın sözlerini kendini gizlemekteki becerisine bir övgü olarak almıştı.

"Düşünce Polisi ha! Gerçekten böyle düşünmüş olamazsın!"

"Yok, aslında tam öyle değil. Ama görünüşüne bakarak –gençsin, dinçsin, sağlıklısın ya, anlarsın işte– sandım ki..."

"İyi bir Parti üyesi olduğumu sandın. Özüyle sözüyle su katılmadık bir Parti üyesi. Bayraklar, geçit törenleri, oyunlar, toplu doğa yürüyüşleri falan. Fırsatını bulsam seni bir düşünce-suçlusu olarak ele verip öldürteceğimi geçirdin kafandan, değil mi?"

"Evet, öyle bir şey işte. Biliyorsun, genç kızların çoğu böyle."

Julia, "Her şeyin nedeni şu rezil şey," diyerek Seks Karşıtı Gençlik Birliği'nin kızıl kuşağını belinden çıkardı, bir dalın üstüne fırlattı. Sonra, elini beline götürünce bir şey anımsamışçasına elini tulumunun cebine soktu, küçük bir parça çikolata çıkardı. İkiye bölüp yarısını

Winston'a uzattı. Winston daha kokusundan bambaşka bir çikolata olduğunu anlamıştı. Gümüş yaldızlı bir kâğıda sarılı, siyah ve parlak bir çikolataydı. Bildik çikolatalar ise soluk kahverengiydi, durduk yerde un ufak olurlardı; tadı, her nasılsa, yakılan çöplerin dumanını çağrıştırırdı. Ama kızın şimdi kendisine verdiği çikolatadan da yediğini anımsıyordu. Burnuna gelen ilk koku, tam olarak çıkaramadığı, ama güçlü ve boğucu bir anıyı canlandırmıştı.

"Nereden buldun bunu?" diye sordu.

Kız, öylesine, "Karaborsadan," dedi. "Aslında ben görünüşte o dediğin kızlardan farklı sayılmam. Oyunlarda iyiyimdir. Bir ara Casuslar'da bölük komutanıydım. Haftanın üç akşamı Seks Karşıtı Gençlik Birliği'nde gönüllü çalışıyorum. Saatlerce Londra'nın dört bir yanını dolaşıp onların o hastalıklı düşüncelerini yayıyorum. Geçit törenlerinde flamanın bir ucunu mutlaka ben tutarım. Her zaman neşeli görünürüm, asla görevden kaçmam. Kalabalık bağırıyorsa ben de bağırırım. Güvende olmanın tek yolu bu."

Çikolatanın ilk parçası Winston'ın ağzında dağılmıştı. Nefisti. Ama olanca gücüyle duyumsadığı, ne ki insanın göz ucuyla görebildiği bir nesne gibi tam olarak biçimlendiremediği o anı hâlâ belleğinin kıyısında dolanıp duruyordu. Kafasından silip atmaya çalıştığı bu anının, unutmayı çok istemesine karşın bir türlü unutamadığı bir olayla ilgili olduğunun ayırdındaydı.

"Çok gençsin," dedi. "Benden on on beş yaş gençsin. Benim gibi bir adamın nesini beğenmiş olabilirsin ki?"

"Yüzünde fark ettiğim bir şey çekti beni. Şansımı deneyeyim dedim. Bağlılık duymayanları saptamakta üstüme yoktur. Seni görür görmez *onlara* karşı olduğunu anladım."

Onlar derken Parti'yi, en çok da İç Parti'yi kastediyordu anlaşılan; ancak Julia'nın Parti üyelerinden apaçık ve alaycı bir nefretle söz etmesi, burada olabildiğince güvende olduklarını bilmesine karşın Winston'ı tedirgin ediyordu. Konuşmasının kabalığına ise şaşırıyordu. Parti üyelerinin küfretmemeleri gerekiyordu, Winston da pek küfretmezdi zaten, edecekse de içinden ederdi. Julia ise, Parti'den, özellikle de İç Parti'den söz açılmayagörsün, kenar mahalle sokaklarının duvarlarında rastlanan sözleri kullanmadan edemiyordu. Aslında Winston bundan hoşlanmıyor değildi. Parti'ye ve Parti'nin tüm kurallarına isyan edişinin bir belirtisinden başka bir şey değildi; ayrıca, bir atın samanı beğenmeyince aksırması gibi doğal ve sağlıklı bir davranıştı. Açık alandan ayrılmışlardı, arada bir gün ışığının vurduğu gölgelik yolda yürüyorlar, yolun yan yana yürünecek kadar genişlediği yerlerde kollarını birbirlerinin beline doluyorlardı. Julia'nın belinin, kuşağı çıkardıktan sonra çok daha yumuşak olduğunu fark etti. Yalnız fısıldayarak konuşuyorlardı. Julia'ya bakılırsa, açık alanda olmadıkları sürece seslerini yükseltmemekte yarar vardı. Çok geçmeden korunun sonuna vardıklarında Julia Winston'ı durdurdu.

"Açık alana çıkma. Biri gözetliyor olabilir. Dalların ardında kaldığımız sürece güvendeyiz."

Alçak boylu, çalımsı fındık ağaçlarının gölgesindeydiler. Sayısız yaprağın arasından süzülen gün ışığı yüzlerini hâlâ ısıtıyordu. Winston uzanıp giden çayıra baktı ve birden garip bir şaşkınlık içinde, burayı bildiğini sezinledi. Daha önce görmüştü burayı. Kupkuru kalmış, eski bir otlak, ortasından bir patika geçiyor, sağda solda köstebek yuvaları göze çarpıyor. Karşıdaki kırık dökük çitin içinde kalan karaağaçların dalları hafif rüzgârda salınıyor, gür yaprakları kadın saçı gibi uçuşuyor. Yakınlarda bir yerde, gözle görülmese de, yeşil gölcüklerinde sazanların yüzdüğü bir dere olmalı.

Winston, "Buralarda bir yerde bir dere yok mu?" diye fısıldadı.

"Haklısın, var. Yandaki çayırın ucunda. Üstelik balıklar var içinde, çok iri balıklar. Söğütlerin altındaki gölcüklerde kuyruklarını çırparak dolaştıklarını görebilirsin."

"Sanki Altın Ülke," diye mırıldandı Winston.

"Altın Ülke mi?"

"Boş ver. Bazen rüyama giren bir görünüm."

"Şuraya bak!" diye fısıldadı Julia.

Biraz ileride, göz hizasındaki bir dala bir ardıçkuşu konmuştu. Herhalde onları görmemişti. Ardıçkuşu gün ışığında, onlar ise gölgedeydiler. Kanatlarını iki yana açtıktan sonra özenle kapattı, güneşi selamlarcasına başını eğip kaldırdı ve bir güzel şakımaya başladı. İkindi sessizliğinde insanı şaşkına çeviren bir ses çıkartıyordu. Winston ile Julia büyülenmişçesine birbirlerine sarıldılar. Ardıçkuşunun ezgisi, bir kez olsun tekrara düşmeden, şaşırtıcı çeşitlemelerle sürüp gidiyordu; tüm hünerlerini göstermek istiyor gibiydi. Bazen birkaç saniye susup kanatlarını açıp kapatıyor, sonra benekli gerdanını şişirip yeniden ötmeye başlıyordu. Winston kendinden geçmişçesine seyrediyordu. Bu kuş kimin için, niçin ötüyordu? Ortalıkta ne eşi vardı ne de bir rakibi. Neydi onu böyle korunun kıyısında bir dala kondurup bir başına söyleten? Birden, Winston'ın aklına, yakınlarda bir yerde gizli bir mikrofon olabileceği geldi. O kadar alçak sesle konuşmuşlardı ki, sesleri duyulmuş olamazdı; ama ardıçkuşunun sesi duyuluyor olabilirdi. Belki de, aletin öbür ucunda ufak tefek, böceksi bir adam, dikkat kesilmiş, can kulağıyla *bunu* dinliyordu. Ama su gibi akıp giden ezgi, çok geçmeden, Winston'ın kafasındaki tüm kuşkuları alıp götürdü. Sanki tepesinden dökülen sular bedenini baştan ayağa yıkıyor, yaprakların arasından süzülen gün ışığına karışıyordu. Artık düşünmeyi bırakmış, yalnızca duyumsuyordu. Kızın beli, kolunun altında, yumuşacık ve sıcacıktı. Kızı kendine çekip kucakladı, göğüsleri göğsündeydi artık; bedeni bedeninde eriyordu sanki. Elleriyle gezindiği her yeri teslim alıyordu. Ağızları birbirine yapıştı; bu kez, önceki yabanıl öpüşmelerinden çok farklıydı. Dudakları ayrıldığında ikisi de derin bir iç çekti. Ardıçkuşu ürktü, kanat çırparak uzaklaştı.

Winston, dudaklarını kızın kulağına dayayarak, "Hadi," diye fısıldadı.

Julia da fısıltıyla, "Burada olmaz," dedi. "Gel, gizli köşemize gidelim. Daha güvenli orası."

Yerlerdeki ince dallara bastıkça çıtırtılar çıkararak çabucak açıklığa döndüler. Körpe ağaçların ortasına geldiklerinde, Julia dönüp Winston'a baktı. İkisi de soluk soluğaydı, ama Julia'nın dudaklarının kıyısındaki o gülümseyiş yeniden belirmişti. Bir an öylece Winston'a baktıktan sonra tulumunun fermuarına uzandı. Ve işte! Nerdeyse Winston'ın düşlediği gibiydi. Winston'ın aklından geçirmesine kalmadan çıkarıverdiği giysilerini akla zarar bir buyurganlıkla fırlatıp atarken koca bir uygarlığı silip atıyordu sanki. Bembeyaz vücudu gün ışığında pırıl pırıldı. Oysa Winston kızın vücuduna bir süre bakmadı; gözlerini, Julia'nın çilli yüzündeki o belli belirsiz, ama meydan okuyan gülümseyişten alamadı. Önünde diz çöküp ellerini ellerine aldı.

"Daha önce de yaptın mı bunu?"

"Tabii. Yüzlerce kez yaptım... yüzlerce kez olmasa da pek çok kez."

"Parti üyeleriyle mi?"

"Evet, hep Parti üyeleriyle."

"İç Parti üyeleriyle mi?"

"Yok, o alçaklarla hiç yapmadım. Ama bir sürüsü eline fırsat geçse *yapmak* için neler vermez. Herkese azizlik taslarlar, yutturabildiklerine tabii."

Winston'ın yüreğine su serpilmişti. Demek Julia bunu pek çok kez yapmıştı; keşke yüzlerce, binlerce kez yapmış olsaydı. Yozluğu anıştıran her şey onda her zaman çılgınca bir umut doğururdu. Kim bilir, belki de Parti içten içe çürümüştü, emek ve özveriye tapınma kötülükleri örtbas eden bir yalandan başka bir şey değildi belki de. Ah, hepsine birden cüzam ya da frengi bulaştırmak ne kadar hoş olurdu! Parti'yi çürütmek, güçsüz kılmak, yerle bir etmek için neler vermezdi! Julia'yı da aşağıya çekti; şimdi ikisi de dizlerinin üstünde, yüz yüzeydiler.

"Bak. Ne kadar çok erkekle yattıysan, seni o kadar çok seviyorum. Anladın mı?"

"Evet, çok iyi anladım."

"Saflıktan tiksiniyorum, iyilikten tiksiniyorum! Erdem diye bir şey olmasın istiyorum. Herkes dipten doruğa yozlaşsın istiyorum."

"İyi ya, demek tam istediğin gibiyim, sevgilim. Benden yozunu bulamazsın."

"Yapmak hoşuna gidiyor mu? Benimle yapmaktan söz etmiyorum, bu işi yapmayı seviyor musun?"

"Hem de nasıl."

Winston'ın duymak istediği tam da buydu. Birine duyulan aşk değil de, o hayvansal içgüdü, o basit, bozulmamış arzu: Parti'yi paramparça edecek güç buydu işte. Julia'yı, ağaçlardan dökülmüş çançiçekleriyle örtülü çimenlerin üstüne yatırdı. Bu sefer hiçbir güçlük çıkmadı. Çok geçmeden göğüslerinin inip kalkışı yavaşlayarak normale döndü ve keyifli bir umarsızlıkla birbirlerinden ayrıldılar. Güneş sanki ortalığı daha da ısıtmıştı. İkisinin de uykusu gelmişti. Winston çıkardıkları tulumları aldı, Julia'nın üstünü örttü. Çabucak uykuya daldılar ve yarım saat kadar uyudular.

İlk uyanan Winston oldu. Oturduğu yerden, elini başına yastık yapmış, mışıl mışıl uyuyan Julia'nın çilli

yüzünü seyre koyuldu. Ağzı dışında, güzel olduğu söyle-
nemezdi. Yakından bakıldığında, gözlerinin çevresinde
bir iki kırışık göze çarpıyordu. Kısacık siyah saçları ola-
ğanüstü gür ve yumuşaktı. Birden kızın soyadını da, ne-
rede oturduğunu da hâlâ bilmediğini fark etti.

Julia'nın genç, güçlü bedeninin şimdi uykusunda sa-
vunmasızca uzanıp yatışı Winston'da bir acıma, koruma
duygusu uyandırdı. Yine de, ardıçkuşu şakırken fındık
ağacının altında kapılmış olduğu, en küçük bir önyargı
taşımayan sevecenlikten uzak bir duyguydu bu seferki.
Tulumları kızın üstünden çekip aldı, pürüzsüz, beyaz
gövdesini seyre daldı. Eskiden bir erkek bir kızın bedeni-
ne bakınca safça baştan çıkardı, diye geçirdi aklından.
Oysa artık katıksız aşk ya da katıksız şehvet diye bir şey
kalmamıştı. Her şeye korku ve nefret karıştığı için, artık
hiçbir duygu katıksız değildi. Sevişmeleri bir savaş, doyu-
mun doruğuna varışları bir zafer olmuştu sanki. Parti'ye
indirilmiş bir darbeden farksızdı. Siyasal bir eylemdi.

III

"Buraya bir kere daha gelebiliriz," dedi Julia. "Saklı
yerleri iki kez kullanmanın genellikle pek sakıncası ol-
maz. Ama bir iki ay sonra tabii."

Uyanır uyanmaz hali tavrı değişmişti. Yeniden eski
temkinliliğini takınıp işteki ciddiliğine bürünmüş, giysile-
rini giyip kırmızı kuşağı beline bağlamış, dönüş yolculu-
ğunun ayrıntılarını kurmaya başlamıştı. Bu işi ona bırak-
mak Winston'a son derece doğal geliyordu. Hiç kuşkusuz,
Winston'da hiç olmayan bir pratik zekâsı vardı Julia'nın;
belli ki, çıktığı sayısız toplu doğa yürüyüşü, Londra do-

laylarındaki kırları avcunun içi gibi bilmesini sağlamıştı. Dönüş için tarif ettiği yol geldiği yoldan çok farklıydı; Winston bambaşka bir istasyonda buldu kendini. "Asla geldiğin yoldan dönme," dedi Julia, çok önemli bir kuralı açıklıyormuşçasına. Önce kendisi yola çıkacak, Winston yarım saat bekledikten sonra onun arkasından gidecekti.

Julia, dört akşam sonra iş çıkışı buluşabilecekleri bir yer söyledi. Yoksul mahallelerden birinde, genellikle kalabalık ve gürültülü bir pazarın kurulduğu bir sokaktı burası. Ayakkabı bağcığı, dikiş ipliği gibi şeyler arıyormuş gibi tezgâhların arasında dolanıyor olacaktı. Durum elverişliyse, Winston'ı görünce burnunu siler gibi yapacaktı; yoksa Winston'ın onu tanımazdan gelerek geçip gitmesi gerekiyordu. Ama talihleri yaver giderse, kalabalığın içinde on beş dakika kadar görüşebilirler, yeniden ne zaman buluşacaklarını belirleyebilirlerdi.

Julia, Winston'a, neler yapması gerektiğini ezberlettikten sonra, "Artık gitmeliyim," dedi. "Akşam yedi buçukta dönmüş olmak zorundayım. Seks Karşıtı Gençlik Birliği'nde iki saatlik bir işim var, broşür falan dağıtacağım. Kepazelik işte! Şöyle bir silkelesene üstümü. Saçımda çalı malı kalmasın. Tamam mı? Öyleyse hoşça kal, sevgilim, yolun açık olsun."

Winston'ı kucaklayıp dudaklarına yapıştı, sonra birden körpe ağaçların arasına daldı, ormanda sessizce kayboldu. Winston kızın soyadını da, nerede oturduğunu da hâlâ öğrenebilmiş değildi. Ama ne fark ederdi ki, evde buluşmaları ya da yazışmaları hiç de mümkün görünmüyordu.

Sonuçta, ormandaki o açıklığa bir daha hiç gitmediler. Mayıs ayı boyunca yalnızca bir kez sevişme olanağı buldular. O da, Julia'nın bildiği bir başka gizli yerde; otuz yıl kadar önce bir atom bombasının düştüğü, nerdeyse tümden terk edilmiş bir kırsal bölgedeki yıkık bir kilisenin çan kulesinde. Burası, eğer ulaşabilirseniz, güvenli bir sığınaktı, ama oraya giden yol çok tehlikeliydi. Geri kalan günlerde ancak sokaklarda, her akşam başka bir yerde, o da en fazla yarım saat bir araya gelebildiler. Sokaklarda konuşmak ise o kadar kolay değildi. Kalabalık yollarda birbirlerine yanaşmadan ve hiç bakmadan yürürlerken, bir deniz fenerinin yanıp sönen ışığı gibi, tuhaf, kesintili bir konuşma geçiyordu aralarında; Parti üniformalı birini görünce ya da bir tele-ekranın varlığını sezince hemen susuyorlar, yarım kalan bir cümleye dakikalar sonra yeniden dönüyorlar, önceden kararlaştırdıkları noktada birbirlerinden ansızın ayrıldıktan sonra ertesi gün konuşmayı kaldığı yerden sürdürüyorlardı. Julia, "taksit taksit konuşma" dediği böylesi görüşmelere çok alışkındı anlaşılan. Dudaklarını oynatmadan konuşmayı da şaşırtıcı ölçüde iyi beceriyordu. Nerdeyse bir aydır süren bu akşam buluşmalarında yalnızca bir kez öpüşebilmişlerdi. Ara sokaklardan birinde hiç konuşmadan yürürlerken (ana caddeden uzaktaysalar Julia suspus oluyordu), kulakları sağır eden bir gümbürtü kopmuş, yer sarsılmış, gök kapkara kesilmiş, Winston yara bere içinde, dehşete kapılarak kendini yerde bulmuştu. Herhalde yakınlarda bir yere bir tepkili bomba düşmüştü. Birden yanı başında Julia'nın yüzünü görmüştü: Kızın yüzü bembeyaz kesilmiş, beti benzi kireç gibi olmuştu. Dudakları bile bembeyazdı. Ölü gibiydi! Ancak onu kucakladığında, kanlı canlı, sıcacık bir yüzü öptüğünü fark etmişti. Ama Winston'ın dudaklarına pudramsı bir şeyler gelmişti. İkisinin de yüzü sıvayla kaplıydı.

Kimi akşamlar buluşma yerine geldiklerinde, köşe başında bir devriye belirdiği ya da tepelerinde bir helikopter dolandığı için hiç belli etmeden geçip gittikleri oluyordu. Bazen de, büyük bir tehlike olmasa bile, buluşmak için vakit bulmakta zorlanıyorlardı. Winston haftada altmış saat, Julia daha da fazla çalışıyordu; izin günleri işin yoğunluğuna göre değişiyor ve çoğu kez çakışmıyordu. Kaldı ki, Julia'nın tümüyle serbest olduğu bir akşam yok gibiydi. Zamanının çok büyük bir bölümünü konferanslar ve gösterilere ayırıyordu; Seks Karşıtı Gençlik Birliği'nin broşürlerini dağıtıyor, Nefret Haftası için flamalar hazırlıyor, tutumluluk kampanyası için para topluyor, daha pek çok etkinliğe katılıyordu. Julia'ya bakılırsa, bütün bunlar işe yarıyordu, asıl yaptığını örtbas ediyordu. Küçük kurallara uyarsan, büyük kuralları çiğneyebilirdin. Julia, Winston'ı, ateşli Parti üyelerinin gönüllü olarak yaptıkları gibi, hiç değilse bir akşamını savaş gereçleri üretimine ayırmaya bile razı etmişti. Winston, artık haftanın bir akşamı, yürek törpüleyici çekiç seslerinin tele-ekranlardan yükselen müzik seslerine karıştığı, esintili ve loş bir atölyede içine baygınlıklar çökerek dört saat geçiriyor, bomba fünyesi olabilecek küçük metal parçalarını birbirine vidalıyordu.

Kilisenin kulesinde buluştuklarında, yolda ikide bir kesilen konuşmanın boşluklarını doldurdular. Cehennem gibi bir öğleden sonraydı. Çanların yukarısındaki küçük, dört köşe odanın içinde kavurucu ve boğucu bir hava vardı, güvercin pisliği kokusu burnunun direğini kırıyordu insanın. Tozlu, çalı çırpı kaplı yere oturup saatlerce konuştular; arada sırada ikisinden biri kalkıyor ve gelen var mı diye dar yarıklardan aşağıya bakıyordu.

Julia yirmi altı yaşındaydı. Otuz kızla birlikte bir yurtta kalıyor ("Bıktım şu karı kokusundan! Nefret ediyorum karı milletinden!" diyordu ikide bir) ve Winston'ın tahmin ettiği gibi, Kurmaca Dairesi'ndeki roman yazma makinelerinden birinde çalışıyordu. İşinden memnundu; güçlü ve becerikli bir elektrik motorunu çalıştırıyor ve bakımını sağlıyordu. "Zeki" sayılmazdı, ama ellerini kullanmayı seviyor, makinelerle uğraşmaktan hoşlanıyordu.

Tasarlama Kurulu'nun yayımladığı genel yönergeden Yeniden Yazma Takımı'nın yaptığı son düzeltmelere kadar, bir romanın nasıl oluşturulduğunu ezbere biliyordu. Ama ortaya çıkan ürün onu hiç ilgilendirmiyordu. "Okumayı pek umursamadığını" söylüyordu. Kitap, onun gözünde, tıpkı reçel ya da ayakkabı bağı gibi, üretilmesi gereken bir metaydı, o kadar.

Altmışların başlarından öncesine uzanan bir tek anısı bile yoktu, kendisine Devrim'den önceki günlerden sık sık söz eden büyükbabasını anımsıyordu yalnızca, o da Julia sekiz yaşındayken ortadan kaybolmuştu. Okulda hokey takımının kaptanlığını yapmış, iki yıl üst üste cimnastik kupasını kazanmıştı. Casuslar'da bölük komutanlığı görevini üstlenmiş, Seks Karşıtı Gençlik Birliği'ne katılmadan önce Gençlik Birliği'nin bir kolunda sekreterlik yapmıştı. Her zaman kusursuz bir kişilik sergilemişti. O kadar ki, Kurmaca Dairesi'nin proleterlere dağıtılmak üzere bayağı pornografik kitaplar üreten alt-bölümü Pornoböl'de bile görevlendirilmişti (şaşmaz bir saygınlık belirtisiydi bu). Pornoböl'e, orada çalışanlar arasında Pislik Yuvası dendiğini söylüyordu. Orada çalıştığı bir yıl boyunca, proleter gençlerin yasaları çiğnediklerini sanarak gizli gizli satın aldıkları, mühürlenmiş paketlerde dağıtılan *Sapıklık Öyküleri* ya da *Kızlar Okulunda Bir Gece* gibi kitapçıkların hazırlanmasına katkıda bulunmuştu.

Winston, merakını yenemeyerek, "O kitaplarda neler anlatılıyor?" diye sordu.

"Ne anlatılacak, bir sürü rezillik işte. Aslında çok sıkıcıdırlar. Hepi topu altı konu vardır, onların etrafında olayları değiştirip dururlar. Ben yalnızca makinelerin başındaydım. Yeniden Yazma Takımı'nda hiç bulunmadım. Edebiyatım pek kuvvetli değil, sevgilim, bu kadarına bile yetmez."

Winston, daire başkanı dışında Pornoböl'de çalışanların hepsinin kız olduğunu duyunca çok şaşırdı. Erkeklerin cinsel içgüdülerini kadınlar kadar denetleyemedikleri, o yüzden de kitapçıklarda anlatılan adiliklerle kolayca baştan çıkabilecekleri düşünülüyordu.

Julia, "Orada evli kadınların bulunmasını bile istemezler," diye ekledi. "Kızları ise çok masum sanırlar. Oysa ben hiç de masum sayılmam mesela."

İlk ilişkisini on altı yaşındayken, altmış yaşında bir Parti üyesiyle yaşamış, daha sonra adam tutuklanmamak için intihar etmişti. "İyi de oldu," dedi Julia, "konuştursalardı adımı verebilirdi." Sonradan başkaları da olmuştu tabii. Hayat, onun gözünde, çok basitti. Sen gününü gün etmek istiyordun; "onlar", yani Parti bunu engellemek istiyordu; sen de bir yolunu bulup kuralları çiğniyordun. Görünen o ki, "onlar"ın seni her türlü zevkten yoksun kılmak istemelerini, senin yakayı ele vermemek istemen kadar doğal buluyordu. Parti'den nefret ettiği gibi, bunu en yakası açılmadık sözlerle dile getiriyor, ama hiçbir zaman Parti'nin genel bir eleştirisini yapmıyordu. Kendi yaşamına dokunmadıkça, Parti öğretisi onu hiç mi hiç ilgilendirmiyordu. Winston, günlük dile girmiş sözcükler dışında Yenisöylem sözcüklerini hiç kullanmadığını fark etmişti. Julia, Kardeşlik'ten söz edildiğini hayatında duymamıştı, kaldı ki varlığına inanmaya bile yanaşmıyordu. Parti'ye karşı her türlü örgütlü başkaldırının önünde sonunda yenilgiye uğramaya mahkûm olduğunu düşünüyor ve böyle şeyleri çok aptalca buluyordu. Aklı olan, hem kuralları çiğner hem de hayatta kalırdı. Winston, genç kuşakta onun gibi Devrim dünyasında yetişmiş, başka hiçbir şey bilmeyen, Parti'yi gökyüzü gibi değişmez bir şey olarak kabul eden, Parti'nin egemenliğine baş kaldırmak yerine, köpeği atlatıp kaçan tavşan gibi yalnızca paçayı kurtarmaya bakan kaç kişi vardır acaba, diye geçirdi aklından.

Evlenmekten hiç söz açmadılar. Henüz düşünüle-meyecek kadar uzak bir olasılıktı. Winston karısı Kat-harine'den kurtulacak olsa bile, evlenmelerini onaylaya-cak bir kurul çıkmazdı. Rüyasında görse inanmazdı.

"Karın nasıl bir kadındı?" dedi Julia.

"Nasıl anlatayım... Yenisöylem'de *iyiniyetküpü* diye bir sözcük vardır, bilir misin? Doğuştan eski kafalı, aklın-dan kötülük geçmeyen biri işte."

"Hayır, o sözcüğü bilmiyorum, ama o tür insanları bilirim."

Winston evlilik hikâyesini anlatmaya başladıysa da, Julia hikâyenin özünü biliyordu sanki. Winston'a, sanki gözüyle görmüş ya da yüreğinde duyumsamışçasına, ona dokunur dokunmaz Katharine'in gövdesinin nasıl kaska-tı kesildiğini, ona sımsıkı sarılmışken bile onu var gücüy-le nasıl ittiğini anlatmaya koyuldu. Winston, Julia'yla böyle şeyleri konuşurken en küçük bir güçlük çekmiyor-du: Kaldı ki, Katharine çoktan yürek burkan bir anı ol-maktan çıkmış, tatsız bir anıya dönüşmüştü.

"Bir şey var ki, onu yapmasaydı sonuna kadar katla-nabilirdim," dedi Winston. Julia'ya, Katharine'in onu her hafta aynı gece zorladığı o küçük frijit töreni anlattı. "O da nefret ediyordu, ama bir türlü vazgeçemiyordu. Ne ad verdiğini mümkünü yok tahmin edemezsin."

"Parti'ye karşı görevimiz," deyiverdi Julia.

"Nasıl bildin?"

"Herhalde ben de okula gittim, bir tanem. On altısını geçenler için ayda bir kez yapılan o seks derslerini nasıl bilmem. Sonra da Gençlik Hareketi'nde... Yıllarca beyni-ni yıkarlar. Çoğu zaman işe yaradığını söylemeliyim. Ama yine de bilemezsin tabii; insanlar o kadar ikiyüzlüdür ki."

Giderek konunun ayrıntılarına girdi. Önünde so-nunda her şeyi kendi cinselliğine getiriyordu. Bu konuda kafası çok iyi çalışıyordu. Winston gibi değildi, Parti'nin cinsellik konusundaki softalığının ardında yatanı çok iyi kavramıştı. Burada söz konusu olan, cinsel içgüdünün, Parti'nin denetleyemediği, kendine özgü bir dünya yarattığı için elden geldiğince yok edilmesi gerektiği değildi yalnızca. Daha da önemlisi, cinselliğin bastırılması isteriyi tetikliyordu; bu da Parti'nin istediği bir şeydi, çünkü savaş coşkusuna ve öndere tapınmaya dönüştürülebiliyordu. Julia bunu şöyle yorumluyordu:

"Seviştiğin zaman içindeki enerjiyi boşaltırsın; sonra da kendini mutlu hisseder ve hiçbir şeyi iplemezsin. Ama senin bu halin onların hiç hoşuna gitmez. Her zaman enerji yüklü olmanı isterler. Bütün o yürüyüşler, bağrını yırtarcasına bağırış çağırışlar, bayrak sallamalar, ekşiyip bozulmuş cinsellikten başka bir şey değildir. Gönlün ferah, keyfin yerindeyse, Büyük Birader'miş, Üç Yıllık Plan'mış, İki Dakika Nefret'miş, bütün o iğrençlikler neden kendinden geçirsin ki seni?"

Winston, çok haklı, diye geçirdi içinden. Sofuluk ile siyasal softalık arasında doğrudan ve yakın bir bağıntı vardı. Parti'nin, üyelerinde gerekli gördüğü korku, nefret ve çılgınca bağlılık, o güçlü içgüdü bastırılıp itici bir güç olarak kullanılmadan nasıl kıvamında tutulabilirdi ki? Parti, kendisi için tehlikeli bulduğu cinsellik güdüsünü kendi yararına yönlendirmişti. Ana babalık içgüdüsü konusunda da benzer bir oyun oynanıyordu. Aile tümden ortadan kaldırılamadığı için, insanlar eskiden olduğu gibi çocuklarını sevmeye özendiriliyordu. Buna karşılık, çocuklar ana babalarına karşı sistemli bir biçimde kışkırtılıyor, onları ispiyonlamaları ve sapmalarını ihbar etmeleri öğretiliyordu. Aile, Düşünce Polisi'nin bir uzantısı olup çıkmıştı. Artık aile herkesin gece gündüz kendisini yakından tanıyan muhbirlerle kuşatılmasını sağlayan bir aygıttı.

Birden aklına Katharine geldi. Katharine, eğer Parti'yle aynı düşüncede olmadığını çıkaramayacak kadar aptal olmasaydı, ne yapar eder, onu Düşünce Polisi'ne ihbar ederdi. Ama Katharine'i o sırada asıl aklına düşüren, öğleden sonranın boğucu sıcağında alnının terlemiş olmasıydı. Julia'ya, on bir yıl önce yine yakıcı bir öğleden sonra olanı ya da daha doğrusu olamayanı anlatmaya başladı.

Evlenmelerinin üzerinden üç dört ay geçmişti. Kent dolaylarında çıktıkları bir toplu doğa yürüyüşünde yollarını kaybetmişlerdi. Aslında öbürlerinden yalnızca birkaç dakika geride kalmalarına karşın, yanlış yola sapmışlar, sonunda kendilerini eski bir kireçtaşı ocağının kıyısında bulmuşlardı. Dibinde iri kaya parçalarının bulunduğu, on beş yirmi metrelik dik bir çukurun başındaydılar. Ortalıkta yolu soracakları hiç kimse yoktu. Katharine, kaybolduklarını anlar anlamaz çok tedirgin olmuştu. Yürüyüşteki şamatacı kalabalıktan bir an uzak kalmak bile onda bir suçluluk duygusu uyandırmıştı. Geldikleri yoldan çabucak geri dönmek, ötekilerin gittiği yönü bir an önce bulmak istiyordu. Ama tam o sırada Winston'ın gözüne, altlarındaki sarp kayalığın çatlakları arasında bitmiş yabani çiçekler çarpmıştı. Aynı kökten çıkan bir çiçek öbeği iki renkliydi, mor ve kiremit rengiydi. Winston, daha önce hiç böyle bir şey görmemiş olduğundan, gelip görmesi için Katharine'e seslenmişti.

"Baksana, Katharine! Şu çiçeklere bak. Şu dipteki öbek. Görüyor musun, iki ayrı renkteler!"

Katharine, tam oradan uzaklaşırken öfkeyle geri dönmüş, kayalığın başına gelip eğilerek Winston'ın gösterdiği yere bakmıştı. Winston biraz gerisinde duruyor, düşmesin diye belinden tutuyordu. O anda birden ne kadar yapayalnız olduklarını fark etmişti. Ortalıkta hiç kimse olmadığı gibi, ne bir yaprak hışırtısı duyuluyor ne de bir kuş sesi. Böyle bir yerde gizli bir mikrofon bulunması olasılığı çok düşüktü; kaldı ki, mikrofon olsa

163

bile ancak sesleri alabilirdi. Öğleden sonranın en sıcak, en durağan saatleriydi. Güneş yakıp kavuruyordu, Winston'ın yüzü ter içindeydi. Ve birden kafasında bir şimşek çaktı...

"Şöyle bir itiverseydin ya!" dedi Julia. "Ben olsam iterdim."

"Evet, canım, sen olsan iterdin. Şimdiki aklım olsa ben de iterdim. Ne bileyim, belki de itmezdim, emin değilim."

"İtmediğine pişman mısın?"

"Evet. Sonuçta pişmanım itmediğim için."

Toz içindeki yerde yan yana oturuyorlardı. Julia'yı kendine çekti. Julia başını onun omzuna yasladı; saçının hoş kokusu güvercin pisliği kokusunu bastırdı. Çok genç, diye düşündü Winston, hâlâ hayattan beklediği bir şeyler var, başına bela olan birini uçurumdan aşağıya itmenin hiçbir şeyi çözmeyeceğini anlayamıyor.

"Aslında hiçbir şey fark etmezdi," dedi.

"Öyleyse neden pişmansın itmediğine?"

"Sırf, bir şey yapmayı hiçbir şey yapmamaya yeğlediğim için. Şu oynadığımız oyundan kazançlı çıkmamız olanaksız. Kimi yenilgiler kimilerinden daha iyi olabilir, o kadar."

Winston, Julia'nın omuz silkişinden kendisine katılmadığını anladı. Ne zaman bu tür şeyler söylemeye kalksa, Julia karşı çıkıyordu. Bireyin hep yenik düşmesinin bir doğa yasası olduğunu kabullenmeye yanaşmıyordu. Aslına bakılırsa, kendisinin de yenilgiye yazgılı olduğunu, Düşünce Polisi'nin önünde sonunda onu da yakalayıp öldüreceğini fark ediyor, ama insanın dilediği gibi yaşayabileceği gizli bir dünya kurmasının mümkün olduğuna inanmaktan da vazgeçemiyordu. Şanslı, uyanık ve cesur olmak yeterliydi. Mutluluk diye bir şey olmadığını, zaferi şu yaşadıkları hayatta asla göremeyeceklerini,

Parti'ye karşı savaş açtın mı kendini ölmüş bilmen gerektiğini anlayamıyordu.

"Biz ölüyüz," dedi Winston.

Julia, "Daha değil," diye karşı koydu.

"Bedence ölmemiş olabiliriz. Ama ne kadar dayanabiliriz ki? Altı ay mı, bir yıl mı, beş yıl mı? Ben ölümden korkuyorum. Sen gençsin, benden daha çok korkuyor olman gerekir. Kuşkusuz, ölümü elden geldiğince geciktireceğiz. Ama pek bir şey değişmez. Sonuç olarak insanız, ölümle yaşam aynı kapıya çıkar."

"Hadi oradan, saçmalama! Benimle mi sevişmeyi yeğlersin, yoksa iskeletimle mi? Yaşıyor olmaktan memnun değil misin? Kendini hissetmek, bu benim, bu benim elim, bu benim bacağım, ben gerçeğim, somutum, canlıyım diyebilmek hoşuna gitmiyor mu? Söylesene, sahiden hoşuna gitmiyor mu?"

Dönüp göğsünü Winston'a yasladı. Winston, kızın tulumunun içindeki diri ve sert memelerini hissedebiliyordu. Julia'nın bedeninin gençlik ve canlılığı onun bedenine akıyordu sanki.

"Hoşuma gitmez olur mu," dedi.

"Öyleyse ölümden konuşmayı kes de beni dinle, sevgilim. Bir daha ne zaman buluşacağımızı ayarlamamız gerekiyor. Ormandaki yere de gidebiliriz. Epeydir gitmedik. Ama bu sefer başka bir yoldan gitmelisin oraya. Ben her şeyi düşündüm. Sen trenle gideceksin; bak, çizeyim istersen."

Her zamanki becerikliliğiyle, yerdeki tozları eliyle toparladı, güvercin yuvasından minik bir dal parçası alıp bir kroki çizmeye koyuldu.

IV

Winston, Bay Charrington'ın dükkânının üst katındaki karmakarışık küçük odaya göz gezdirdi. Pencerenin yanı başındaki kocaman yatak yapılmıştı; üstünde eski battaniyeler ve kılıfsız bir yastık duruyordu. Şöminenin üstündeki eski model, kadranı on iki rakamlı saatin tıkırtıları duyuluyordu. Köşede, açılır kapanır masanın üstünde, son gelişinde satın aldığı camdan kâğıt ağırlığı odanın yarı aydınlığında hafifçe parlıyordu.

Şöminenin önünde Bay Charrington'ın getirdiği ezik büzük bir teneke gaz sobası, bir cezve ile iki fincan duruyordu. Winston sobayı yakıp üstüne su koydu. Bir paket içinde Zafer Kahvesi ve birkaç tablet de sakarin getirmişti. Saat yedi yirmiyi gösteriyordu, oysa aslında on dokuz yirmiydi. Julia on dokuz otuzda gelecekti.

Delilik bu, delilik, diye geçiriyordu içinden; bile bile, yok yere, intihar gibi bir delilik. Bir Parti üyesinin işleyebileceği suçlar arasında gizlenmesi en zor olanı buydu. Aslında bu düşünce ilk kez, açılır kapanır masanın üstündeki cam ağırlığa bakarken belirmişti kafasında. Beklediği gibi, Bay Charrington odayı kiraya vermekte hiçbir güçlük çıkarmamıştı. Cebine girecek birkaç dolardan dolayı hiç kuşkusuz memnundu. Kaldı ki, Winston'ın odayı bir aşk macerası yaşamak için kiralamak istediğini öğrendiğinde bile ne bir şaşkınlık belirtisi göstermiş ne de rahatsız edici bir söz söylemişti. Tam tersine, zarif bir edayla kendini nerdeyse görünmez kılarak gözlerini kaçırmış ve ortaya konuşmuştu. Bay Charrington'ın gözünde, özel hayat çok değerliydi. Ara sıra herkes yalnız kalabileceği bir yer olsun isterdi. Ve böyle bir yer buldukları zaman da, bunu bilenlerin en sıradan nezaket kuralı gereği dillerini tutmaları gerekirdi. Dahası, nerdeyse kayıplara karışırken, evin iki girişi olduğunu, yan sokağa açılan arka avludan da girilebileceğini eklemişti.

Pencerenin altında birisi şarkı söylüyordu. Winston, muslin perdenin ardına gizlenerek dışarıya bir göz attı. Haziran güneşinin ısıttığı avluda, kaslı kolları pençe pençe olmuş, bir Norman sütunu kadar oturaklı, heyula gibi bir kadın, belinde çuval bezinden bir önlük, bir çamaşır leğeni ile çamaşır ipi arasında mekik dokuyarak, yukarıdan bebek bezi olduğu anlaşılan beyaz, dört köşe örtüleri mandallıyordu. Mandalları ağzından çıkardığında, kalın, tok bir sesle şarkı söylüyordu:

Beyhude bir hayaldi,
Nisan güneşi gibi geldi geçti,
Bir bakış, bir söz aklımı çeldi,
Gönlümü çaldı, çekti gitti.

Şarkı haftalardır Londra'nın tepesine çökmüştü. Müzik Dairesi'nin alt bölümlerinden birince proleterler için yayımlanan, tıpkısının aynısı sayısız şarkıdan biriydi. Bu şarkıların sözleri, güfteyazar denen bir aygıt tarafından insan eli değmeden yazılıyordu. Ama kadın öyle güzel söylüyordu ki, o rezil şarkı handiyse kulağa hoş geliyordu. Winston, kadının söylediği şarkıyı ve ayakkabılarının taş avluda çıkardığı sesi, sokaktaki çocukların çığlıklarını, trafiğin uzaklardan gelen uğultusunu bile duyabiliyordu, ama tele-ekran olmadığından odanın içinde çıt çıkmıyordu.

Bir kez daha, delilik bu, delilik, delilik, diye geçirdi içinden. Buraya, yakayı ele vermeden, olsa olsa birkaç hafta gelebilirlerdi. Ama tümüyle kendilerine ait, üstelik bir evin içinde ve yakınlarda gizli bir yere sahip olmanın çekiciliğine dayanamamışlardı. Bir süre kilisenin çan kulesinde buluştuktan sonra bir türlü bir araya gelememişlerdi. Nefret Haftası yaklaşırken çok daha fazla çalışmaya başlamışlardı. Gerçi Nefret Haftası'na daha bir aydan fazla vardı, bitmek tükenmek bilmeyen yoğun hazırlıklar yüzünden herkes fazla mesai yapmak zorunda kalmıştı. En sonunda aynı gün öğleden sonra serbest kalmayı başarmışlar, yeniden ormandaki açıklığa gitmeye karar vermişlerdi. Bir önceki akşam da kısa süreliğine sokakta buluşmuşlardı. Kalabalığın ortasında birbirlerine yaklaştıklarında Winston her zaman olduğu gibi Julia'ya doğru dürüst bakamamış, ama göz ucuyla baktığında onun her zamankinden daha solgun olduğunu fark etmişti.

Julia, rahatça konuşabilecekleri kanısına varınca, "Buluşmamız yattı," diye mırıldanmıştı. "Yarın yani."

"Anlamadım."

"Yarın öğleden sonra. Gelemiyorum."

"Nedenmiş o?"

"Ah, malum neden işte. Bu kez erken başladı."

Winston bir an büyük bir öfkeye kapılmıştı. Julia'yla tanıştığı ay içerisinde ona duyduğu isteğin niteliği değişmişti. Başlangıçta bu istek pek o kadar şehvetli değildi. İlk seferinde inadına sevişmişlerdi. Ama ikinci sevişmeden sonra her şey değişmişti. Saçının kokusu, dudaklarının tadı, teninin dokunumu iliğine işlemiş, aklını başından almıştı. Winston onsuz edemez olmuştu, Julia yalnızca istediği değil, hak kazandığını düşündüğü bir şey olup çıkmıştı. Gelemeyeceğini söylediğinde, aldatıldığı hissine kapılmıştı. Ama tam o anda kalabalık onları birbirine yanaştırınca, elleri buluşuvermişti. Julia, Winston'ın parmaklarının ucunu istekle değil de, sevecenlikle sıkıp bırakmıştı. Winston da, insan bir kadınla yaşadığında bu düş kırıklığı çok olağan, sık sık yinelenen bir şey olsa gerek, diye geçirmişti aklından; birden, Julia'ya karşı daha önce hiç duyumsamadığı bir sevecenlik kaplamıştı yüreğini. İçinden, keşke on yıllık evli bir çift olsaydık, demişti. Keşke onunla sokaklarda şimdiki gibi, ama gönül rahatlığıyla ve korkusuzca yürüyor, havadan sudan konuşuyor, eve bir şeyler alıyor olsaydık, diye geçirmişti gönlünden. En çok da, her buluştuklarında kendilerini ille de sevişmek zorunda hissetmeden birlikte olabilecekleri bir yerleri olmasını istemişti. Bay Charrington'ın odasını kiralamak da, tam o sırada değil, ertesi gün aklına gelmişti. Bu konuyu Julia'ya açtığında, o da umulmadık bir biçimde hemen kabul etmişti. İkisi de bunun çılgınlık olduğunun farkındaydı. Sanki ölümlerine susamışlardı. Winston, şimdi yatağın kenarına oturmuş beklerken, bir kez daha Sevgi Bakanlığı'nın mahzenlerini düşünüyordu. İşin tuhafı, o kaçınılmaz dehşet insanın aklından çıkmıyordu. Ölümden önce yaşamak zorunda oldukları dehşet, iki kere ikinin dört etmesi kadar kesin bir biçimde gelecekte onları bekliyordu. Kaçınılması olanaksız da olsa ertelenebilirdi belki; ama insan zaman zaman, bile isteye yaptıklarıyla süreyi kısaltmayı seçiyordu.

Tam o sırada, merdivenin hızlı hızlı çıkıldığını duymasıyla Julia'nın odadan içeri dalması bir oldu. Bakanlık'ta bazen oradan oraya taşırken gördüğüne benzer, çadır bezinden bir alet çantası vardı elinde. Winston onu kucaklamak için yerinden fırladıysa da, Julia, biraz da elinde alet çantası olduğu için, kollarının arasından sıyrılıverdi.

"Bir saniye," dedi. "Bırak da, neler getirdiğimi göstereyim. O iğrenç Zafer Kahvesi'ni buraya da getirdin, değil mi? Biliyordum. At gitsin, artık gerek kalmadı. Bak."

Diz çöküp çantayı ardına kadar açtı, en üstte birkaç ingilizanahtarıyla bir tornavida duruyordu, onları çıkarıp bir kenara koydu. Çantanın altına özenle yerleştirilmiş kâğıt paketler göründü. Winston'a uzattığı ilk paketin tuhaf ama biraz da bildik bir yumuşaklığı vardı. Dokunulduğunda içeri gömülen ağır, kum gibi bir şeyler vardı içinde.

"Yoksa şeker mi?" diye sordu Winston.

"Hem de gerçek şeker. Sakarin değil, şeker. Bak, bu da ekmek, mis gibi beyaz ekmek, bizim o berbat ekmekten değil. Al sana, küçük bir kavanoz da reçel. Bu teneke kutuda da süt var. Ama asıl sürpriz burada! Bununla gerçekten övünebilirim işte. Beze sarmam gerekti, neden dersen..."

Ama neden beze sardığını açıklamasına gerek kalmadı. Winston'ın çocukluğundan tütüp gelen, ama şimdilerde bile arada sırada, ansızın kapatılan bir kapıdan dışarıya taşan ya da kalabalık bir caddeye gizemli bir biçimde yayılırken bir an duyulup sonra birden yiten o kopkoyu, sımsıcak koku odayı sarmıştı bile.

Winston, "Kahve," diye mırıldandı, "evet, gerçek kahve."

"İç Parti kahvesi," dedi Julia. "Tam bir kilo."

"Bütün bunları nereden buldun?"

"Hepsi İç Parti'nin. O domuzlarda yok yok. Neyse ki, garsonlar, uşaklar ve halktan insanlar onlardan ufak ufak araklıyorlar. Bak, küçük bir paket de çay getirdim."

Winston, Julia'nın yanına çökmüştü. Paketin ucunu yırttı.

"Gerçek çay. Böğürtlen yaprağı değil."

Julia, "Son zamanlarda çay bollaştı," dedi kaygısızca. "Hindistan'ı mı ele geçirdiler, ne? Neyse, boş ver, canım, şimdi sen beni dinle. Bir iki dakika arkanı döner misin? Git, yatağın öbür tarafına otur. Pencereye fazla yaklaşma. Ben söyleyene kadar da sakın arkanı dönme."

Winston, muslin perdeden dalgın dalgın aşağıya baktı. Kolları pençe pençe olmuş kadın avluda çamaşır leğeni ile çamaşır ipi arasında hâlâ mekik dokuyordu. Ağzında tuttuğu iki mandalı aldı ve acıklı bir şarkı tutturdu:

Derler ki zaman her şeyi iyi edermiş,
Zamanla her şey unutulur gidermiş,
Bir de bana sor, o gözyaşları ve kahkahalar,
Bugün hâlâ canımı yakar, yüreğimi dağlar!

Belli ki, içler acısı şarkıyı baştan sona ezbere biliyordu. Güzelim yaz havasında hoş bir ezgiyle yükselen sesi sanki mutlu bir karasevdayla yüklüydü. Şu haziran akşamı hiç bitmese, leğendeki çamaşırlar hiç tükenmese, orada yıllarca bebek bezlerini mandallayıp ipe sapa gelmez şarkılar söyleyip dursa, dünyanın en mutlu insanı olacaktı sanki. Ama Winston, birden, o güne kadar bir tek Parti üyesinin bile kendi başına ve içinden gelerek şarkı söylediğini duymamış olmasının ne kadar tuhaf olduğunu fark etti. Bir Parti üyesinin şarkı söylemesi herhalde hem bir yozluk hem de kendi kendine konuşmak kadar tehlikeli bir gariplik olarak görülürdü. Kim bilir, belki de, insanlar ancak açlık başlarına vurduğu zaman şarkı söylüyorlardı.

"Artık dönebilirsin," dedi Julia.

Winston arkasına dönünce onu bir an tanıyamadı. Aslında Julia'yı çırılçıplak görmeyi bekliyordu. Ama çıplak değildi. Gördüğü değişiklik çok daha şaşırtıcıydı. Makyaj yapmıştı.

Demek, proleter mahallesinde bir dükkâna girip bir sürü makyaj malzemesi almıştı. Dudaklarını kıpkırmızı boyamış, yanaklarına allık sürmüş, burnunu pudralamıştı; gözlerinin altına bile, daha parlak gösteren bir şey sürmüştü. Gerçi makyaj pek ustaca yapılmamıştı, ama Winston'ın bu konuda üstün bir beğenisi olduğu da söylenemezdi. Şimdiye kadar Partili bir kadını makyajlı olarak ne görmüş ne de hayal etmişti. Julia'nın görünüşündeki değişim şaşırtıcıydı. Doğru yerleri azıcık renklendirmek onu daha da güzelleştirmekle kalmamış, çok daha kadınsı kılmıştı. Ayrıca, kısacık saçları ve tulumuyla

171

bir oğlan çocuğunu andırması, onu daha da dişi kılıyordu. Winston, Julia'yı kollarına aldığında, burnuna ucuz bir menekşe parfümünün kokusu çarptı. Bodrum katındaki mutfağın loş ışığını ve o kadının tek bir diş kalmamış ağzını anımsadı. Julia da aynı parfümü sürmüştü, ama o anda bir önemi yoktu.

"Demek parfüm de sürdün!" dedi.

"Evet, canım, parfüm de sürdüm. Bir dahaki gelişimde ne yapacağım biliyor musun? Bir yerden gerçek bir kadın elbisesi bulup şu rezil pantolonun yerine onu giyeceğim. Ayrıca ipek çoraplar ve yüksek topuklu ayakkabılar giyeceğim! Bu odadan içeri girdiğimde, Partili bir yoldaş değil, bir kadın olacağım."

Üstlerindekileri çıkarıp fırlattıkları gibi, koskocaman maun karyolaya attılar kendilerini. Winston, Julia'nın önünde ilk kez çırılçıplak soyunuyordu. Şimdiye kadar bembeyaz ve çelimsiz gövdesinden, baldırlarındaki varisli damarlardan, ayak bileğinin üzerindeki soluk çıbandan o kadar utanmıştı ki. Yatakta çarşaf yoktu, ama üstlerine örttükleri eski battaniye yumuşaktı; karyolanın çok geniş ve yaylı olması ikisini de çok şaşırtmıştı. Julia, "Tahtakurusundan geçilmiyordur herhalde, ama kimin umurunda," dedi. Çift kişilik karyolalara, proleterlerin evleri dışında, artık pek rastlanmıyordu. Winston'ın, çocukluğunda böyle karyolalarda yattığı olmuştu; Julia ise anımsadığı kadarıyla böyle bir karyolada hiç yatmamıştı.

Çok geçmeden uykuya daldılar. Winston uyandığında saat dokuza geliyordu. Hiç kıpırdamadı, çünkü Julia' nın başı kolunun üstündeydi. Makyajının Winston'ın yüzüne ve yastığa bulaşmış olmasına karşın, yüzünde kalan hafif allık gamzesinin güzelliğini ortaya çıkarıyordu. Batmakta olan güneşin sarı ışınları karyolanın ayakucuna vuruyor, cezvedeki suyun fokurdadığı ocağı aydınlatıyordu. Avludaki kadın şarkıyı kesmişti, ama uzaktan uzağa sokaktaki çocukların bağırtıları geliyordu. Winston, artık belleklerden silinmiş olan geçmişte, bir kadınla bir erkeğin serin bir yaz akşamı yatakta böyle çırılçıplak yatmaları, kendilerini kalkmak zorunda hissetmeden diledikleri zaman sevişmeleri, akıllarına geleni konuşmaları, orada öylece uzanıp dışarıdan gelen dingin sesleri dinlemeleri olağan bir şey miydi, diye geçirdi aklından. Bütün bunların olağan karşılandığı bir dönem asla yaşanmış olamazdı. Tam o sırada uyanan Julia dirseği üstünde doğrulup gaz sobasına baktı.

"Suyun yarısı buhar olup uçtu," dedi. "Şimdi kalkar, kahveyi yaparım. Bir saatimiz var. Senin apartmanda ışıkları kaçta kesiyorlar?"

"Yirmi üç otuzda."

"Yurtta yirmi üçte kesiyorlar. Ama içeriye daha erken girmek zorundasın, çünkü... Hişt! Defol, iğrenç yaratık!"

Birden yataktan aşağıya eğildi, yerden kaptığı bir ayakkabıyı, o sabah İki Dakika Nefret sırasında Goldstein'a sözlüğü nasıl fırlattıysa, tıpkı bir oğlan çocuğu gibi odanın köşesine fırlatıverdi.

Winston, şaşkınlık içinde, "Neydi o?" diye sordu.

"Sıçan. Ahşap kaplamanın arasından çirkin burnunu çıkardığını gördüm. Orada bir delik var. Neyse, ödü bokuna karıştı."

"Sıçan ha!" diye mırıldandı Winston. "Bu odada!"

Julia, yeniden yatağa uzanırken, "Ohoo, her yerde cirit atıyorlar," dedi umursamaz bir sesle. "Bizim yurdun mutfağında bile yakaladık. Londra'nın bazı mahalleleri kum gibi sıçan kaynıyor. Biliyor musun, çocuklara saldırıyorlar. Evet, resmen çocukların üstüne atlıyorlar. Öyle sokaklar var ki, kadınlar bebeklerini iki dakika yalnız bırakamıyorlar. Hani şu iri, kahverengi olanlar var ya, onlar işte. En fecisi de bu yaratıkların hep..."

Winston, gözleri sımsıkı kapalı, "Yeter, uzatma!" dedi.

"Bir tanem! Sapsarı kesildin. Ne oldu? Miden mi bulandı yoksa?"

"Sıçandan daha korkunç bir şey yoktur bu dünyada!"

Julia ona iyice sokuldu, bedeninin sıcaklığıyla güven vermek için kolları ve bacaklarıyla sarıp sarmaladı Winston'ı. Winston gözlerini hemen açmadı. Yaşamı boyunca zaman zaman gördüğü bir karabasanı bir kez daha görür gibi olmuştu. Hiç değişmiyordu. Karanlık bir duvarın önünde duruyordu; duvarın öbür yanında dayanılmaz bir şey, görmeyi göze alamayacağı bir şey vardı. Rüyasında, aslında karanlık duvarın ardında ne olduğunu bildiği için hep kendi kendini kandırdığı duygusuna kapılıyordu. O şeyi, beyninin bir parçasını kopartıp çıkarıyormuşçasına korkunç bir çabayla tutup ortaya çıkarabilecekti sanki. Ama her seferinde, o şeyin ne olduğunu anlayamadan uyanıyordu; gel gör ki, lafını ağzına tıkadığında Julia'nın söylemekte olduğu şeyle bir bağlantısı vardı.

"Kusura bakma," dedi; "bir şey yok. Sıçanlardan nefret ederim de."

"Merak etme, bir tanem, o iğrenç yaratıklar buraya asla giremeyecek. Gitmeden kalın bir bezle tıkarım deliği. Bir dahaki gelişimizde de alçıyla sıvayıp kapatırım orayı."

Winston'ın kapıldığı ürkü biraz olsun yatışmıştı. Biraz da utanarak doğruldu, yatağın başucuna yaslandı. Julia kalkıp tulumunu giydi, kahveyi yaptı. Cezveden yükselen koku o denli yoğun ve çekiciydi ki, kimse fark edip kuşkulanmasın diye pencereyi kapatmak zorunda kaldılar. Kahvenin tadına bir diyecek yoktu, ama gerçek şekerle yapılmış kahvenin köpüğü olağanüstüydü, yıllardır şeker yerine sakarin kullanan Winston'ın nerdeyse unuttuğu bir şeydi bu. Julia, bir eli cebinde, bir elinde reçelli ekmek, odanın içinde geziniyor, kitaplığa öylesine göz gezdiriyor, açılır kapanır masanın neresinin onarılacağını gösteriyor, rahat olup olmadığını anlamak için kendini eski kanapeye bırakıyor, on iki rakamlı tuhaf saati muzip bakışlarla inceliyordu. Cam ağırlığı, ışıkta daha iyi görebilmek için yatağın yanına getirdi. Winston onu Julia'nın elinden aldı, iri bir yağmur damlasını andıran cama bir kez daha büyülenerek baktı.

"Sence nedir bu?" dedi Julia.

"Bence hiçbir şey değil... Diyeceğim, bir işe yaradığını sanmıyorum. O yüzden hoşuma gidiyor ya. Tarihin, değiştirmeyi unuttukları küçücük bir parçası. Yüz yıl önceden bir bildiri, okumasını bilene kuşkusuz."

"Ya şuradaki resim" –karşı duvardaki gravürü gösterdi– "o da yüz yıllık var mıdır?"

"Daha fazla. İki yüz yıllık falan olabilir. Kim bilir. Bugünlerde hiçbir şeyin yaşı anlaşılmıyor ki."

Julia gidip yakından baktı. Resmin hemen altındaki deliğe ayağıyla vurarak, "O pis hayvan burnunu buradan çıkardı işte," dedi. "Burası neresi dersin? Daha önce gördüm sanki."

"Bir kilise ya da bir zamanlar kiliseymiş. St. Clement Kilisesi'ymiş adı." Aklına, Bay Charrington'ın öğrettiği çocuk şarkısının sözleri geldi ve burnunun direği sızlayarak ekledi: "'Portakal var, limon var' diye çalar çanları St. Clement'in!"

Julia onun kaldığı yerden alıp devam edince, ağzı açık kaldı:

"Nerde benim üç çeyreğim" diye çalar çanları
St. Martin'in,
"Ödesene şu borcunu" diye çalar çanları
Old Bailey'nin...

"Sonrası nasıldı, hatırlamıyorum. Ama sonu aklımda, şöyle bitiyordu: 'Al şu mumu, doğru yatağına, yoksa yersin baltayı kafana!'"

Şarkı birbirini bütünleyen dizelerle sürüp gidiyordu. Ama "... diye çalar çanları Old Bailey'nin" sözlerinin ardından gelen bir dize daha olmalıydı. Belki biraz zorlasalar Bay Charrington anımsayıverirdi.

Winston, "Kim öğretti bunu sana?" diye sordu.

"Dedem. Küçükken hep söylerdi bana. Ben sekiz yaşındayken buharlaştırıldı, senin anlayacağın ortadan kayboldu," diye yanıtladı Julia. Sonra da hiç ilgisi yokken, "Limonun ne olduğunu hep merak etmişimdir," diye ekledi. "Portakal gördüm ama. Kalın kabuklu, sarı, yuvarlak bir meyve işte."

"Ben limonu hatırlıyorum," dedi Winston. "Ellili yıllarda çok vardı. O kadar ekşiydi ki, koklamak bile dişlerini kamaştırırdı."

"Bahse girerim, resmin arkası tahtakurusundan geçilmiyordur," dedi Julia. "Bir gün indireyim de, bir güzel temizleyeyim. Artık çıksak iyi olacak sanırım. Şu makyajı sileyim. Of, sıkıldım! Sonra da senin yüzündeki dudak boyalarını çıkarırım."

Winston yatakta biraz daha kaldı. Oda kararmaktaydı. Işığa doğru döndü, yattığı yerden cam kâğıt ağırlığını seyre daldı. İnsanın ondan gözünü alamamasının nedeni, içindeki mercan parçasından çok, bütünüyle camın içerisiydi. Dipsiz bir kuyu gibi olmasına karşın, handiyse hava kadar saydamdı. Sanki camın yüzeyi gökkubbeydi de, altında tekmil havaküresiyle küçük bir dünya vardı. Winston'a, bu küçük dünyanın içine girebilirmiş, dahası maun karyola, açılır kapanır masa, saat, çelik gravür ve kâğıt ağırlığının kendisi de bu dünyanın içindeymiş gibi geliyordu. Kâğıt ağırlığı Winston'ın içinde bulunduğu odaydı, mercan parçası da Julia'nın ve kendisinin kristalin tam ortasına sonsuza dek yerleşmiş yaşamları.

V

Syme yok olmuştu. Bir sabah bir de bakmışlardı ki, işe gelmemiş: Birkaç münasebetsiz, Syme'ın işe gelmemesine laf etti. Ertesi gün ise kimse ondan söz etmedi. Üçüncü gün Winston, Arşiv Dairesi'nin önüne gidip duyuru tahtasına baktı. Duyurulardan birinde, aralarında Syme'ın da bulunduğu Satranç Kurulu üyelerinin listesi yer alıyordu. Listede bir değişiklik yokmuş gibi görünüyordu, hiçbir adın üstü çizilmemişti, ama bir ad eksikti. Syme artık yoktu: Hiç var olmamıştı.

Ortalık kavruluyordu. Labirenti andıran Bakanlık'ta penceresiz, klimalı odalar normal sıcaklıklarını koruyordu, ama dışarıda kaldırımlarda yürüyen insanların ayakları yanıyor, yoğun saatlerde metrolar leş gib kokuyordu. Nefret Haftası'nın hazırlıkları bütün hızıyla sürüyor, Bakanlıklarda çalışanlar her gün fazla mesai yapıyorlardı. Geçit törenlerinin, mitinglerin, askerî törenlerin, konuşmaların, balmumu heykel sergilerinin, film gösterimlerinin, tele-ekran izlencelerinin örgütlenmesi gerekiyordu; tribünler kurulacak, resimler asılacak, sloganlar bulunacak, şarkılar yazılacak, söylentiler yayılacak, fotoğraflar çarpıtılacaktı. Julia'nın Kurgu Dairesi'ndeki bölümünde, roman üretimine ara vermişler, haldır haldır vahşet broşürleri hazılıyorlardı. Winston, gündelik işlerinin yanı sıra, her gün zamanının önemli bir bölümünü *Times* gazetesinin eski sayılarını incelemeye, konuşmalarda alıntı yapılacak haberleri değiştirip çarpıtmaya ayırıyordu. Gecenin geç saatlerinde, bıçkın proleterler sokaklarda kabadayılık taslayarak dolaşırlarken, kentte bir kıyamettir gidiyordu. Kente her zamankinden daha çok tepkili bomba yağıyor, bazen uzaklarda büyük patlamalar oluyor, bunları kimse açıklayamadığı için de inanılmaz söylentiler yayılıyordu.

Nefret Haftası'nın simgesi olarak kullanılacak yeni şarkı (Nefret Şarkısı deniyordu) çoktan bestelenmiş, tele-ekranlarda durmadan çalınıyordu. Buna müzik demek zordu, tamtam seslerini andıran yabanıl, kaba bir ritmi vardı. Yürüyüşe geçenlerin raprapları eşliğinde yüzlerce kişi tarafından haykırıldığında, insan yüreğine korku salıyordu. Proleterler bu şarkıya bayılmışlardı; gece yarıları sokaklarda, hâlâ çok sevilen "Beyhude bir hayaldi" şarkısıyla yarıştığı söylenebilirdi. Parsonsların çocukları, sabahtan akşama kadar bir tarak ve tuvalet kâğıdıyla bu şarkıyı çalarak kafa şişiriyorlardı. Artık akşamları Winston'ın başını kaşımaya vakti olmuyordu. Parsons'ın örgütlediği gönüllü mangaları, caddeyi Nefret Haftası'na hazır ediyorlardı: Bayraklar ve posterler hazırlıyorlar, çatılara gönderler dikiyorlar, flamaların asılması için tehlikeyi göze alarak caddenin üzerine teller geriyorlardı. Parsons, yalnızca Zafer Konaklarına çekilecek dört yüz metre uzunluğundaki flamayı anlata anlata bitiremiyordu. Tam havasını bulmuştu, nerdeyse zil takıp oynayacaktı. Havalar iyice ısındığı ve ırgat gibi çalıştığı için, akşamları kısa pantolon ve kısa kollu gömlek giyme fırsatını bulmuştu. Oradan oraya koşturuyor, canla başla çalışıyor, dolap beygiri gibi dönüp duruyor, herkesi yoldaşça uyarı ve öğütlerle gayrete getiriyor, tüm bunları yaparken de tepeden tırnağa tere batıyor, gövdesinden ekşi bir ter kokusu yayılıyordu.

Londra'nın dört bir yanında yeni bir poster belirivermişti. Üstünde hiçbir yazı yoktu, yalnızca Avrasyalı bir askerin üç dört metre yüksekliğinde, korkunç bir resminden oluşuyordu; Moğol yüzünde anlamsız bir ifade, ayaklarında kocaman postallar, yarı makineli tüfeğini yukarıya doğrultmuş, yürüyordu. Hangi açıdan bakarsanız bakın, silahın büyültülmüş namlusu size çevrilmiş gibi

178

görünüyordu. Duvarların her yerine yapıştırılmış olan bu posterlerin sayısı Büyük Birader posterlerini bile geride bırakmıştı. Savaşa karşı genellikle ilgisiz kalan proleterler, dönemsel yurtseverlik cinnetlerinden birine kışkırtılıyorlardı. Genel havaya ayak uydurmak istercesine, tepkili bombalar her zamankinden daha çok sayıda insanın canını alıyordu. Bombalardan biri Stepney'deki kalabalık bir sinemaya düşmüş, yüzlerce kişi yıkıntıların altında can vermişti. Çevre halkının katıldığı büyük cenaze töreni saatlerce bitmek bilmemiş ve sonunda öfkeli bir protesto mitingine dönüşmüştü. Başka bir bomba da çocukların oynadıkları boş bir arsaya isabet etmiş, kırkelli çocuk paramparça olmuştu. Daha başka lanetleme gösterileri de düzenlenmişti: Goldstein'ın resimleri yakılmış, yüzlerce Avrasyalı asker posteri yırtılarak ateşe verilmiş, bu kargaşada pek çok dükkân yağmalanmıştı; ardından, tepkili bombaların casuslar tarafından telsiz dalgalarıyla yönlendirildiği söylentisi yayılmış, çok geçmeden yabancı kökenli olduğundan kuşkulanıldığı için evi kundaklanan yaşlı bir çift dumandan boğularak yaşamını yitirmişti.

Julia ile Winston, Bay Charrington'ın dükkânının üst katındaki odaya gidebildiklerinde, serinlemek için çırılçıplak soyunup açık pencerenin altına yan yana uzanıyorlardı. Sıçan bir daha görünmemişti, ama sıcakların artmasıyla birlikte tahtakuruları büyük bir hızla çoğalmıştı. Ne ki, umursadıkları yoktu. Odanın kirliliği, temizliği umurlarında değildi, onlar için bir cennetti burası. İçeri girer girmez odadaki her şeyin üstüne karaborsadan aldıkları karabiberi serpiyorlar, giysilerini çıkarıp attıkları gibi gövdeleri kan ter içinde kalıncaya kadar seviştikten sonra uyuyakalıyorlardı; uyandıklarında, bir de bakıyorlardı, tahtakuruları toplanmış, karşı saldırıya geçmeye hazırlanıyor.

179

Haziran ayı boyunca dört, beş derken, altı yedi kez buluştular. Winston, her saat cin içme alışkanlığını bırakmıştı. Anlaşılan, böyle bir gereksinim duymuyordu artık. Biraz kilo almıştı, varis çıbanı geçmiş gibiydi, ayak bileğinin hemen üstünde yalnızca kahverengi bir leke kalmıştı, sabahın erken saatlerinde gelen öksürük nöbetleri de kesilmişti. Hayatı eskisi kadar dayanılmaz bulmadığı gibi, tele-ekrana dilini çıkartarak dalgasını geçmek ya da avazı çıktığı kadar haykırarak lanetler yağdırmak gelmiyordu içinden. Artık güvenli bir sığınakları, handiyse bir yuvaları vardı ya, ara sıra, o da birkaç saatliğine buluşabilmek o kadar zoruna gitmiyordu. Eskici dükkânının üst katındaki odanın varlığı yetiyordu. Odanın orada onları beklediğini bilmek, orada bulunmaktan farksızdı. Bambaşka bir dünyaydı orası, soyu tükenmiş hayvanların gezinebildiği, geçmişten bir köşeydi. Winston, Bay Charrington'ı da soyu tükenmiş bir hayvan olarak görüyordu. Çoğu kez, Bay Charrington'la birkaç dakika sohbet etmeden yukarıya çıkmıyordu. Dükkândan dışarı pek adımını atmayan yaşlı adamın nerdeyse hiç müşterisi yok gibiydi. Daracık, karanlık dükkân ile arka tarafta yemeklerini yaptığı, bir sürü döküntünün yanı sıra kocaman borusuyla antika bir gramofonun durduğu ufacık mutfak arasında ruh gibi yaşıyordu. Birisiyle konuşma olanağı bulmaktan memnun görünüyordu. Dükkânı dolduran değersiz nesneler arasında gezinirken, uzun burnu, kalın gözlüğü ve kadife ceketinin içindeki düşük omuzlarıyla, bir esnaftan çok bir koleksiyoncuya benziyordu. Belli belirsiz bir coşkuyla Winston'a porselen bir şişe tapasını, kırık bir enfiye kutusunun boyalı kapağını ya da çok önce ölmüş bir bebeğin saç telinin bulunduğu, altın taklidi bir madalyonu gösterirdi; satın alır diye değil de, hoşuna gider diye. Bay Charrington'la sohbet ederken insan eski bir müzik kutusunu dinler gibi oluyordu. Sonradan, belleğinin kuytularından unutulmuş çocuk şarkılarından birkaç dize daha çıkarmıştı. Birinde yirmi dört karatavuktan, birinde boynuzu örselenmiş bir öküzden, birinde de bahtsız bir erkek ardıçkuşunun ölümünden söz ediliyordu. Ne zaman yeni bir dize okuyacak olsa, alçakgönüllü bir gülümseyişle, "İlginizi çeker diye düşündüm de," diyordu. Gel gör ki, hiçbirinde birkaç dizeden fazlasını anımsayamıyordu.

Julia da, Winston da, yaşamakta olduklarının uzun sürmeyeceğinin farkındaydılar; bu gerçek hiç akıllarından çıkmıyordu. Kimileyin ölümün, üstünde yattıkları yatak kadar yakın olduğunu apaçık duyumsuyorlar, işte o zaman ölümün eşiğinde son bir zevk anını yaşamak isteyen bir karayazgılı gibi, umarsız bir şehvetle birbirlerine sarılıyorlardı. Ama zaman zaman, yalnızca güvende oldukları değil, bu ilişkinin hiç bitmeyeceği yanılsamasına da kapılmıyor değillerdi. İkisi de, bu odada bulundukları sürece başlarına hiçbir şey gelmeyeceğini sanıyordu. Buraya ulaşmak hem zor hem de tehlikeliydi, ama bu oda onlar için bir sığınaktı. Winston, kâğıt ağırlığını seyre daldığında, o cam dünyanın içine girilebileceğini ve içine girildi mi de zamanın durdurulabileceğini aklından geçirmişti ya, işte öyle bir şeydi bu da. Sık sık kaçış hayalleri kurmaktan alamıyorlardı kendilerini. Talihleri yaver gidebilir ve kurdukları düzeni hayatlarının sonuna kadar sürdürebilirlerdi. Ya da Katharine ölebilir, onlar da bir yolunu bulup evlenebilirlerdi. Ya da birlikte canlarına kıyabilirlerdi. Ya da sırra kadem basıp kimsenin tanıyamayacağı bir kılığa bürünebilir, proleter ağzıyla konuşmayı öğrenip bir fabrikada çalışmaya başlayabilir, arka sokaklardan birinde gözlerden uzak yaşayıp gidebilirlerdi. Ama ikisi de bunların hepsinin ne kadar saçma olduğunun farkındaydı. Gerçekte hiçbir kaçış yoktu. Tek uygulanabilir yol olan intiharı ise akıllarının ucundan bile geçirmiyorlardı. Her gün, her saat hayata dört elle sarılmak, gelecekten yoksun olduğunu bile bile günübirlik yaşamayı sürdürmek, tıpkı hava olduğu sürece nefes almayı bırakmamak gibi karşı konulmaz bir içgüdüydü.

Bazen de, Parti'ye karşı bir isyan eylemine girişmekten söz ediyorlardı, ama nereden başlayacakları konusunda en küçük bir fikirleri yoktu. Dillere destan Kardeşlik örgütünün gerçekten var olduğu düşünülse bile, bu örgüte katılmak hiç de kolay olmasa gerekti. Winston, Julia'ya, O'Brien'la arasında tuhaf bir yakınlık olduğundan ya da en azından kendisinin böyle sandığından söz etmişti: Bazen, O'Brien'a gidip Parti'ye düşman olduğunu açıklamak ve kendisine yardım etmesini istemek geçiyordu içinden. Nedense, Winston'ın bu düşüncesi Julia'ya fazla gözüpek gelmemişti. İnsanları yüzlerine bakarak tanımakta deneyimli sayılırdı; o yüzden, Winston'ın bir anlık göz göze gelişe dayanarak O'Brien'ın güvenilir olduğuna inanmasını doğal karşılamıştı. Kaldı ki, herkesin ya da hemen hemen herkesin Parti'den gizlice nefret ettiği ve başına bir şey gelmeyeceğini bilse kuralları çiğneyebileceği kanısındaydı. Ama yaygın ve örgütlü bir muhalefetin var olduğuna da, var olabileceğine de doğrusu pek inanmıyordu. Goldstein ve onun yeraltı ordusuyla ilgili hikâyelerin, Parti'nin kendi amaçları için uydurduğu ve herkesin de inanıyormuş gibi görünmek zorunda kaldığı bir sürü saçmalıktan başka bir şey olmadığını söylüyordu. Parti toplantılarında ve kendiliğinden düzenlenen gösterilerde, kim bilir kaç kez, adlarını bile duymadığı ve söylenen suçları işlediklerine zerre kadar inanmadığı insanların idam edilmeleri için yeri göğü inletmişti. Bu insanlar topluca yargılanırken, bütün gün mahkemeyi kuşatarak aralarda, "Hainlere ölüm!" diye haykıran Gençlik Birliği müfrezelerinde yer almıştı. İki Dakika Nefret toplantılarında Goldstein'a sövgüler yağdırılırken sesi ayyuka çıkmıştı. Oysa Goldstein'ın kim olduğu konusunda da, savunduğu söylenen öğretiler konusunda da en küçük bir fikri yoktu. Devrim'den sonra yetişen kuşaktandı ve ellilerle altmışların ideolojik savaşlarını anımsayamayacak kadar gençti. Bağımsız bir siyasal hareketin var olabileceğini hayal bile edemezdi; kaldı ki, Parti'nin yenilgiye uğratılması olanaksızdı. Parti hep var olacak ve hep aynı kalacaktı. Parti'ye ancak gizli itaatsizliklerle ya da en çok birini öldürmek ya da bir yeri havaya uçurmak gibi birbirinden kopuk şiddet eylemleriyle baş kaldırabilirdiniz.

Julia bazı bakımlardan Winston'dan çok daha uyanıktı ve Parti propagandasından çok daha az etkileniyordu. Bir gün Winston bir vesileyle Avrasya'ya karşı savaştan söz açacak olduğunda, Julia hiç umursamadan, savaş olduğuna inanmadığını söyleyerek onu şaşkınlık içinde bırakmıştı. Her gün Londra'nın tepesine inen tepkili bombalar, olasılıkla, "sırf halka korku vermek için" Okyanusya Hükümeti tarafından atılıyordu. Bu, açıkçası, hiç aklına gelmemişti Winston'ın. Sonra, Julia, İki Dakika Nefret sırasında makaraları koyvermemek için kendini zor tuttuğunu söylediğinde, Winston ona imrenmeden edememişti. Ne var ki, Julia, Parti öğretilerini yalnızca kendi yaşamına iliştiği ölçüde sorguluyordu. Doğru ile yalan arasındaki farkı önemsemediği için, resmî ağızlardan yayılan hikâyeleri çoğu zaman kolayca kabulleniyordu. Örnekse, okulda öğretildiği gibi, uçağı Parti'nin icat etmiş olduğuna inanıyordu. (Winston, kendisinin okula gittiği ellili yılların sonlarında, Parti'nin yalnızca helikopteri icat ettiğini ileri sürdüğünü anımsıyordu; on yıldan fazla bir zaman sonra, Julia'nın okula gittiği günlerde ise uçağın da Parti'nin buluşu olduğu öne sürülmeye başlamıştı; anlaşılan, Parti bir kuşak sonra buharlı makinenin icadına da sahip çıkacaktı.) Winston, uçakların kendisi daha doğmadan, Devrim'den çok önceleri de var olduğunu söylediğinde, Julia umursamamıştı bile. Uçağın kimin icadı olduğunun ne önemi vardı ki? Winston'ı asıl şaşkınlığa düşüren ise, bir sohbet sırasında, Julia'nın Okyanusya'nın daha dört yıl önceye kadar Doğuasya'yla savaşta, Avrasya'yla barışta olduğunu anımsamadığını keşfetmesi olmuştu. Savaşı tümüyle bir saçmalık olarak gördüğü açıktı; ama belli ki, düşmanın adının değiştiğini fark etmemişti bile. Pek de ilgilenmeden, "Ben hep Avrasya'yla savaşta olduğumuzu sanıyordum," demesi, Winston'ı az da olsa ürkütmüştü. Uçak Julia dünyaya gelmeden çok önce icat olmuştu, savaşılan düşmanın değişmesi ise daha dört yıl önceye, Julia'nın artık çoktan yetişkin olduğu bir döneme rastlıyordu. Winston, Julia'yla bu konuyu belki on beş dakika tartışmıştı. Sonunda, Julia'nın belleğini zorlamasını, bir zamanlar düşmanın Avrasya değil de Doğuasya olduğunu belli belirsiz de olsa anımsamasını sağlamıştı. Ne ki, Julia bu konuyu hâlâ önemsemiyordu. "Kimin umurunda?" demişti omuz silkerek. "Savaş savaştır, kan dökülür, üstelik verdikleri haberlerin hepsinin yalan olduğunu biliyoruz."

Winston, bazen de, Arşiv Dairesi'nden ve orada göz göre göre yaptığı sahtekârlıklardan söz ediyordu. Böyle şeyler karşısında dehşete kapılmıyordu Julia. Yalanların gerçeğe dönüştüğünü bilmek bile ona ürkünç gelmiyordu. Winston, ona Jones, Aaronson ve Rutherford'un başlarına gelenleri anlatmış, eline geçen o çok önemli fotoğraftan söz etmişse de, Julia pek etkilenmemişti. Dahası, ilk başta, olup bitenleri anlayamamıştı bile.

"Senin arkadaşların mıydılar?" diye sormuştu.

"Hayır," demişti Winston, "hiç tanımıyordum onları. İç Parti üyeleriydiler. Kaldı ki, benden çok yaşlıydılar. Eski günlerin, Devrim öncesinin insanlarıydılar. Şöyle bir görmüştüm onları, o kadar."

"O zaman neden bu kadar üzülüyorsun ki? Bir sürü insan durmadan öldürülmüyor mu?"

Ona anlatmaya çalışmıştı. "Bu apayrı bir durumdu. Birinin öldürülmesinden çok daha ciddi bir durum söz konusuydu. Geçmişin resmen silinip yok edildiğini kavramıyor musun? Geçmiş yalnızca şu cam parçası gibi, üstünde hiçbir şey yazmayan nesnelerde yaşıyor. Artık Devrim'le, Devrim'den önceki yıllarla ilgili hemen hiçbir şey bilmiyoruz. Bütün kayıtlar ya yok edilmiş ya da çarpıtılmış, bütün kitaplar yeniden yazılmış, bütün resimler yeniden yapılmış, bütün heykeller, sokaklar ve yapılar yeniden adlandırılmış, bütün tarihler değiştirilmiş. Üstelik bu işlem her gün, her dakika uygulanmaya devam ediyor. Tarih durdu. Parti'nin her zaman haklı olduğu sonsuz bir şimdiden başka bir şey yok. Geçmişin çarpıtıldığını *biliyorum*, ama bu çarpıtmaları ben yaptığım halde bunu asla kanıtlayamayacağım. İş bittikten sonra geride tek bir kanıt kalmıyor. Tek kanıt kafamın içinde ve benim anılarımı paylaşacak bir kişi daha var mı, bilemiyorum. Hayatım boyunca yalnızca bir kez gerçek, somut bir kanıt geçti elime, o da olaydan yıllar sonra."

"İyi de, ne işe yaradı?"

"Hiçbir işe yaramadı, çünkü birkaç dakika sonra fotoğrafı bellek deliğine attım. Bugün olsa saklardım."

"Açıkçası ben saklamazdım!" demişti Julia. "Tehlikeleri göze almaya hazırım, ama değecekse eğer, eski gazete parçaları için değil. Hem, saklasan bile ne yapabilirdin ki?"

"Fazla bir şey yapamazdım belki de. Ama basbayağı kanıttı işte. Birilerine göstermeye cesaret edebilseydim, hiç değilse birkaçının kulağına kar suyu kaçırabilirdim. Biz hayattayken herhangi bir şeyin değiştirilebileceğini düşünemiyorum. Yine de, küçük direniş grupları orada burada baş gösterebilir; bu küçük gruplar bir araya gelip yavaş yavaş büyüyebilir, dahası arkalarında birkaç belge bırakabilir, o zaman gelecek kuşak bizim bıraktığımız yerden devam edebilir."

"Gelecek kuşak beni ilgilendirmiyor, canım. Beni *bizim* ne olacağımız ilgilendiriyor."

"Sen yalnızca belden aşağısıyla ilgilenen bir asisin," demişti Winston.

Bu sözleri çok zekice bulan Julia sevinçle Winston'ın boynuna sarılmıştı.

Gerçekten de, Parti öğretisinin yol açtığı sonuçlar Julia'yı hiç ilgilendirmiyordu. Winston, İngsos ilkelerinden, çiftdüşünden, geçmişin değiştirilmesinden ve nesnel gerçekliğin yadsınmasından, Yenisöylem sözcüklerinin kullanılmasından ne zaman söz açacak olsa, Julia'nın canı sıkılıyor, kafası karışıyor, bu tür şeylere zerre kadar ilgi duymadığını söylüyordu. Bunların hepsinin saçma olduğunu bildiklerine göre, neden kaygılansınlardı ki? Ne zaman övmesi, ne zaman yermesi gerektiğini biliyordu ya, bu yeter de artardı bile. Sinir bozucu bir alışkanlık edinmişti: Winston bu tür konuları konuşmakta direttiğinde, uyuyakalıyordu. Hangi saatte, hangi konumda olursa olsun, uyuyabilen biriydi. Winston, Julia'yla konuşurken, bağnazlığın ne anlama geldiğini azıcık olsun kavramadan bağnaz gibi görünmenin ne kadar kolay olduğunu fark etmişti. Açıkçası, Parti'nin dünya görüşü, onu hiç anlayamayan insanlara çok daha kolay dayatılıyordu. Gerçekliğin en açık biçimde çarpıtılması böylelerine kolayca benimsetilebiliyordu, çünkü kendilerinden istenenin iğrençliğini hiçbir zaman tam olarak kavrayamadıkları gibi, toplumsal olaylarla yeterince ilgilenmedikleri için neler olup bittiğini de göremiyorlardı. Hiçbir şeyi kavrayamadıkları için hiçbir zaman akıllarını kaçırmıyorlardı. Her şeyi yutuyorlar ve hiçbir zarar görmüyorlardı, çünkü tıpkı bir mısır tanesinin bir kuşun bedeninden sindirilmeden geçip gitmesi gibi, yuttuklarından geriye bir şey kalmıyordu.

VI

Sonunda olmuştu işte. Beklenen mesaj gelmişti. Sanki yaşamı boyunca bunun olmasını beklemişti.

Bakanlık'taki uzun koridorda yürüyordu, tam Julia' nın eline pusulayı tutuşturduğu yere gelmek üzereydi ki, hemen arkasında kendisinden iri birinin yürümekte olduğunu fark etti. Arkasındaki, her kimse, bir şey söyleyecekmiş gibi hafifçe öksürdü. Winston birden durup arkasına döndü. Karşısında O'Brien'ı buldu.

En sonunda yüz yüzeydiler; Winston o anda kaçıp gitmek istedi oradan. Yüreği yerinden fırlayacak gibiydi. Dili tutulmuştu. O'Brien ise Winston'ın yanına geldi, dostça koluna dokundu, yan yana yürümeye başladılar. İç Parti üyelerinin pek çoğunda rastlanmayan ağırbaşlı bir incelikle konuşmaya başladı.

"Sizinle konuşmak için fırsat gözlüyordum," dedi. "Geçen gün *Times*'daki Yenisöylem yazılarınızdan birini okudum da. Anlaşılan, Yenisöylem'e bilimsel bir ilgi duyuyorsunuz."

Winston biraz toparlanmıştı. "Doğrusu pek bilimsel sayılmaz," dedi. "Yalnızca bir amatörüm. Benim konum değil. Dilin oluşturulmasıyla hiçbir zaman ilgim olmadı."

"Ama mükemmel yazıyorsunuz," dedi O'Brien. "Geçenlerde Yenisöylem uzmanı bir arkadaşınızla konuşuyordum. Şimdi adı birden aklıma gelmedi."

Winston'ın yüreği yeniden hızlı hızlı çarpmaya başlamıştı. O'Brien'ın sözünü ettiği, Syme'dan başkası olamazdı. Ama Syme yalnızca ölmemiş, yok edilmişti, bir *yitikkişi*'ydi. Ondan açıkça söz açmak çok tehlikeli olabilirdi. O'Brien'ın sözleri, besbelli, bir işaret, bir parolaydı. Bu küçük düşüncesuçunu paylaşmakla Winston'ı suç ortağı yapıvermişti. Koridorda ağır ağır yürürlerken O'Brien birden durdu. Karşısındakini her nasılsa savunmasız bırakan o her zamanki barışıklığıyla gözlüğünü düzelttikten sonra devam etti:

"Aslında, yazınızda, kullanımdan kaldırılmış iki sözcük kullandığınızı fark ettiğimi söyleyecektim. Ama daha yeni kaldırıldılar kullanımdan. Yenisöylem Sözlüğü'nün onuncu basımını gördünüz mü?"

"Hayır," dedi Winston. "Basıldığından haberim yoktu. Kayıt Dairesi'nde biz hâlâ dokuzuncu basımı kullanıyoruz."

"Sanırım, onuncu basım birkaç aya kadar çıkacak. Ama birkaç kopyayı önceden dağıttılar. Bende bir tane var. Belki görmek istersiniz."

Winston, işin nereye varacağını hemen anlayarak, "Çok isterim," dedi.

"Sözlükteki bazı yeni gelişmeler çok yerinde. Örneğin, fiil sayısının azaltılmış olması sanırım ilginizi çekecektir. Nasıl yapsak, Sözlüğü size bir kuryeyle mi yollasam? Ama unuturum diye korkuyorum. İyisi mi, size uygun bir zamanda evime uğrayıp alıverin. Bir dakika. Size adresimi vereyim."

Tele-ekranlardan birinin önündeydiler. O'Brien, aklı başka yerdeymişçesine ceplerini karıştırdıktan sonra, deri kapaklı küçük bir not defteriyle altın bir mürekkepli kalem çıkardı. Tele-ekranın hemen altında, aygıtın öbür yanından bakan kişinin ne yazdığını okuyabileceği bir konumda, çabucak bir adres yazdı, sayfayı yırtıp Winston'a verdi.

"Akşamları genellikle evdeyim," dedi. "Değilsem de, uşağım Sözlüğü size verir."

Winston'ı, bu kez gizlemeye gerek duymayacağı kâğıt parçasıyla orada bırakıp gitti. Ama Winston, her olasılığa karşı adresi iyice ezberledi, birkaç saat sonra da öteki kâğıtlarla birlikte bellek deliğine bıraktı.

Konuşmaları topu topu birkaç dakika sürmüştü. Bu karşılaşmadan bir tek anlam çıkıyordu. Her şey Winston'ın O'Brien'ın adresini öğrenmesi için tasarlanmıştı. Bu gerekliydi, çünkü doğrudan sormadıkça birinin nerede oturduğunu öğrenmek asla mümkün değildi. Telefon rehberi diye bir şey yoktu. O'Brien, "Bir gün beni görmek istersen, burada bulabilirsin," demek istemişti. Belki de, Sözlüğün içine gizlenmiş bir mesaj bulacaktı. Her ne ise, kesin olan bir tek şey vardı. Hayalinde canlandırdığı gizli hareketin var olduğu kesindi, şimdi bu hareketin sınır boylarına ulaşmıştı Winston.

Önünde sonunda O'Brien'ın çağrısına uyacağını biliyordu. Kim bilir, belki yarın, belki uzun bir süre bekledikten sonra. Aslında, yıllar önce başlamış olan bir süreç ilerliyordu. İlk aşamada, kafasında karşı koyamadığı, gizli bir düşünce belirmiş, ikinci aşamada günce tutmaya başlamıştı. Düşüncelerden sözcüklere geçmişti, şimdi de sözcüklerden eyleme geçiyordu. Son aşama Sevgi Bakanlığı'nda gerçekleşecekti. Bunu kabullenmişti. Son, başlangıçta gizliydi. Ne ki, ürkütücü bir şeydi bu; ya da, daha doğrusu, ölümün önceden duyumsanması, ölüme azar azar yaklaşmak gibi bir şeydi. O'Brien'la konuşurken bile, sözcüklerin anlamını sezdiğinde, soğuk bir ürperti geçmişti gövdesinden. Islak bir mezarın içine girdiği duygusuna kapılmış ve önünde sonunda mezarı boylayacağını hep biliyor olması bile ürküntüsünü engelleyememişti.

VII

Winston gözyaşları içinde uyanınca, Julia uyur uyanık ona sokuldu, "Neyin var?" gibisinden bir şeyler mırıldandı.

Winston, "Rüya gördüm..." diyecek oldu ve hemen sustu. Gördüğü rüya sözle anlatılamayacak kadar karmaşıktı. Rüyayı gördüğü yetmiyormuş gibi, bir de uyanır uyanmaz rüyadan geriye kalanlar aklına üşüşmüştü.

Hâlâ rüyanın etkisi altında, gözleri kapalı yatıyordu. Bir yaz akşamı yağmurdan sonra uzanıp giden bir kır görünümü gibi, tüm yaşamının gözlerinin önüne serildiği uçsuz bucaksız, aydınlık bir rüyaydı. Her şey cam kâğıt ağırlığının içinde geçiyordu, ama camın yüzeyi gökkubbeydi ve kubbenin altında her şey insanın sonsuz uzaklıkları görebildiği duru, yumuşak bir ışığa boğulmuştu. Rüyada, annesinin kolunu uzatışı, otuz yıl sonra da haber filminde gördüğü Yahudi kadının küçük çocuğu kurşunlardan korumaya çalışırken o hareketi yineleyişi, sonra helikopterlerin ikisini paramparça edişi de vardı; aslında rüya buydu belki de.

"Biliyor musun," dedi, "şu ana kadar annemi benim öldürdüğüme inanıyordum."

Julia, uykulu uykulu, "Neden öldürdün onu?" diye sordu.

"Öldürmedim ki. Yani fiziksel olarak öldürmedim."

Rüyasında, annesini o son görüşünü anımsamıştı ve uyanmasına yakın o son andaki bir sürü küçük olay da zihnine doluşmuştu. Anlaşılan, yıllar boyunca bilincinden bile bile kovmuş olduğu bir anıydı bu. Tarihinden emin değildi, ama o sıralar en azından on, belki de on iki yaşında olmalıydı.

Babası daha önce ortadan kaybolmuştu; ne kadar

190

önceydi, anımsamıyordu. O günlerin patırtılı, gergin ortamını daha iyi anımsıyordu: ikide bir hava akınları karşısında panikleyip metro istasyonlarına sığınmalar, dört bir yandaki moloz yığınları, sokak köşelerine asılan anlaşılmaz bildiriler, aynı renk gömlekler giymiş gençlik çeteleri, fırınların önünde uzayıp giden kuyruklar, arada sırada uzaklardan duyulan makineli tüfek tarrakaları, hepsinden önemlisi de yeterince yiyecek bulunamaması. Öğleden sonraları öteki oğlanlarla birlikte saatlerce çöp tenekeleri ve süprüntü yığınları arasında nasıl dolandıklarını, lahana artıklarını, patates kabuklarını, hatta bazen üstlerindeki pislikleri bir güzel kazıdıkları bayat ekmek kabuklarını nasıl topladıklarını; sonra, hep aynı yerden geçen ve sığır yemi taşıdığını bildikleri kamyonların yolunu bekleyip kamyonlar yoldaki çukurlarda sarsıldıkça dökülen küspeleri nasıl kapıştıklarını anımsıyordu.

Babası ortadan kaybolduğunda, annesi ne şaşkına dönmüş ne de ağıtlar yakmış, ama birden bambaşka biri olup çıkmıştı. Sanki ruhunu yitirmişti. Gerçekleşmesinin kaçınılmaz olduğunu bildiği bir olayı beklediğini Winston bile anlamıştı. Yapılması gereken bütün işleri yapıyordu: Yemek pişiriyor, çamaşır yıkıyor, giysileri onarıp sökükleri dikiyor, yatağı yapıyor, yerleri süpürüyor, şöminenin önünü temizliyor, ama bütün bunları hep ağırdan alarak ve gereksiz davranışlardan kaçınarak, sanki kendi başına hareket eden bir vitrin mankeni gibi yapıyordu. İri, endamlı bedeni kendiliğinden durağanlaşmıştı sanki. Bazen Winston'ın iki üç yaşlarındaki minik, hastalıklı, sesi soluğu çıkmayan, yüzü kaşık kadar kalmış kız kardeşini kucağına alıp yatakta hiç kımıldamadan saatlerce oturuyordu. Arada sırada da hiçbir şey söylemeden Winston'ı kollarına alıp göğsüne bastırıyordu. Winston, çocuk bencilliğiyle bile, bunun, olması beklenen ama hiç sözü edilmeyen o olayla bağıntılı olduğunu sezebiliyordu.

Oturdukları odayı, nerdeyse yarısını beyaz örtülü bir yatağın kapladığı o karanlık odayı anımsıyordu. Odada ayaklı bir gazocağı, yiyeceklerin konduğu bir raf, dışarıdaki sahanlıkta da, başka odalarla ortaklaşa kullanılan, kahverengi fayanstan bir lavabo vardı. Annesinin, heykelsi gövdesiyle gazocağının üzerine eğilmiş, tencereyi karıştırdığını anımsıyordu. Ama sürekli açlık çekmeleri, yemek vakti geldiğinde birbirlerine girmeleri hiç aklından çıkmıyordu. Annesine ikide bir mızırdanarak neden daha fazla yemek olmadığını sorar, kadıncağıza öfkeyle bağırıp çağırır (erken yaşta çatlamaya başlayan, dahası bazen boğuklaşan sesinin tonunu bile anımsıyordu) ya da payına düşenden fazlasını kapabilmek için burnunu çeke çeke ağlayarak kendini acındırmaya çalışırdı. Annesi ona payından fazlasını vermeye çoktan hazırdı. Aslan payını "oğlan"ın almasından daha doğal ne olabilirdi ki? Ama o ne kadar verilse doymaz, hep daha da fazlasını isterdi. Annesi her yemekte, bencillik etmemesi, kız kardeşinin hasta olduğunu, onun da beslenmesi gerektiğini unutmaması için yalvarırdı, ama ne fayda. Annesi tabağına yemek koymayı kesince, gözleri yuvalarından fırlayarak bağırır, tencereyle kepçeyi elinden kapmaya kalkışır, kız kardeşinin tabağındakileri aşırırdı. Annesiyle kardeşini aç bıraktığının farkındaydı, ama kendine engel olamadığı gibi, bunu bir hak olarak görüyordu. Sanki karnının sürekli zil çalması ona böyle bir hak veriyordu. İki yemek arasında, annesi uyanık davranmazsa, gidip gidip raftan yiyecek yürütürdü.

Bir keresinde, çikolata tayını dağıtılmıştı. Haftalardır, belki aylardır ilk kez dağıtılıyordu. O ufacık ama çok değerli çikolata parçasını çok iyi anımsıyordu. İki onsluk parçanın (o günlerde hâlâ ons diyorlardı) üçü arasında paylaşılması gerekiyordu. Belli ki, üç eşit dilime bölünecekti. Winston birden çikolatanın tümünün kendisine verilmesi gerektiğini söyleyerek bas bas bağırmaya başlamıştı; sanki kendisi değil de, başka biriydi kıyameti koparan. Annesi açgözlülük etmemesini söylüyordu, ama neye yarar; Winston yaygarayı basıyor, ciyaklıyor, sızlanıp yakınıyor, pazarlık ediyor, çekişme uzayıp gidiyordu. Minicik kız kardeşi, tıpkı bir maymun yavrusu gibi annesine sımsıkı sarılmış, iri, hüzünlü gözleriyle annesinin omzu üzerinden Winston'a bakıyordu. Sonunda annesi çikolatanın dörtte üçünü Winston'a, dörtte birini de kız kardeşine vermişti. Küçük kız çikolatayı alıp belki ne olduğunu bile anlamadan boş boş bakıyordu ki, Winston bir an izledikten sonra ansızın atılıp çikolatayı kız kardeşinin elinden kapmış, kapıya doğru fırlamıştı.

Annesi, arkasından, "Winston, Winston!" diye seslenmişti. "Çabuk buraya gel! Çikolatasını hemen geri ver kardeşine!"

Winston olduğu yerde kalmış, ama geri gelmemişti. Annesi gözünü gözüne dikmişti. Winston, o anda bile, bir şeyler olacağını seziyor, ama ne olacağını bilemiyordu. Elinden bir şey kapıldığını fark eden kız kardeşi usul usul ağlamaya başlamıştı. Annesi çocuğu kollarına almış, bağrına basmıştı. Winston, annesinin bu davranışından, kız kardeşinin ölmekte olduğunu sezmiş; elinde yapış yapış olan çikolatayla merdivenden aşağı fırlamış, kaçıp gitmişti.

Annesini bir daha görmemişti. Çikolatayı mideye indirdikten sonra kendinden utanmış, karnı acıkıncaya kadar saatlerce sokaklarda dolanıp durmuştu. Eve döndüğünde, annesi ortadan kaybolmuştu. O günlerde bu tür ortadan kayboluşlar artık olağan sayılmaya başlamıştı. Annesi ve kız kardeşi dışında odada her şey yerli yerindeydi. Yanlarına hiçbir giysi almamışlardı, annesinin mantosu bile duruyordu. Winston annesinin ölüp ölmediği konusunda hâlâ kesin bir bilgi edinebilmiş değildi.

Bir çalışma kampına gönderilmiş olması pekâlâ mümkündü. Kız kardeşi ise, tıpkı Winston gibi, içsavaşla birlikte ortaya çıkan, evsiz barksız çocukların gönderildiği (Islahevi dedikleri) yurtlardan birini boylamış olabilirdi; belki de annesiyle birlikte çalışma kampına gönderilmiş ya da bir köşede ölüme terk edilmişti.

Gördüğü rüya hâlâ olanca canlılığıyla aklındaydı, özellikle de tüm anlamın saklı olduğu o koruyucu kol hareketi. Aklına, iki ay önce gördüğü bir başka rüya düştü. Annesi, tıpkı çocuğu göğsüne bastırarak soluk, beyaz örtülü yatakta oturduğu gibi, Winston'ın çok aşağılarında bir yerde, batık gemide oturmuş, gittikçe derinlere gömülmekte, ama giderek kararan suların içinden hâlâ yukarılara, ona doğru bakmaktaydı.

Winston, Julia'ya, annesinin ortadan kayboluşunu anlattı. Julia, gözlerini açmadan, yatağın içinde dönenip daha rahat bir konuma geçti.

Duyulur duyulmaz bir sesle, "Belli ki, o zamanlar azgın canavarın tekiymişsin," dedi. "Bütün çocuklar canavardır."

"Evet. Ama asıl hikâye..."

Julia'nın soluyuşundan yeniden uykuya dalmak üzere olduğu anlaşılıyordu. Oysa Winston annesinden söz etmeyi sürdürmek istiyordu. Anımsadığı kadarıyla, annesinin olağanüstü bir kadın olduğunu sanmıyordu, hele zeki bir kadın olduğu hiç söylenemezdi; yine de, tümüyle kendine özgü davranışlarından kaynaklanan bir soyluluk, bir eldeğmemişlik vardı onda. Duyguları sahiciydi ve dış etkilerle değiştirilmesi olanaksızdı. Onun gözünde, bir davranış sırf etkisiz olduğu için anlamını yitirmezdi. Birini seviyorsan gerçekten severdin, verecek başka hiçbir şeyin yoksa bile sevgin yeterdi. Verecek çikolata kalmadığında, annesi çocuğu sımsıkı göğsüne bastırmıştı. Bunun hiçbir yararı yoktu, hiçbir şeyi değiştir-

194

miyordu, çikolatayı geri getirmiyordu, çocuğun ya da kendisinin ölümünü önlemiyordu; ama böylesi ona doğal geliyordu. Mültecilerle dolu gemideki kadın da, mermilerden korumayacağını bile bile, küçük çocuğu kollarının arasına almıştı. Parti'nin yaptığı en korkunç şeylerden biri de, sizi içgüdülerin, duyguların hiçbir işe yaramayacağına inandırmak, ama aynı zamanda sizi maddi dünya karşısında tümden güçsüz kılmaktı. Bir kez Parti'nin buyruğu altına girdiniz mi, ne hissettiğiniz ya da ne hissetmediğiniz, ne yaptığınız ya da ne yapmaktan kaçındığınız hiç fark etmiyordu. Ne yaparsanız yapın ortadan kayboluyordunuz; siz de silinip gidiyordunuz, yaptıklarınız da. Tarihin akışının dışına atılıyordunuz. Ve daha iki kuşak öncesine kadar bunun insanlar için en küçük bir önemi yoktu, çünkü tarihi değiştirmeye kalkışmıyorlardı. Onları çekip çeviren, sorgulamayı akıllarından geçirmedikleri özel bağlılıklardı. Asıl önemli olan, kişisel ilişkilerdi; hiçbir işe yaramayacak bir hareketin, birini kollarına almanın, dökülen bir gözyaşının, ölmekte olan birine söylenen bir sözün bir değeri olabiliyordu. Winston, birden, proleterlerin hâlâ böyle olduklarını fark etti. Bir partiye, bir ülkeye ya da bir düşünceye değil, birbirlerine bağlıydılar. Winston, hayatında ilk kez, proleterleri aşağılamadığını ya da onları yalnızca, bir gün zembereğinden boşanıp dünyayı yeniden yaratması beklenen durağan bir güç olarak görmediğini düşündü. Proleterler insan kalmışlardı. Yürekleri katılaşmamıştı. Şimdi kendisinin özel bir çaba göstererek yeniden edinmeye çalıştığı ilkel duygulara tutunmuşlardı. Winston, bunu düşünürken, hiçbir ilgisi yokken, birkaç hafta önce kaldırımda gördüğü ve bir lahana sapıymışçasına bir tekmede yolun kıyısına attığı kopuk eli anımsadı.

"Proleterler insan," dedi sesini yükselterek. "Biz insan değiliz."

Yeniden uyanmış olan Julia, "Neden?" diye soracak oldu.

Winston, biraz duraksadıktan sonra, "Hiç düşündün mü?" dedi. "En iyisi, buradan bir an önce çıkıp gitmemiz, bir daha da birbirimizi görmememiz sanırım."

"Evet, sevgilim, hem de kaç kere düşündüm. Ama hiç niyetim yok öyle yapmaya."

"Şimdiye kadar talihimiz yaver gitti," dedi Winston, "ama böyle sürüp gitmez. Sen gençsin. Doğal ve masum bir görünüşün var. Benim gibilerinden uzak durursan, bir elli yıl daha yaşayabilirsin."

"Olmaz. Ben her şeyi düşündüm. Sen nereye, ben oraya. Ayrıca, o kadar da kapıp koyverme kendini. Ben hayatta kalmayı beceririm."

"Kim bilir, altı ay, belki bir yıl daha birlikte olabiliriz. Ama sonunda ayrılmak zorunda kalacağımız belli. Ne kadar yalnız kalacağımızın farkında mısın? Bizi yakaladıkları zaman birbirimiz için hiçbir şey, ama hiçbir şey yapamayacağız. Ben konuşsam da, konuşmasam da seni kurşuna dizerler. Ne yapsam, ne söylesem ya da ne söylemesem, seni öldürmelerini engelleyemem. Birbirimizin yaşayıp yaşamadığını bile bilemeyeceğiz. Elimiz ermeyecek, gücümüz yetmeyecek. Önemli olan bir tek şey var, o da hiçbir yararı olmasa bile birbirimize ihanet etmemek."

"İtiraf etmekten söz ediyorsan, bülbül gibi öteceğiz," dedi Julia. "Önünde sonunda herkes itiraf eder. Engel olamazsın. İşkenceden geçiriyorlar insanı."

"İtiraf etmekten söz etmiyorum. İtiraf, ihanet değildir. Ne söylediğin ya da ne yaptığın önemli değil; yalnızca duygulardır önemli olan. Beni seni sevmekten caydırırlarsa, işte o zaman gerçekten ihanet etmiş olurum."

Julia, iyice düşündükten sonra, "Bunu yapamazlar," dedi. "Bunu asla yapamazlar. Sana her şeyi, ama *her şeyi* söyletebilirler, ama seni beni sevmediğine inandıramazlar. İçine giremezler."

Winston, biraz umutlanarak, "Evet," dedi, "evet, çok haklısın. İnsanın içine giremezler. Hiçbir yararı olmayacağını bile bile insan kalmanın çok önemli olduğunu *düşünüyorsan*, onları yendin demektir."

Her şeyi sürekli dinleyen tele-ekranı düşündü. Seni gece gündüz gözetleyebilirlerdi, ama soğukkanlılığını koruduğun sürece onları atlatabilirdin. O kadar zeki olmalarına karşın, insanın aklından geçenleri okumanın sırrını çözmeyi becerememişlerdi. Kim bilir, belki de ellerine düştüğünüzde böyle olmuyordu. Sevgi Bakanlığı' nda neler olup bittiğini bilen yoktu, ama yine de kestirmek o kadar zor olmasa gerekti: Herhalde işkenceden geçiriyorlar, ilaçlar veriyorlar, duyarlı aygıtlarla sinirsel tepkilerinizi ölçüyorlar, uykusuz ve yalnız bırakarak, sürekli sorguya çekerek yavaş yavaş bitkin düşürüyorlardı. Gerçekler, ne yaparsanız yapın, gizlenemezdi. Araştırıp kovuşturarak ortaya çıkarılabilir, işkence yaparak sizden sökülüp alınabilirdi. Ama amacınız hayatta kalmak değil de insan kalmaksa, sonuçta ne fark ederdi ki? Duygularınızı değiştirmeleri olanaksızdı; siz kendiniz bile değiştiremezdiniz duygularınızı, istesiniz bile. Yaptığınız, söylediğiniz ya da düşündüğünüz her şeyi en küçük ayrıntısına kadar açığa çıkarabilirlerdi; ama nasıl işlediğini sizin bile bilmediğiniz, yüreğinizin içi, sırrını korurdu.

VIII

Başarmışlardı, evet, sonunda başarmışlardı işte!

Loş, uzun bir odadaydılar. Tele-ekranın sesi iyice kısılmıştı, yalnızca bir mırıltı duyuluyordu; koyu mavi halı o kadar yumuşaktı ki, kadife kumaş üstünde yürüyor gibi oluyordunuz. O'Brien, odanın öbür ucunda, yeşil başlıklı bir lambanın bulunduğu bir masanın başında, kâğıt yığınları arasında oturuyordu. Uşak, Julia ile Winston'ı içeriye aldığında, başını kaldırıp bakmamıştı bile.

Winston'ın yüreği öylesine hızlı atıyordu ki, konuşamayacağından korkuyordu. Tek düşünebildiği, sonunda başarmış olduklarıydı. Aslında buraya gelmekle aceleci davranmışlardı; hem, ayrı yollardan gelip O'Brien'ın kapısının önünde buluşmuş olsalar da, birlikte gelmeleri tam bir çılgınlıktı. Ama böyle bir yere gelmek başlı başına bir cesaret işiydi. Birinin İç Parti üyelerinin oturdukları evlerin içini görmesi, hele yaşadıkları mahalleye adım atması işitilmiş şey değildi. Koca apartmanın uyandırdığı hava, her şeye sinmiş olan zenginlik ve bolluk, iyi yemek ve iyi tütünün alışılmamış kokuları, büyük bir hızla inip çıkan asansörler, oradan oraya koşuşturan beyaz ceketli uşaklar, her şey ama her şey ürkütücüydü. Gerçi buraya iyi bir bahaneyle gelmişti, ama yine de siyah üniformalı bir muhafızın köşeden çıkıverip belgelerini soracağından, sonra da çekip gitmesini buyuracağından korkmuyor değildi. Oysa O'Brien'ın uşağı ikisini hiç bekletmeden içeri buyur etmişti. Bu ufak tefek, siyah saçlı, beyaz ceketli adamın Çinliyi andıran değirmi yüzünde en küçük bir ifade yoktu. Geçtikleri koridor boydan boya yumuşacık bir halıyla kaplıydı, krem rengi duvar kâğıtları ve beyaz ağaç kaplamalar pırıl pırıldı. Doğrusu, bu da ürkütücüydü. Winston, duvarları gelen geçenlerin sürtünmesiyle kirlenmemiş bir koridor görmemişti ki hayatında.

O'Brien, parmakları arasındaki bir kâğıdı büyük bir dikkatle inceler gibiydi. Başı hafifçe öne eğildiği için burnu çizgi biçiminde görünüyordu; etkileyici ve zeki bir yüzü vardı. Yirmi saniye kadar öyle durdu. Sonra söyleyaz'ı kendine yaklaştırıp, bakanlıklarda kullanılan ve bileşik sözcüklerden oluşan özel dilde bir mesaj yazdırdı:

Maddeler bir virgül beş virgül yedi tamtekmil onaylandı stop öneri alındı madde altı çiftartı saçma suçdüşün sınırında iptal stop yapımişi durdur yatırım algeri tatamam makineler genelgiderler hesapla stop tamam.

Koltuğundan ağır ağır kalkıp halıda sessizce onlara doğru ilerledi. Yenisöylem sözcüklerinin sona ermesiyle birlikte resmiyetten biraz kurtulmuş gibiydi, ama yüzünde her zamankinden de acımasız bir ifade vardı, sanki rahatsız edilmekten hiç hoşlanmamıştı. Winston'ın az önce kapıldığı dehşet bu kez yerini utanca bırakmıştı. Ahmakça bir yanlış yapmış olabileceğini düşündü. O'Brien'ın gizliden gizliye politik bir muhalif olduğunu nereden çıkarmıştı ki? Gözlerde bir an beliren bir parıltı ve belli belirsiz bir söz; bunun dışında, bir rüyadan yola çıkarak kendi kendine kurduğu hayaller. Sözlüğü almaya geldiğini de bahane edemezdi, o zaman Julia'yı da getirmiş olmasını nasıl açıklayacaktı ki? O'Brien, tele-ekranın önünden geçerken, birden aklına bir şey gelmişçesine durdu. Dönüp duvardaki bir düğmeye bastı. Çat diye bir ses çıktı. Ses kesiliverdi.

Julia ansızın şaşkınlığa kapılarak hafifçe çığlık attı. Winston, korkmuş olmasına karşın, şaşkınlıktan dilini tutamadı.

"Demek kapatabiliyorsunuz!" deyiverdi.

"Evet," dedi O'Brien, "kapatabiliyoruz. Bizim öyle bir ayrıcalığımız var."

Şimdi tam karşılarındaydı. İri gövdesiyle tepelerinde dimdik duruyordu; yüzündeki ifadeden bir şey çıkarmak hâlâ mümkün değildi. Olanca katılığıyla öylece dikilmiş,

Winston'ın bir şey demesini bekliyordu. Ne diyecekti bakalım? Belli ki işi başından aşkındı ve sinirlenmişti; çalışmasının neden kesildiğini merak ediyordu. Kimse konuşmuyordu. Tele-ekran kapatıldıktan sonra oda ölüm sessizliğine bürünmüştü. Saniyeler akıp gidiyordu. Winston gözlerini O'Brien'ın gözlerinden ayırmamaya çalışıyordu. Sonra birden O'Brien'ın asık suratında bir gülümseme belirir gibi oldu. Hep yaptığı gibi, gözlüğünü düzeltti.

"Ben mi söyleyeyim, siz mi söylersiniz?" dedi.

Winston, "Ben söyleyeyim," diye atıldı. "Şu şey gerçekten kapalı mı?"

"Evet, her şey kapalı. Biz bizeyiz."

"Buraya neden geldik, biliyor musunuz..."

Onu oraya getiren güdülerin ne kadar belirsiz olduğunu ilk kez fark ederek sustu. Aslında O'Brien'dan nasıl bir yardım beklediğini bilemediği için, oraya neden geldiğini söylemekte zorlanıyordu. Diyeceklerinin ne kadar dayanaksız ve yapmacık geleceğinin ayırdında olmasına karşın, söylemeden edemedi:

"Parti'ye karşı gizli bir etkinlik yürütüldüğü, gizli bir örgüt olduğu, sizin de bu işin içinde olduğunuz kanısındayız. Örgüte katılıp görev almak istiyoruz. Biz Parti'nin düşmanıyız. İngsos ilkelerine inanmıyoruz. Düşüncesuçlularıyız. Üstüne üstlük, bir de zina yapıyoruz. Bunu size anlatıyorum, çünkü kendimizi sizin ellerinize teslim etmek istiyoruz. Başka suçlar da işlememizi isterseniz, emrinizdeyiz."

Durdu, kapının açıldığını sezerek omzunun üzerinden arkasına baktı. Evet, sarı yüzlü ufak tefek uşak kapıyı vurmadan içeri girmişti. Getirdiği tepside bir sürahi ve kadehler vardı.

O'Brien, serinkanlılıkla, "Martin bizdendir," dedi. "İçkiyi buraya getir, Martin. Yuvarlak masaya bırak. İskemlelerimiz yeterli mi? Tamam, oturup rahat rahat ko-

200

nuşabiliriz. Martin, sen de bir iskemle çek. İş konuşaca-
ğız. Uşak olduğunu on dakikalığına unut."

Kısa boylu uşak rahatça oturdu, ama yine de kendi-
sine tanınan ayrıcalıktan yararlanan hizmetkâr havasını
üstünden atamadığı belliydi. Winston ona göz ucuyla bir
baktı ve adamın bütün bir yaşamının belirli bir rolü oy-
namakla geçtiğini, kendisine yakıştırılan kişiliği bir an
elden bırakmayı bile tehlikeli bulduğunu fark etti.
O'Brien sürahiyi alıp kadehlere koyu kırmızı bir içki
doldurdu. Winston'ın aklına belli belirsiz bir anı düştü;
çok eskiden bir duvar ya da tahtaperdede lambalarla çe-
virili kocaman bir şişe görmüştü, inip kalktıkça içindeki-
ni bir bardağa boşaltıyordu. O'Brien'ın sunduğu içki yu-
karıdan bakıldığında siyah görünüyor, ama sürahinin
içinde yakut gibi ışıldıyordu. Buruk bir tadı vardı. Julia'
nın kadehi kaldırıp içten bir merakla kokladığını gördü.

O'Brien, hafifçe gülümseyerek, "Bunun adı şarap,"
dedi. "Hiç kuşkusuz kitaplarda okumuşsunuzdur. Sanı-
rım, Dış Parti'ye pek verilmiyor." Sonra yeniden ciddile-
şerek kadehini kaldırdı: "Bence artık şerefe kadeh kaldır-
malıyız. Önderimize: Emmanuel Goldstein'a."

Winston candan yürekten kadehini kaldırdı. Şarap
gerçekten de kitaplardan bildiği ve düşünü kurduğu bir
şeydi. Cam kâğıt ağırlığı ya da Bay Charrington'ın yarım
yamalak anımsadığı çocuk şarkıları gibi yitik, romantik
geçmişte, herkesten gizlediği kendi deyişiyle evvel za-
manda kalmıştı. Nedense, şarabı hep böğürtlen reçeli
gibi çok tatlı ve çabucak sarhoş eden bir içki olarak hayal
etmişti. Oysa şimdi gerçeğini içince düş kırıklığına uğra-
mıştı. Yıllardır cin içtiği için şarabın tadına varamamıştı.
Boş kadehi masaya bıraktı.

"Demek Goldstein diye biri var, öyle mi?" dedi.

"Evet, öyle biri var, hem de hayatta. Ama nerede,
bilmiyorum."

"Peki, ya gizli örgüt? O da gerçekten var mı? Yoksa Düşünce Polisi'nin uydurması mı?"

"Hayır, gerçekten var. Kardeşlik diyoruz ona. Kardeşliğin var olduğunu bilirsin, onun üyesi olduğunu da bilirsin, ama daha fazlasını hiçbir zaman bilemezsin. Bu konuya birazdan döneceğim." Saatine baktı. "Tele-ekranı yarım saatten fazla kapalı tutmak, İç Parti üyeleri için bile pek akıl kârı sayılmaz. Buraya birlikte gelmemeliydiniz, giderken ayrı ayrı çıksanız iyi olur. Siz, Yoldaş" –başıyla Julia'yı gösterdi– "önce siz çıkarsınız. Yaklaşık yirmi dakikamız var. Kusura bakmazsanız, önce bazı sorular soracağım. İlkin genel bir soru: Neler yapmaya hazırsınız?"

"Her şeyi yapmaya hazırız," dedi Winston, "elimizden ne gelirse."

O'Brien, iskemlesinde hafifçe Winston'a doğru dönmüştü. Winston'ın onun adına da konuşabileceğini düşündüğüne bakılırsa, Julia'yı pek önemsemiyordu. Bir an gözlerini kapadı. Sonra, yanıtların çoğunu bildiği sıradan bir sorgulama yapıyormuşçasına, alçak sesle, duyarsızca soruları sıralamaya başladı.

"Hayatınızı vermeye hazır mısınız?"

"Evet."

"Cinayet işlemeye hazır mısınız?"

"Evet."

"Yüzlerce masum insanın ölmesine yol açabilecek sabotaj eylemlerine girişmeye?"

"Evet."

"Vatanınızı yabancı devletlere satmaya?"

"Evet."

"Düzenbazlık, sahtekârlık, şantaj yapmaya, çocukların zihinlerini bulandırmaya, alışkanlık yapan uyuşturucular dağıtmaya, fahişeliği özendirmeye, zührevi hastalıkları yaymaya, sözün kısası moral bozukluğu yaratacak ve Parti'nin gücünü kıracak her şeyi yapmaya hazır mısınız?"

"Evet."

"Peki, çıkarlarımız bir çocuğun yüzüne kezzap atmayı gerektirse, bunu da yapmaya hazır mısınız?"

"Evet."

"Kimliğinizden vazgeçip hayatınızın sonuna kadar garsonluk ya da tersane işçiliği yapmaya hazır mısınız?"

"Evet."

"Size emrettiğimiz anda canınıza kıymaya hazır mısınız?"

"Evet."

"Birbirinizden ayrılmaya ve birbirinizi bir daha hiç görmemeye hazır mısınız?"

"Hayır!" diye patladı Julia.

Winston bu son soruyu yanıtlayıncaya kadar asırlar geçti. Bir ara dili tutulur gibi oldu. Sözcükler adeta diline yapıştı. Ne diyeceğini bilemedi. En sonunda, "Hayır," dedi.

"Bak, söylediğiniz iyi oldu," dedi O'Brien. "Her şeyi bilelim de."

Julia'ya dönüp biraz daha duyarlı bir sesle ekledi:

"Yaşasa bile bambaşka biri olacağını bilmelisiniz. Ona yeni bir kimlik vermek zorunda kalabiliriz. Yüzü, davranışları, ellerinin biçimi, saçının rengi, hatta sesi bile değişebilir. Siz de farklı birine dönüşebilirsiniz. Cerrahlarımız insanları tanınmayacak kadar değiştirebiliyorlar. Bazen gerekiyor da. Kolu bacağı kestiğimiz bile oluyor.

Winston, Martin'in Moğolsu yüzüne bir kez daha göz ucuyla bakmadan edemedi. Yüzünde hiçbir yara izi görünmüyordu. Julia'nın yüzü bembeyaz kesilmiş, çilleri daha bir ortaya çıkmıştı, ama gözlerini cesaretle O'Brien'a dikmişti. Onayladığını belli eden bir şeyler mırıldandı.

"İyi. Sorun yok o zaman."

Masanın üstünde gümüş bir sigaralık duruyordu. Dalgın görünen O'Brien sigaralığı onlara doğru iterken içinden bir sigara aldı, sonra yerinden kalkıp ayakta daha iyi düşünüyormuşçasına odanın içinde bir aşağı bir yukarı dolaşmaya başladı. Sigaralar çok esaslıydı, hem kalındı hem de ipek gibi bir kâğıda sarılmıştı. O'Brien bir kez daha kolundaki saate baktı.

"Martin, sen şimdi doğru kilere," dedi. "Tele-ekranı on beş dakikaya kadar açacağım. Gitmeden bu yoldaşların yüzlerine iyice bir bak. Onları yeniden göreceksin. Ben göremeyebilirim."

Ufak tefek adam, daha önce ön kapıda yaptığı gibi, siyah gözlerini Julia ile Winston'ın yüzlerinde gezdirdi. Bakışlarında dostluktan eser yoktu. Onlara en küçük bir ilgi duymadan, yüzlerini ezberlemeye çalışıyordu. Winston, yapay bir yüzün belki de ifadesini hiç değiştiremeyeceğini geçirdi aklından. Martin, bir şey demeden, hatta selam bile vermeden odadan çıktı, kapıyı ardından usulca kapattı. O'Brien, bir eli siyah tulumunun cebinde, bir elinde sigarası, bir aşağı bir yukarı dolanıyordu.

"Sizin anlayacağınız," dedi, "karanlıkta savaşıyor olacaksınız. Hep karanlıkta olacaksınız. Aldığınız emirleri nedenini bilmeden yerine getireceksiniz. Size, daha sonra, yaşadığımız toplumun gerçek yüzünü ve onu yok etmek için izleyeceğimiz stratejiyi öğreneceğiniz bir kitap göndereceğim. Kitabı okuduktan sonra Kardeşliğin gerçek üyeleri olacaksınız. Fakat uğrunda savaştığımız genel amaçlar ile günün gerektirdiği görevlerden başka hiçbir şey bilmeyeceksiniz. Size Kardeşliğin var olduğunu söylüyorum, yüz üyesi mi var, yoksa on milyon üyesi mi, söyleyemem. Siz bir düzinesini bile asla bilmeyeceksiniz. Üç dört bağlantınız olacak, onlar da ortadan kaybaldukça yerlerini yenileri alacak. Bu sizin ilk bağlantınız olduğu için hep sürecek. Aldığınız emirler benden gelecek. Sizinle bağlantıya geçmemiz gerekirse, bunu Martin aracılığıyla yapacağız. Bir gün yakalanırsanız, itiraf edersiniz. Bu kaçınılmazdır. Ama kendi eylemleriniz dışında itiraf edecek pek az şeyiniz olacak. Bir avuç önemsiz insan dışında kimseyi ele veremeyeceksiniz. Büyük olasılıkla beni bile ele veremeyeceksiniz, çünkü o zamana kadar ben ya ölmüş ya da farklı bir yüzü olan farklı birine dönüşmüş olacağım."

Yumuşak halının üstünde bir aşağı bir yukarı gezinmeyi sürdürüyordu. Gövdesinin iriliğine karşın, hareketlerinde gözle görülür bir zarafet vardı. Elini cebine sokuşunda ya da sigara içişinde hemen göze çarpıyordu. Karşısındakinde, güçlü biri olduğu izleniminden çok, güvenilir ve alaycılığı eksik etmeyen anlayışlı biri olduğu izlenimini bırakıyordu. Onca ciddiliğine karşın, onda bağnazlara özgü sığlıktan eser yoktu. Cinayetten, intihardan, zührevi hastalıktan, kesilen kollar ve bacaklardan, değiştirilen yüzlerden belli belirsiz bir küçümsemeyle söz ediyordu. Sesinde, "Bütün bunlar şimdilik kaçınılmaz," diyen bir şey vardı sanki, "bunları hiç çekinmeden yapmak zorundayız. Ama hayatı yeniden yaşanılır kıldığımızda böyle şeyler yapmayacağız." Winston'da O'Brien'a karşı bir hayranlık belirmişti, handiyse tapınacaktı O'Brien'a. Goldstein'ın o belli belirsiz görüntüsü bir an için silinmişti zihninden. O'Brien'ın güçlü omuzlarına, çirkin ama uygar bir izlenim uyandıran ablak yüzüne baktığınızda, onun alt edilmesi olanaksız biri olduğuna inanıyordunuz. Üstesinden gelemeyeceği hiçbir tuzak, önceden göremeyeceği hiçbir tehlike yoktu. Julia bile etkilenmiş görünüyordu. Adamın anlattıklarına kendini o kadar kaptırmıştı ki, sigarasının söndüğünün farkında değildi. O'Brien devam etti:

"Kulağınıza Kardeşliğin var olduğuna ilişkin söylentiler mutlaka gelmiştir. Hiç kuşkusuz, kafanızda bir resim canlanmıştır. Büyük olasılıkla, mahzenlerde gizlice buluşan, duvarlara sloganlar yazan, birbirlerini kod adlarıyla ya da özel el işaretleriyle tanıyan gizli örgüt üyelerinin oluşturduğu kocaman bir yeraltı dünyası canlandırmışsınızdır kafanızda. Bilesiniz ki, böyle bir şey yok. Kardeşlik üyelerinin birbirlerini tanımaları için böyle yöntemlere gerek yoktur, bir üyenin birkaç üyeden fazlasının kimliğini bilmesi olanaksızdır. Goldstein bile, Düşünce Polisi'nin eline düşecek olsa, tam bir üye listesi ya da tam bir listeye ulaşmalarını sağlayacak hiçbir bilgi veremez. Böyle bir liste yok. Kardeşlik, bildik anlamda bir örgüt olmadığı için ortadan kaldırılamaz. Onu, yok edilmesi olanaksız bir düşünceden başka bir arada tutan bir şey yoktur. Sizin de o düşünceden başka hiçbir desteğiniz olmayacak. Size yoldaşlık eden, omuz veren hiç kimse olmayacak. Bir gün yakalanacak olursanız, kimseden yardım görmeyeceksiniz. Biz üyelerimize hiçbir zaman yardım etmeyiz. Eğer birinin ille de susturulması gerekiyorsa, tutuklunun hücresine gizlice jilet soktuğumuz olur, hepsi o kadar. Hiçbir sonuç beklemeden, hiçbir umuda kapılmadan yaşamaya alışmanız gerekecek. Bir süre çalışacak, yakalanacak, itiraf edecek, sonra da öleceksiniz. Görüp göreceğiniz tek sonuç bunlar olacak. Bizim yaşadığımız dönemde gözle görülür bir değişiklik olma olasılığı sıfır. Biz ölüyüz. Bizim biricik gerçek yaşamımız gelecekte. O da, bir avuç toprak ve kemik parçaları olarak. Ama bu gelecek ne kadar uzakta, bilen yok. Bin yıl sonra da olabilir. Şimdilik aklın alanını azar azar genişletmekten başka hiçbir şey mümkün değil. Ortak hareket edemeyiz. Ancak bilgimizi başkalarına, bireyden bireye, kuşaktan kuşağa yayabiliriz. Düşünce Polisi varken, başka bir yol yok."

Sustu ve üçüncü kez saatine baktı.

"Artık yavaş yavaş gitseniz iyi olacak, yoldaş," dedi Julia'ya. "Ama bir dakika. Şarabın yarısı duruyor daha."

Kadehleri doldurduktan sonra kendi kadehini kaldırdı.

Yine işin alayındaymış gibi, "Bu sefer neye içeceğiz?" dedi. "Düşünce Polisi'ni atlatmaya mı? Büyük Birader'in ölümüne mi? İnsanlığa mı? Yoksa geleceğe mi?"

"Geçmişe," dedi Winston.

O'Brien, ciddi bir sesle, "Evet, geçmiş daha önemli," diye onayladı. İçkiler biter bitmez Julia gitmek için kalktı. O'Brien, dolabın üstünde duran küçük bir kutuyu aldı, içinden çıkardığı yassı beyaz tableti Julia'ya uzatarak dilinin üstüne koymasını söyledi. Dışarıda ağzı şarap kokmamalıydı, asansör görevlileri çok dikkatliydi. Julia dışarı çıkıp kapıyı kapatır kapatmaz, O'Brien onun varlığını unutmuştu bile. Odanın içinde birkaç kez daha gidip geldikten sonra durdu.

"Konuşulması gereken bazı ayrıntılar var," dedi. "Umarım gizli bir yeriniz vardır."

Winston, Bay Charrington'ın dükkânının üst katındaki odayı söyledi.

"Şimdilik işinizi görür. Bir süre sonra size başka bir yer buluruz. Gizli yerler sık sık değiştirilmeli. Bu arada, en kısa zamanda size *kitabın*..." –Winston, O'Brien'ın bile bu sözcüğe özel bir vurgu yaptığını fark etti– "yani Goldstein'ın kitabının bir nüshasını göndereceğim. Bulmam birkaç gün alabilir. Tahmin edebileceğiniz gibi kolay bulunmuyor. Biz elimizden geldiği kadar hızlı basıyoruz, ama Düşünce Polisi de nerdeyse bizim kadar hızlı, kitapları bir bir bulup yok ediyor. Ama pek bir şey fark etmiyor. Kitabın kendisini ortadan kaldırmaları mümkün değil. Son nüsha bile yok olsa, kelimesi kelimesine yeniden basabiliriz. İşe çantayla mı gidiyorsunuz?"

"Evet, çoğu zaman."

"Nasıl bir çanta?"

"Siyah, çok eski. İki kayışı var."

"Siyah, iki kayışı var, çok eski... tamamdır. Pek yakında –gün veremem– sabah çalıştığınız sırada gelen mesajlardan birinde yanlış dizilmiş bir sözcük görecek ve yeniden gönderilmesini istemek zorunda kalacaksınız. Ertesi gün işe giderken çantanızı almayacaksınız. O gün sokakta bir adam kolunuza dokunup, "Galiba çantanızı düşürdünüz," diyecek ve size bir çanta uzatacak. Size verdiği çantada, Goldstein'ın kitabının bir nüshasını bulacaksınız. Kitabı iki hafta içinde geri vermeniz gerekiyor."

O'Brien, bir anlık sessizliğin ardından, "Birazdan gitseniz iyi olur," dedi. "Yeniden görüşeceğiz... görüşebilirsek tabii..."

Winston başını kaldırıp O'Brien'a baktı. İkircikli bir sesle, "Karanlığın olmadığı yerde mi?" dedi.

O'Brien, şaşırmamış görünerek, başıyla onayladı. Winston'ın ne demek istediğini anlamışçasına, "Karanlığın olmadığı yerde," dedi. "Ha, bu arada, gitmeden söylemek istediğiniz bir şey var mı? Bildirmek istediğiniz bir şey? Sormak istediğiniz bir soru?"

Winston biraz düşündü. Sormak istediği başka bir şey yoktu; büyük laflar etmek ise hiç gelmiyordu içinden. Doğrudan O'Brien ya da Kardeşlik'le ilgili birtakım şeyler yerine, annesinin son günlerini geçirdiği karanlık yatak odası, Bay Charrington'ın dükkânının üstündeki küçük oda, cam kâğıt ağırlığı ve gülağacı çerçeveli metalbaskı gravür birbiri ardı sıra aklına düştü.

Birden, "'Portakal var, limon var, diye çalar çanları St. Clement'in' diye başlayan şu eski çocuk şarkısını anımsıyor musunuz?" diye sormaktan alamadı kendini.

O'Brien yine başıyla onayladıktan sonra, ağırbaşlı bir incelikle dörtlüğü tamamlayıverdi:

"'Portakal var, limon var,' diye çalar çanları

St. Clement'in,

'Nerde benim üç çeyreğim,' diye çalar çanları

St. Martin'in,

'Ödesene şu borcunu,' diye çalar çanları Old

Bailey'nin,

'Hele bir zengin olayım,' diye çalar çanları

Shoreditch'in.'

"Demek son dizeyi biliyorsunuz!" diye atıldı Winston.

"Evet, son dizeyi biliyorum. Eh, artık gitmeniz gerekiyor sanırım. Ama bir dakika. Şu tabletlerden bir tane de size versem iyi olacak."

Winston yerinden kalkarken, O'Brien elini uzattı. Elini o kadar sert sıktı ki, Winston parmakları kırılıyor sandı. Kapıdan çıkarken dönüp baktığında, O'Brien artık onu kafasından silmeye hazırlanır gibiydi. Eli tele-ekranın düğmesinde, bekliyordu. Winston, O'Brien'ın arkasında, yeşil başlıklı lambasıyla yazı masasını, söyleyaz'ı ve ağzına kadar kâğıt dolu telgraf sepetlerini gördü. Olay bitmişti. Belli ki, O'Brien az sonra Parti'yle ilgili yarım kalmış, çok önemli işlerin başına dönecekti.

IX

Winston yorgunluktan pelte gibi olmuştu. Pelte gibi sözü, halini çok iyi anlatıyordu. Aklına öylesine gelivermişti. Vücudu pelte gibi gevşemekle kalmamış, pelte gibi saydamlaşmıştı da. Sanki elini kaldırıp baksa, içinden ışığı görebilecekti. Çalışmaktan pestili çıktığı için, sanki kan ve lenf damarları olduğu gibi boşalmış, geriye sinirler, kemikler ve deriden oluşan kırılgan bir yapı kalmıştı. Tüm duyuları ayağa kalkmış gibiydi. Tulumu sürtündükçe omuzlarını örseliyor, kaldırımda yürürken ayakları gıdıklanıyor, elini açıp kapatırken eklemleri çıtırdıyordu.

Beş günde doksan saatten fazla çalışmıştı. Bakanlık'taki herkes aynı durumdaydı. Tüm işleri bitirmiş, yapacağı hiçbir iş kalmamıştı, ertesi sabaha kadar hiçbir Parti işi yoktu. Gizli yerinde altı saat geçirebilir, yatağında dokuz saat yatabilirdi. Ilık ikindi güneşinde, pislik içindeki bir sokakta ağır ağır yürüyerek Bay Charrington'ın dükkânına yöneldi; devriyeler geliyor mu diye ortalığı kolaçan edip duruyordu ama, her nedense o gün başına bir şey gelmeyeceğine inanıyordu. Taşımakta olduğu ağır çanta, attığı her adımda dizine çarpıyor, bacağını sızım sızım sızlatıyordu. Çantanın içindeki *kitap* altı gündür onda olmasına karşın, daha açıp bakmamıştı bile.

Nefret Haftası'nın altıncı günü, geçit törenleri, nutuk atmalar, bağırıp çağırmalar, şarkılar, bayraklar, posterler, filmler, balmumu heykeller, davulların gümbürtüsü, trompetlerin cayırtısı, postalların rapraplar, tank paletlerinin gıcırtıları, bir sürü uçağın gürültüsü ve topların gümbürtüsü arasında geçen altı günün sonunda, büyük orgazm doruğuna ulaşmak üzereyken, Avrasya'ya duyulan nefret insanları törenlerin son günü ortalık yerde asılacak iki bin Avrasyalı savaş suçlusunu ele geçirseler oracıkta paramparça edecek kadar çıldırtmışken, işte tam o sırada Okyanusya'nın Avrasya'yla savaşta olmadığı açıklanmıştı. Okyanusya Doğuasya'yla savaştaydı, Avrasya Okyanusya'nın müttefikiydi.

Hiç kuşkusuz, herhangi bir değişiklik olduğu kabul ediliyor değildi. Apansızın aynı anda her yerde, düşmanın Avrasya değil, Doğuasya olduğu öğrenilmişti, hepsi bu. O sırada Winston, Londra'nın merkezindeki meydanlardan birinde düzenlenen bir gösterideydi. Gecenin o saatinde, ışıldaklar altındaki beyaz yüzler ve kızıl bayraklar korkunç görünüyordu. Meydanı, aralarında Casusların üniformalarını giymiş bin kadar öğrencinin de bulunduğu binlerce insan doldurmuştu. İç Parti üyesi, kolları aşırı uzun, kocaman kel kafasında birkaç tel saç kalmış, ufak tefek, bir deri bir kemik bir hatip, kızıl kumaşla kaplanmış bir kürsüde kalabalığa tirat atıyordu. Bu eciş bücüş mezar kaçkını, bir eliyle mikrofonu yakalamış, kemikli kolunun ucundaki öbür pençesini de gözdağı verircesine savururken, düpedüz nefret kusuyordu. Amplifikatörlerin madenileştirdiği bir sesle cıyak cıyak bağırarak vahşetlerden, kıyımlardan, sürgünlerden, yağmalamalardan, ırza geçmelerden, tutsaklara yapılan işkencelerden, sivillerin bombalanmasından, yalan propagandalardan, haksız saldırılardan, çiğnenen antlaşmalardan dem vurmaktaydı. Onu dinleyenler bir kere bütün söylediklerine inanıyorlar, sonra da giderek öfkeden kuduruyorlardı. Kalabalık zaman zaman galeyana geliyor, binlerce gırtlaktan çıkan karşı konulmaz vahşi hayvan kükremeleri, konuşmacının sesini bastırıyordu. En yabanıl haykırışlar öğrencilerden çıkıyordu. Söylev başlayalı yirmi dakika kadar olmuştu ki, kürsüye fırlayan bir ulak konuşmacıya katlanmış bir kâğıt verdi. Konuşmacı, söylevine ara vermeden, kâğıdı açıp okudu. Sesinde ve tavrında da, söylediklerinin içeriğinde de hiçbir değişiklik olmadı, ama birden adlar değişti. Tek bir söz söylenmeden, kalabalık o saat anlamıştı olan biteni. Okyanusya, Doğuasya'yla savaşıyordu! Çok geçmeden kızılca kıyamet koptu. Meydanı donatan bayraklar ve posterlerin hepsi yanlıştı! Nerdeyse yarısında yanlış yüzler vardı. Sabotajdı bu! Goldstein'ın ajanları işbaşındaydı! Ortalık karışmıştı; posterler duvarlardan sökülüyor, paramparça edilen bayrakların üstünde tepiniliyordu. Casuslara bağlı gençler, bir solukta damlara tırmanıp bacalardan sarkan flamaları keserken harikalar yaratıyorlardı. Ama her şey iki üç dakika içinde olup bitmişti. Konuşmacı ise, öne eğilmiş, bir eliyle mikrofona yapışmış, öbür elini havada savurarak söylevini hâlâ sürdürüyordu. Bir dakika geçti geçmedi, kalabalıktan yine vahşi öfke haykırışları yükseldi. Nefret biraz önceki gibi sürüyordu, hedefi değişmişti, o kadar.

Bütün bunlar olup biterken, Winston'ı en çok etkileyen de, konuşmacının cümlenin tam ortasında, bir an duraksamadan, dahası sözdizimini bile bozmadan, düşmanın adını değiştirivermiş olmasıydı. Ama o sırada başka işi vardı. Posterler duvarlardan sökülürken meydana gelen karışıklıkta, yüzünü görmediği bir adam omzuna dokunarak, "Özür dilerim, galiba çantanızı düşürdünüz," demişti. Winston da, hiçbir şey demeden, kendisine uzatılan çantayı alıvermişti. Çantanın içine günler sonra bakabileceğinin farkındaydı. Gösteri biter bitmez, saatin yirmi üçe geldiğine bakmadan, doğruca Gerçek Bakanlığı'na gitti. Bakanlıkta çalışan herkes oradaydı. Tele-ekranlardan herkesi görev yerine çağıran buyruklara pek gerek kalmamıştı.

Okyanusya, Doğuasya'yla savaştaydı: Okyanusya, hep savaştaydı Doğuasya'yla. Son beş yılın politik yayınlarının büyük bir bölümünün artık hiçbir geçerliliği kalmamıştı. Tekmil rapor ve kayıtların, gazeteler, kitaplar, broşürler, filmler, ses bantları ve fotoğrafların hepsinin en kısa zamanda düzeltilmesi gerekiyordu. Gerçi herhangi bir yönerge yayımlanmış değildi, ama Daire'deki bölüm başkanlarının, Avrasya'yla savaş ya da Doğuasya'yla ittifakla ilgili her şeyin bir hafta içinde yok edilmesini isteyecekleri belliydi. Yapılacak çok iş vardı, ama işlemlerin gerçek adlarıyla anılamaması işin yükünü daha da artırıyordu. Kayıt Dairesi'nde herkes günde on sekiz saat çalışıyor, ancak üçer saatlik iki molada uyku uyuyabiliyordu. Aşağıdan şilteler getirilip koridorlara serilmişti; yemek saatlerinde kantin görevlileri servis arabalarıyla sandviç ve Zafer Kahvesi dağıtıyorlardı. Winston her uyku molasından önce masasındaki tüm işleri bitirmeye özen gösteriyor, ama çapaklı gözler ve ağrılar içinde sürünerek geri döndüğünde, masayı, çığ gibi yükselen ve söyleyaz'ın üstünden yerlere taşan kâğıt rulolarıyla kaplı buluyor, ilk işi, çalışabileceği bir yer açmak için onları toplayıp düzene sokmak oluyordu. En kötüsü de, yaptığı işin tümüyle mekanik çalışmadan oluşmamasıydı. Gerçi bir adı başka bir adla değiştirmek çoğu zaman yeterli oluyordu, ama ayrıntılı raporların hazırlanması büyük bir özen ve hayal gücü gerektiriyordu. Savaşı dünyanın bir yerinden alıp başka bir yerine taşıyabilmek için bile iyi coğrafya bilmek gerekiyordu.

Üçüncü gün artık gözlerinin içi zonkluyor, ikide bir gözlüğünü silmek zorunda kalıyordu. Eziyetli bir beden işiyle uğraşmaktan farkı yoktu bunun; zaman zaman, hiç yapmasa haklı olacağını düşünüyor, ama sonunda tamamlamak için kendini yiyip bitiriyordu. Anımsayabildiği kadarıyla, söyleyaz'a yazdırdığı her sözcüğün, kaleminden çıkan her sözün kuyruklu birer yalan olmasına aldırmıyordu. Dairedeki herkes gibi o da, sahtekârlığın kusursuz olması için çabalıyordu. Altıncı günün sabahı kâğıt rulolarının gelişinde bir yavaşlama oldu. Yarım saat kadar borudan hiçbir şey gelmedi; sonra bir rulo geldi ve yine durdu. İş her yerde hemen hemen aynı anda hafifliyordu. Tüm Daire'de herkes sanki gizliden gizliye derin bir nefes almıştı. Hiçbir zaman anlatılamayacak, çok büyük bir iş başarılmıştı. Artık hiç kimse Avrasya'yla savaşılmış olduğunu belgelere dayanarak kanıtlayamazdı. Saat on ikide, Bakanlık çalışanlarının ertesi sabaha kadar izinli oldukları açıklandı. Winston, *kitabın* bulunduğu çantayı çalışırken bacaklarının arasına koymuş, uyurken de koynuna almıştı; çantayı kapıp doğruca eve gitti, tıraş oldu; su o kadar sıcak olmamasına karşın az kalsın banyoda uyuyakalacaktı.

Eklemleri sızım sızım sızlayarak Bay Charrington'ın dükkânının merdivenini çıktı. Yorgundu, ama uykusunu almıştı. Camı açtı, kirli küçük gaz sobasını yakıp kahve için bir kap su koydu. Julia birazdan gelirdi; bu arada *kitabı* okuyabilirdi. Kirli koltuğa oturup çantanın kayışlarını açtı.

Acemice ciltlenmiş, kapağında bir ad ya da başlık olmayan, kalın, siyah bir kitap. Baskısı da baştan savma görünüyordu. Sayfaların kenarları aşınmıştı, sayfalar insanın elinde kalıyordu, pek çok kişinin elinden geçtiği belliydi. Başlık sayfasında şöyle yazıyordu:

OLİGARŞİK KOLEKTİVİZMİN
TEORİ VE PRATİĞİ
Emmanuel Goldstein

Winston okumaya başladı:

Birinci Bölüm
Cehalet Güçtür.

Bilinen tarih boyunca, olasılıkla Neolitik Çağ'ın sona ermesinden bu yana, dünyada üç tür insan olagelmiştir: Yüksek, Orta ve Aşağı. Bunlar kendi içlerinde de pek çok alt bölüme ayrılmışlar, sayısız ad taşımışlar, sayıları ve birbirlerine karşı tutumları çağdan çağa değişmiş, ama toplumun temel yapısı hiçbir zaman değişmemiştir. Olağanüstü ayaklanmalar ve kesin görünen değişimlerden sonra bile, tıpkı ne kadar hızlı döndürülürse döndürülsün dönme ekseni doğrultusu hep aynı kalan bir jiroskop gibi, aynı düzen hep kendini yeniden dayatmıştır.

Bu üç kesimin amaçları asla uzlaştırılamaz...

Winston okumayı bıraktı: Rahat rahat, güven içinde *okuyor olmanın* tadını çıkarmak istiyordu. Bir başınaydı: ne tele-ekran ne anahtar deliğinden bir dinleyen. İkide bir arkasına dönüp bakması ya da okuduğu sayfayı eliyle kapaması da gerekmiyordu. Tatlı yaz havası yanaklarını okşuyordu. Uzaklardan bir yerden çocukların belli belirsiz bağırtıları geliyordu: Odada saatin tiktaklarından başka bir ses yoktu. Koltuğa biraz daha gömülüp ayaklarını şöminenin siperliğine uzattı. Mutluluk buydu işte, sonsuzluk buydu. Birden, insanın her sözcüğünü tekrar tekrar okuyacağını bildiği bir kitapta yaptığı gibi, kitabın başka bir yerini açtı ve kendini üçüncü bölümde buldu. Okumaya devam etti:

Üçüncü Bölüm
Savaş Barıştır.

Dünyanın üç büyük süper-devlete bölünmesi, yirminci yüzyılın ortalarına gelinmeden öngörülebilecek ve gerçekten de öngörülmüş bir olaydı. Avrupa'nın Rusya tarafından, Britanya İmparatorluğu'nun da Birleşik Devletler tarafından ele geçirilmesiyle birlikte, var olan üç devletten ikisi oluşmuştu bile. Üçüncü devlet Doğuasya ise, ancak on yıl kadar süren karışık savaşlardan sonra ortaya çıktı. Üç süper-devlet arasındaki sınırlar kimi yerlerde rastgele oluşmuştur, kimi yerlerde savaşın gidişine göre değişip durur, ama genellikle coğrafi konuma uyar. Avrasya, Portekiz'den Bering Boğazı'na kadar, Avrupa'nın ve Asya anakarasının tüm kuzeyini kapsar. Okyanusya, Kuzey ve Güney Amerika'yı, aralarında Britanya Adaları'nın da bulunduğu Atlas Okyanusu adalarını, Avustralasya'yı ve Afrika'nın güneyini içine alır. Ötekilerden daha küçük olan ve batı sınırı pek o kadar belirli olmayan Doğuasya ise, Çin ve onun güneyindeki ülkeleri, Japon adalarını ve Mançurya, Moğolistan ve Tibet'in büyük ama durmadan değişen bir bölümünü kapsar.

Bu üç süper-devlet, saflaşmalar değişmekle birlikte, son yirmi beş yıldır birbiriyle sürekli savaşmaktadır. Ne var ki, savaş artık yirminci yüzyılın ilk onyıllarındaki amansız yok etme savaşı olmaktan çıkmıştır. Birbirlerini yok edemeyen, birbirleriyle savaşmaları için hiçbir somut nedenleri olmadığı gibi, aralarında gerçek bir ideolojik ayrılık da bulunmayan taraflar arasında, sınırlı hedefleri olan bir savaştır bu. Ancak bu, çarpışmaların ya da savaşla ilgili tutumun eskisi kadar gaddarca olmaktan çıktığı ya da daha soylu bir niteliğe büründüğü anlamına gelmemektedir. Tam tersine, savaş çılgınlığı tüm ülkelerde olanca evrenselliğiyle sürmekte; ırza geçme, yağmalama, çocukları boğazlama, tüm halkı köleleştirme, hatta tutsakların kaynar suya atılması ve diri diri gömülmesi gibi eylemler olağan sayılmakta, dahası bütün bunlar düşman tarafından değil de kendi ülkeniz tarafından yapılıyorsa, övgüyle karşılanmaktadır. Ama doğrudan savaşa giren insanların sayısı pek az olduğu gibi, bunların çoğu iyi eğitim görmüş ve uzlaşmış kişilerdir; üstelik savaş eskiye oranla çok daha az kayba yol açmaktadır. Meydana gelen çarpışmalar da, sokaktaki insanın pek haberinin olmadığı belirsiz sınırlarda ya da deniz yollarındaki stratejik noktaları koruyan Yüzen Kalelerin çevresinde gerçekleşmektedir. Savaş, uygarlık merkezlerinde, tüketim maddelerinin durmadan kısıtlanmasından ve arada sırada otuz kırk kişinin ölümüne yol açan tepkili bombalardan başka bir anlam taşımamaktadır. Aslında savaş nitelik değiştirmiştir. Daha doğrusu, savaşın nedenlerinin önem sırası değişmiştir. Yirminci yüzyılın başlarındaki büyük savaşlarda sınırlı bir rol oynayan güdüler artık başat bir duruma gelmiştir ve bilinçli bir kabul görmekte ve temel alınmaktadır.

Bugünkü savaşın niteliğini anlamak için –çünkü tarafların birkaç yılda bir yeniden saflaşmalarına karşın, savaş aynı savaştır–, her şeyden önce, kesin bir sonuca ulaşmasının olanaksız olduğunu kavramak gerekir. Üç süperdevletten hiçbiri, öteki ikisi bir araya gelse bile, kesin bir yenilgiye uğratılamaz. Çünkü aralarında sarsılmaz bir güç dengesi vardır ve doğal savunmaları olağanüstüdür. Avrasya'yı uçsuz bucaksız toprakları, Okyanusya'yı Atlas Okyanusu ile Büyük Okyanus'un engin suları, Doğuasya'yı da halklarının doğurganlığı ve çalışkanlığı korumaktadır. İkincisi, artık maddi anlamda uğruna savaşılacak bir şey kalmamıştır. Üretim ile tüketimin birbirine uyumlu kılındığı, kendi kendine yeterli ekonomilerin oluşmasıyla birlikte, daha önceki savaşların ana nedeni olan pazar kapışmaları son bulmuş, hammadde kavgaları artık bir ölüm kalım sorunu olmaktan çıkmıştır. Üç süper-devletin de toprakları o kadar geniştir ki, gereksinim duyduğu hammaddelerin hemen hemen tümünü kendi sınırları içinde elde edebilmektedir. Yine de, savaşın dolaysız bir ekonomik amacı olduğu düşünülecek olursa, bugünkü savaş bir işgücü savaşıdır. Süperdevletlerin sınırları dışında, hiçbirinin kalıcı egemenlik kuramadığı geniş bir dörtgen yer almakta, dört köşesini Tanca, Brazzaville, Darwin ve Hongkong kentlerinin tuttuğu bu bölgede dünya nüfusunun yaklaşık beşte biri yaşamaktadır. Üç devlet sürekli olarak bu yoğun nüfuslu bölgeleri ve kuzey buz başlığını ele geçirmek için savaşım vermektedir. Sonuçta, tartışmalı bölgenin tümünü tek başına hiçbir devlet denetim altına alamamaktadır. Bölgenin çeşitli bölümleri durmadan el değiştirmekte, şu ya da bu yörenin apansız bir ihanetle ele geçirilmesi sonucunda, cepheleşmelerde sürekli değişiklik olmaktadır.

Tartışmalı bölgelerin tümünde değerli madenler bulunmakta ve kauçuk gibi, daha soğuk iklimlerde daha

217

pahalı yöntemlerle yapay bir biçimde üretilmek zorunda kalınan önemli bitkisel ürünler yetişmektedir. Ama en önemlisi, buralarda bitmez tükenmez bir ucuz emek kaynağı bulunmasıdır. Ekvatoral Afrika'yı, Ortadoğu ülkelerini, Güney Hindistan'ı ya da Endonezya Takımadalarını denetimi altına alan devlet, boğaz tokluğuna başını kaldırmadan çalışan yüz milyonlarca ırgatın bedenlerini de ele geçirmiş olur. Bu bölgelerin nerdeyse açıkça köleleştirilmiş olan insanları, durmadan bir istilacıdan bir başka istilacının eline düşerken, daha çok silah üretme, daha çok toprak ele geçirme, daha çok işgücünü denetleme, daha da çok silah üretme, daha da çok toprak ele geçirme yarışında kömür ve petrol gibi kullanılırlar. Gerçekte, çarpışmaların asla tartışmalı bölgelerin sınırlarının ötesine geçmediği bilinmelidir. Avrasya'nın sınırları Kongo havzası ile Akdeniz'in kuzey kıyısı arasında gidip gelir; Hint Okyanusu ve Büyük Okyanus'taki adalar Okyanusya ile Doğuasya arasında durmadan el değiştirir; Moğolistan'da Avrasya ile Doğuasya arasındaki sınır çizgisi sürekli değişir; üç devlet de, büyük ölçüde ıssız ve keşfedilmemiş yörelerden oluşan, Kutup çevresindeki uçsuz bucaksız topraklarda hak iddia eder: Ama güç dengesi hemen hemen hiç değişmez ve her süper-devletin ana topraklarına hiçbir zaman dokunulmaz. Üstelik Ekvator çevresindeki, sömürülen halkların emeği aslında dünya ekonomisi için hiç de gerekli değildir. Bunlar dünyanın zenginliğine hiçbir şey katmaz, çünkü ürettikleri her şey savaş için kullanılır, savaşmanın amacı ise her zaman, verilecek başka bir savaşta daha iyi bir konumda olmaktan başka bir şey değildir. Köle halkların emeği, yalnızca sürekli savaşın temposunun hızlandırılmasını sağlar. Onlar olmasa da, dünya toplumunun yapısı ve varlığını sürdürme yolu temelde değişmeyecektir.

Modern savaşın ana amacı (bu amaç, *çiftdüşün* ilkelerine uygun olarak, İç Parti yönetiminin beyinleri tarafından aynı anda hem benimsenmiş hem de reddedilmiştir), genel yaşam düzeyini yükseltmeksizin, makinelerin ürettiklerini tüketmektir. On dokuzuncu yüzyıl sonlarından bu yana, tüketim malları fazlasının ne yapılacağı, sanayi toplumunun gizil bir sorunu olagelmiştir. Pek az insanın yeterince yiyecek bulabildiği günümüzde bu sorun hiç kuşkusuz ivedilik taşımamaktadır; dahası, hiçbir yapay yok etme süreci yaşanmıyor olsaydı bile ivedilik kazanmayabilirdi. Günümüz dünyası, 1914'ten önceki dünyayla, hele o dönemin insanlarının düşledikleri gelecekle karşılaştırıldığında, çorak, açlık çekilen ve yıkıntıya dönmüş bir yerdir. Yirminci yüzyılın başlarında, nerdeyse bütün okuryazar insanların aklından, son derece zengin, insanlara boş vakit sağlayan, düzenli ve verimli bir geleceğin toplumu düşü –cam, çelik ve karbeyaz betondan oluşan parlak, pırıl pırıl bir dünya– geçmekteydi. Bilim ve teknoloji baş döndürücü bir hızla gelişiyordu ve bu gelişmenin böyle sürüp gideceği doğal görünüyordu. Ne var ki, biraz bitmek bilmeyen savaşlar ve devrimlerden dolayı güçten düşülmesi yüzünden, biraz da bilimsel ve teknik ilerleme tekdüzeleştirilmiş bir toplumda asla var olamayacak deneysel düşünceye dayandığı için, beklenen olmadı. Bir bütün olarak bakıldığında, bugün dünya elli yıl öncesinden daha ilkel. Gerçi bazı geri kalmış bölgeler kalkındı, savaşlar ve polis istihbaratıyla ilgili olarak pek çok aygıt geliştirildi, ama deneyler ve buluşlar büyük ölçüde durdu ve bin dokuz yüz ellilerdeki nükleer savaşın yol açtığı yıkımlar hiçbir zaman tam anlamıyla onarılmadı. Kaldı ki, makinelerin içerdiği tehlike olduğu gibi duruyor. İlk makinenin ortaya çıktığı andan başlayarak, aklı başında bütün insanlar, ağır çalışma koşulları ve eşitsizliğin sürmesine gerek kalmadığını açık seçik anlamışlardı. Makineler bilinçli olarak bu amaçla kullanılmış olsaydı, açlık, aşırı çalışma, pislik, cehalet ve hastalık birkaç kuşak sonra yok edilebilirdi. Aslında, makine, böyle bir amaçla kullanılmamasına karşın, kendiliğinden bir işleyişle –bazen paylaştırılmak zorunda kalınan bir zenginlik üreterek– on dokuzuncu yüzyılın sonu ve yirminci yüzyılın başındaki yaklaşık elli yıllık bir dönemde ortalama insanın yaşam düzeyini çok büyük ölçüde yükseltti.

Gel gör ki, zenginliğin genel yükselişinin hiyerarşik bir toplumun ortadan kaldırılmasını tehlikeye düşürdüğü, ama aslında hiyerarşik toplumun bir anlamda ortadan kaldırılması demek olduğu da açıktı. Belli ki, herkesin daha az çalıştığı, yeterince yiyecek bulduğu, banyosu ve buzdolabı olan bir evde yaşadığı, bir arabası, hatta uçağı olduğu bir dünyada, eşitsizliğin en belirgin, belki de en önemli biçimi ortadan kalkmış olacaktı. Zenginlik, bir kez genelleşti mi, ayrım tanımayacaktı. Hiç kuşku yok ki, kişisel mülk ve lüks anlamında *zenginliğin* eşit bir biçimde dağıtılacağı, buna karşılık *iktidarın* küçük bir ayrıcalıklı zümrenin elinde toplanacağı bir toplum düşünmek mümkündü. Ama böyle bir toplum uygulamada uzun süre ayakta kalamazdı. Çünkü boş vakit ve güvenlik herkesçe paylaşıldığında, yoksulluğun serseme çevirdiği geniş kitleler okuryazar olacak, kendi başına düşünmeyi öğrenecek, o zaman da hiçbir işe yaramadığını sonunda fark ettiği ayrıcalıklı azınlığı ortadan kaldıracaktı. Hiyerarşik toplumun varlığı, uzun sürede, ancak yoksulluk ve cehalete yaslanarak sürebilirdi. Yirminci yüzyılın başlarında bazı düşünürlerin hayalini kurdukları gibi, geçmişin tarım toplumuna geri dönmek de uygulanabilir bir çözüm değildi. Bu, hemen hemen tüm dünyada handiyse içgüdüselleşmiş makineleşme eğilimine ters düşüyordu; dahası, sanayileşmede geri kalan her ülke askerî açıdan da güçsüz düşüyor, daha gelişmiş rakiplerinin dolaylı ya da dolaysız boyunduruğu altına giriyordu.

Mal üretimini kısıtlayarak halk kitlelerinin yoksulluğunu sürdürmek de yeterli bir çözüm değildi. Kapitalizmin son aşamasına geldiği, kabaca 1920 ve 1940 yılları arasında büyük ölçüde böyle oldu. Birçok ülkenin ekonomisi durgunluğa bırakıldı, topraklar ekilmedi, yeni makine yatırımları yapılmadı, halkın geniş kesimleri çalıştırılmadı ve yarı aç yarı tok, Devlet yardımına terk edildi. Ama bu da askerî bakımdan güçsüz düşülmesine yol açtı ve getirdiği yoksunluklar açıkça gereksiz olduğundan, muhalefeti kaçınılmaz kıldı. Sorun, dünyanın gerçek zenginliğini artırmadan sanayinin çarklarının nasıl döndürüleceğiydi. Üretimin sürdürülmesi, ama ürünlerin dağıtılmaması gerekiyordu. Uygulamada bunu gerçekleştirmenin tek yolu da, savaşın sürekli kılınmasıydı.

Savaşın asıl yaptığı, yok etmektir; ama ille de insanları yok etmesi gerekmez, insan emeğinin ürünlerini de yok eder. Savaş, halk kitlelerini fazlasıyla rahata erdirecek, dolayısıyla uzun sürede kafalarının fazlasıyla çalışmasını sağlayacak araç gereç ve donatımı paramparça etmenin, stratosfere yollamanın ya da denizin dibine göndermenin bir yoludur. Savaşta kullanılan silahlar yok edilmese bile, silah yapımı, tüketilebilecek herhangi bir şey üretmeksizin işgücünü kullanmanın uygun bir yoludur. Sözgelimi, bir Yüzen Kale'de, birkaç yüz şilebin yapımında kullanılabilecek emek yatar. Sonunda, kimseye somut bir yarar sağlamadan sökülüp hurdaya çıkarılır ve yeniden büyük emekler harcanarak yeni bir Yüzen Kale yapılır. Savaş uğraşı, ilke olarak, her zaman halkın basit gereksinimleri karşılandıktan sonra geriye kalabilecek üretim fazlasını tüketecek biçimde tasarlanır. Uygulamada, halkın gereksinimleri hiçbir zaman yeterince değerlendirilmediği için, sonunda zorunlu gereksinimlerin yarısı hep eksik kalır; ama bu bir avantaj olarak görülür. Ayrıcalıklı kesimlere bile sıkıntı çektirmek, bilinçli bir

221

tutumun sonucudur; çünkü genel bir yoksunluğun hüküm sürmesi küçük ayrıcalıkların önemini artırır ve böylece bir kesim ile öbürü arasındaki farkı büyütür. Yirminci yüzyılın başlarındaki ölçütlere baktığımızda, bir İç Parti üyesinin bile çok yalın bir yaşam sürdüğünü, çalışarak yaşadığını görürüz. Ama yine de, sahip olduğu birkaç lüks –dayalı döşeli büyük bir apartman dairesi, daha iyi kumaştan yapılmış giysiler, yemeği, içkisi ve tütününün daha kaliteli olması, iki üç uşağının bulunması, özel arabası ya da helikopterinin olması– onu bir Dış Parti üyesinden farklı bir konuma yerleştirir; Dış Parti üyelerinin de, "proleterler" dediğimiz dibe vurmuş kitlelerle karşılaştırıldığında, benzer avantajları vardır. Sanki kuşatma altındaki bir kentte yaşanmaktadır da, zenginlik ile yoksulluk arasındaki ayrım bir parça at etine sahip olup olmamaya bağlıdır. Aynı zamanda, savaşta, dolayısıyla da tehlike altında yaşıyor olmanın farkındalığı, tekmil iktidarın küçük bir zümrenin ellerine teslim edilmesini, hayatta kalmanın doğal, kaçınılmaz koşulu kılar.

Savaş, görüleceği gibi, gerekli yıkımı sağlamakla kalmaz, aynı zamanda bu yıkımı psikolojik bakımdan kabul edilebilir bir biçimde sağlar. İlke olarak, tapınaklar ve piramitler yaptırarak, çukurlar kazdırıp sonra yeniden kapattırarak, dahası çok büyük ölçülerde mal üretip sonra hepsini yakarak, dünyanın emek fazlasını boşa harcamak çok kolay olurdu. Ama bu, hiyerarşik bir toplumun yalnızca ekonomik temelini gerçekleştirirdi, duygusal temelini değil. Burada söz konusu olan, düzgün bir biçimde çalışmayı sürdürdüğü sürece davranışları önem taşımayan halk kitlelerinin morali değil, Parti'nin moralidir. En sıradan Parti üyesinin bile işinin ehli, çalışkan ve belirli sınırlar içinde de olsa zeki olması beklenir, ama korku, nefret, yaltaklanma, zafer düşkünlüğü gibi ruh halleri bulunan saf ve cahil bir bağnaz olması da gerekir. Başka bir deyişle, zihinsel yapısının savaş haline uygun olması gereklidir. İlle de gerçekten savaşılıyor olması gerekmez; belirleyici bir zafer mümkün olmadığından, savaşın nasıl gittiği de önemli değildir. Gerekli olan tek şey, bir savaş halinin var olmasıdır. Parti'nin üyelerinden istediği ve savaş ortamında daha kolay sağlanan zekâ yarılması artık genelleşmiştir, ama rütbe yükseldikçe bu daha da belirginlik kazanır. Savaş isterisi ve düşmandan nefretin en güçlü olduğu yer İç Parti'dir. Bir İç Parti üyesi, yönetici niteliği taşıdığı için, savaş haberlerinin uydurma olduğunu çoğu zaman bilmelidir ve tüm savaşın düzmece olduğunun, ya savaş diye bir şey olmadığının ya da açıklananlardan çok farklı amaçlar uğruna savaşıldığının çoğu zaman ayırdında olabilir; ama bunları bilmenin etkisi *çift-düşün* tekniğiyle kolayca giderilir. Bu arada, bir İç Parti üyesi, savaşın gerçek, zaferin kaçınılmaz ve Okyanusya'nın tüm dünyanın tartışılmaz efendisi olduğuna gizemli bir biçimde inanmakta bir an bile duraksamaz.

Tüm İç Parti üyeleri yaklaşmakta olan bu zafere yürekten inanırlar. Zafer ya giderek daha fazla toprak ele geçirip böylece olağanüstü bir güç üstünlüğü oluşturarak ya da yeni ve karşı durulmaz bir silah keşfederek elde edilecektir. Yeni silah arayışları aralıksız sürmektedir ve yaratıcı düşünceye yatkın beyinlerin at oynatabildiği pek az etkinlikten biridir. Bugün Okyanusya'da, eski anlamıyla Bilim, yok olmanın eşiğine gelmiş bulunmaktadır. Yenisöylem'de, "Bilim"i karşılayan tek bir sözcük yoktur. Geçmişin tüm bilimsel başarılarının dayandığı deneysel düşünce yöntemi, İngsos'un en temel ilkelerinin karşısındadır. Dahası, teknolojik ilerleme bile, ancak ürünleri insan özgürlüğünün daraltılmasında kullanılabiliyorsa gerçekleşir. Dünya, tüm yararlı uğraşlarda ya yerinde saymakta ya da geriye gitmektedir. Kitaplar makineler tarafından yazılırken, tarlalar atların çektiği sabanlarla sürülmektedir. Ne var ki, yaşamsal önem taşıyan konularda –açıkçası, savaş ve güvenlik casusluğu gibi konularda– deneysel yaklaşım hâlâ özendirilmekte ya da en azından hoş görülmektedir. Parti'nin iki hedefi, tüm yeryüzünü fethetmek ve her türlü bağımsız düşünme olasılığını tümden yok etmektir. O yüzden, Parti'nin çözmeye çalıştığı iki büyük sorun vardır. Bunlardan biri, bir insanın ne düşündüğünün kendisinden habersiz nasıl okunabileceği; öbürü de, yüz milyonlarca insanın önceden uyarılmadan birkaç saniye içinde nasıl öldürülebileceğidir. Bugün yapılmakta olan bilimsel araştırmaların konusu budur. Günümüzün bilimcisi, ya insanların yüz ifadelerinin, el kol hareketlerinin ve ses tonlarının anlamını kılı kırk yararcasına inceleyen ve uyuşturucuların, şok tedavisinin, hipnozun ve fiziksel işkencenin doğruyu söyletme etkilerini sınayan bir psikologla sorgulamacının bir karışımıdır ya da uzmanlık alanının yalnızca insanların canını almayla ilgili dallarıyla uğraşan bir kimyacı, fizikçi ya da biyolog. Uzmanlardan oluşan ekipler, Barış Bakanlığı'nın koskocaman laboratuvarlarında ve Brezilya ormanları, Avustralya çölleri ya da Antarktika'nın yitik adalarındaki gizli deney istasyonlarında, bıkıp usanmadan çalışmaktadır. Bazıları geleceğin savaşlarının lojistiğini planlamakta; bazıları her geçen gün daha büyük tepkili bombalar, gittikçe daha güçlü patlayıcılar ve gittikçe daha delinmez zırhlı levhalar geliştirmekte; bazıları koca kıtaların tekmil bitki örtüsünü yok edebilecek miktarda yeni ve daha ölümcül gazların, çözünür zehirlerin ya da her türlü antikora karşı bağışıklık kazanmış hastalık mikroplarının nasıl üretilebileceğini araştırmakta; bazıları suyun altında ilerleyen bir denizaltı gibi toprağın altında gidebilecek bir araç ya da bir yelkenli gibi hiçbir üsse bağımlı olmadan uçabilecek bir uçak üretmek için uğraşmakta; bazıları güneş ışınlarını uzayda binlerce kilometre uzaklıkta asılı duran merceklerde odaklandırmak ya da yeryüzünün merkezindeki ısıyı çekip sızdırarak yapay depremler ve deprem dalgaları oluşturmak gibi daha da uzak olasılıkları mümkün kılmaya çalışmaktadırlar.

Gel gör ki, bu projelerin hiçbiri azıcık olsun gerçekleşmediği gibi, üç süper-devletten hiçbiri öbürleri üzerinde belirgin bir üstünlük kuramamaktadır. Daha da ilginci, üç devletin de daha şimdiden, bugünkü araştırmalarıyla keşfedileceklerinden çok daha güçlü bir silaha, atom bombasına sahip olmasıdır. Parti, her zaman yaptığı gibi, bu buluşu kendine mal etmeye çalışsa da, atom bombaları ilk kez bin dokuz yüz kırklarda ortaya çıkmış, on yıl kadar sonra da ilk kez geniş çaplı olarak kullanılmıştır. O sıralar özellikle Avrupa Rusyası, Batı Avrupa ve Kuzey Amerika'daki sanayi merkezlerine yüzlerce bomba bırakılmıştır. Sonunda, bütün ülkelerin egemen kesimleri, birkaç atom bombası daha atılacak olursa düzenli toplumun ortadan kalkacağını, dolayısıyla iktidarlarının son bulacağını anlamak zorunda kalmışlardır. O günden sonra, hiçbir resmî anlaşma yapılmadığı gibi, böyle bir anlaşmanın sözü bile edilmemiş olmasına karşın, tek bir bomba bile atılmamıştır. Üç devlet de atom bombası üretmeyi sürdürmekte ve önünde sonunda kullanma fırsatını bulacağına inanarak bir yerlere yığmaktadır. Bu arada, savaş sanatının son otuz kırk yıldır pek fazla değiştiği söylenemez. Gerçi helikopterler eskisinden daha çok kullanılmaktadır, bombardıman uçaklarının yerini büyük ölçüde güdümlü füzeler almıştır, kolay batırılabilen savaş gemileri ise yerini, batırılması nerdeyse olanaksız Yüzen Kalelere bırakmıştır; ama bunun dışında pek az gelişme olmuştur. Tanklar, denizaltılar, torpiller, makineli tüfekler, hatta tüfekler ve el bombaları hâlâ kullanılmaktadır. Bitmek bilmeyen kıyımların gazetelerde yer almasına, tele-ekranlarda gösterilmesine karşın, birkaç haftada yüz binlerce, hatta milyonlarca insanın can verdiği eski savaşların amansız çarpışmaları bir daha asla tekrarlanmamıştır.

Üç süper-devletten hiçbiri, ağır bir bozguna uğrama riski taşıyan bir harekâta girişmez. Geniş çaplı bir harekâta kalkışılacaksa da, bu genellikle bir müttefike baskın yapmak biçiminde olur. Üç devletin izlediği ya da izler gibi göründüğü strateji aynıdır. Plan, çarpışmalar, pazarlıklar ve iyi zamanlanmış ihanetleri bir arada yürüterek, rakip devletlerden birini tümüyle kuşatan bir üs çemberi oluşturmak, sonra da o devletle bir dostluk antlaşması imzalayarak her türlü kuşkuyu gidermek üzere yıllarca barış içinde kalmaktır. Bu süre boyunca tüm stratejik noktalarda toplanacak atom bombası yüklü roketler, en sonunda aynı anda ateşlenecek ve düşmana karşılık verme olanağı tanınmayacaktır. İşte o zaman öteki süperdevletle bir dostluk antlaşması imzalanarak yeni bir saldırıya hazırlanılacaktır. Bu tertip, söylemeye bile gerek yok ki, gerçekleşmesi olanaksız bir hayaldir. Kaldı ki, Ekvator ve Kutup çevresindeki tartışmalı bölgeler dışında hiçbir yerde çarpışma olmamaktadır; düşman topraklarının istilasına hiçbir zaman girişilmemektedir. Süperdevletler arasındaki sınırların bazı yerlerde değişken olmasının nedeni de budur. Örneğin, Avrasya, coğrafi olarak Avrupa'nın bir parçası olan Britanya Adaları'nı kolayca ele geçirebilirdi ya da buna karşılık, Okyanusya'nın sınırlarını Ren nehrine, hatta Vistül nehrine kadar genişletmesi hiç de zor olmazdı. Ama bu da, bütün tarafların hiç dile getirmedikleri halde bağlı kaldıkları kültürel bütünlük ilkesini çiğnemek olurdu. Okyanusya bir zamanlar Fransa ve Almanya diye bilinen bu bölgeleri ele geçirecek olsaydı, orada yaşayanların kökünü kazımak gibi çok güç bir işe kalkışmak ya da teknik gelişme açısından aşağı yukarı Okyanusya'nın düzeyine ulaşmış yüz milyonluk bir nüfusu özümlemek zorunda kalacaktı. Üç süper-devlet de aynı sorunla karşı karşıyadır. Yapıları gereği, savaş tutsakları ve renkli kölelerle belirli ilişkiler dışında, yabancılarla kesinlikle hiçbir bağlantı kurmamaları gerekmektedir. O andaki resmî müttefike bile her zaman büyük bir kuşkuyla bakılmaktadır. Sıradan bir Okyanusya yurttaşının, savaş tutsakları dışında, bir Avrasya ya da Doğuasya yurttaşını görme olanağı bile olmadığı gibi, yabancı dil öğrenmesi de yasaktır. Yabancılarla bağlantı kurmasına izin verilirse, onların da kendisi gibi birer beniâdem olduklarını ve kendisine anlatılanların çoğunun yalan olduğunu anlayabilir. İçinde yaşadığı kapalı dünyanın duvarları yıkılabilir ve maneviyatının bağlı olduğu korku, nefret ve üstünlük duygusu yerle bir olabilir. O yüzden, İran, Mısır, Cava ya da Seylan sık sık el değiştirse de, üç süper-devlet, ana sınırlardan içeriye bombalardan başka bir şeyin asla girmemesi gerektiğinin farkındadır.

Bunun altında, hiçbir zaman seslendirilmeyen, ama söylenmeden anlaşılan ve göz önünde tutulan bir gerçek yatmaktadır: Yaşam koşulları üç süper-devlette de birbirinin aynıdır. Okyanusya'daki egemen felsefenin adı İngsos'tur; Avrasya'da buna Neo-Bolşevizm denir; Doğusya'da ise bunun Ölüme Tapınma diye çevirebileceğimiz, ama belki Özünden Geçmek de diyebileceğimiz Çince bir adı vardır. Bir Okyanusya yurttaşının öteki iki felsefenin ilkelerini öğrenmesine izin verilmez, tam tersine o ilkeleri ahlak ve sağduyuya yöneltilmiş barbarca saldırılar olarak lanetlemesi istenir. Aslında bu üç felsefenin birbirinden pek farkı olmadığı gibi, destekledikleri toplum düzenleri arasında da hiçbir fark yoktur. Her yerde aynı piramit yapısı, yarı kutsal bir öndere tapınma, sürekli savaşa dayanan ve sürekli savaşa hizmet eden bir ekonomi söz konusudur. Dolayısıyla, üç süper-devlet birbirinin topraklarını fethedemeyeceği gibi, bundan bir yarar da sağlayamaz. Tam tersine, birbirleriyle çatışmayı sürdürdükleri sürece, birbirine yaslanmış üç ekin demeti gibi birbirlerini ayakta tutarlar. Ve her zamanki gibi, üç devletin egemen kesimleri, ne yaptığının hem farkındadır hem de farkında değildir. Yaşamlarını dünyayı fethetmeye adamışlardır, ama aynı zamanda bilirler ki, savaşın sonsuza dek ve zafere ulaşmadan sürüp gitmesi gerekmektedir. Bu arada, fethedilme tehlikesinin *olmaması*, İngsos'un ve karşıtı düşünce sistemlerinin bir özelliği olan, gerçekliğin yadsınmasını olanaklı kılmaktadır. Gerçi daha önce de söylemiştik, ama süreklilik kazanan savaşın niteliğinin temelden değiştiğini bir kez daha vurgulamak isteriz.

Eski çağlarda savaş, handiyse tanımı gereği, önünde sonunda son bulan, genellikle kesin bir zafer ya da bozgunla sona eren bir şeydi. Yine bir zamanlar, savaş, insan toplumlarının somut gerçeklikle sürekli ilişkide tutulmasını sağlayan başlıca araçlardan biriydi. İktidarı ellerinde tutanlar, her çağda, yönettikleri insanlara dünyaya ilişkin düzmece bir bakış açısı dayatmaya çalışmışlar, buna karşılık askerî güçlerini zayıflatabilecek hiçbir yanılsamaya arka çıkmayı göze alamamışlardır. Yenilgi, bağımsızlığın yitirilmesi ya da istenmeyen başka bir sonuç anlamına geldiği sürece, yenilgiye karşı alınacak önlemlerin ciddi olması gerekiyordu. Somut gerçekler göz ardı edilemezdi. Felsefede, dinde, ahlakta ya da politikada iki kere iki beş edebilirdi, ama iş bir top ya da uçağın yapımına geldi mi, iki kere iki dört etmek zorundaydı. Güçsüz ülkeler önünde sonunda fethedilmeye mahkûmdu, güçlü olmak için verilen savaşımda ise hayallere yer yoktu. Dahası, güçlü olmak için geçmişten dersler çıkarmak, bunun için de geçmişte olup bitenleri iyi bilmek gerekiyordu. Hiç kuşkusuz, gazeteler ve tarih kitapları her zaman yanlı ve yanıltıcıydı, ama bugün uygulanan çarpıtmalar söz konusu değildi. Savaş, mantıklı davranmanın güvenilir bir bekçisiydi; hele egemen sınıflar açısından, mantıklı davranmanın belki de en önemli bekçisiydi. Savaşların kazanılması ya da kaybedilmesinin sorumluluğundan hiçbir egemen sınıf tümüyle kaçamazdı.

Ama savaş gerçekten sürekli bir nitelik aldığında, tehlikeli olmaktan da çıkar. Savaş sürekli olunca, askerî gereklilik diye bir şey kalmaz. Teknik gelişme durabilir, en elle tutulur gerçekler bile yadsınabilir ya da göz ardı edilebilir. Daha önce de gördüğümüz gibi, bilimsel denebilecek araştırmalar savaş amaçlı olarak hâlâ sürdürülmektedir, ancak bunlar birer hayal olmaktan öteye geçmediği gibi, sonuç vermemesi de önem taşımamaktadır. Etkili olmaya, hatta askerî bakımdan etkili olmaya bile artık gerek kalmamıştır. Okyanusya'da Düşünce Polisi' nden başka hiçbir şey etkili değildir. Üç süper-devlet de alt edilmez olduğundan, sonunda her biri düşüncenin kolaylıkla saptırılabildiği ayrı bir dünya olup çıkmıştır. Gerçeklik, baskısını ancak gündelik yaşamın gereksinimlerinde duyurmaktadır: yeme ve içme, barınma ve giyinme gereksinimi, zehir içerek ya da üst katların pencerelerinden atlayarak canına kıymaktan sakınma gereksinimi gibi. Gerçi yaşam ile ölüm arasında, bedensel zevk ile bedensel acı arasında hâlâ bir ayrım vardır, ama hepsi bu kadar. Dış dünya ve geçmişle tüm bağlantıları kopmuş olan Okyanusya yurttaşlarının, uzayda yıldızlar arasında, neresinin yukarısı, neresinin aşağısı olduğunu bilemeden dolaşan birinden farkı yoktur. Böylesi bir devleti yönetenler, firavunların ya da Roma imparatorlarının hiç olamadıkları kadar mutlaktırlar. Kendilerini izleyen geniş halk kitlelerinin açlıktan ölmesini önlemekle, aynı zamanda da rakipleriyle aynı düşük askerî teknoloji düzeyinde kalmakla yükümlüdürler; ama bu asgari yükümlülükleri yerine getirdikten sonra, gerçekleri çarpıta saptıra diledikleri biçime sokabilirler.

Demek, savaş, daha önceki savaşlarla karşılaştırarak değerlendirdiğimizde, bir düzenbazlıktan başka bir şey değildir. Boynuzları birbirlerini yaralayıp bereleyemeyecek biçimde oluşmuş, gevişgetirenler takımından bazı hayvanlar arasındaki dövüşlere benzemektedir. Ama savaşın, gerçek olmasa da, tümüyle anlamsız olduğu söylenemez. Savaş, tüketim malları fazlasını eritmekle kalmaz, aynı zamanda hiyerarşik bir toplumun istediği zihinsel ortamın korunmasına destek olur. Savaş, görüleceği gibi, artık tümüyle bir iç sorundur. Eskiden, bütün ülkelerin egemen kesimleri, ortak çıkarlarını bilerek savaşın yıkıcı gücünü sınırlandırabilmelerine karşın, birbirleriyle gerçekten savaşırlar ve savaştan zaferle çıkan her zaman yenik düşeni yağmalardı. Günümüzde ise asla birbirlerine karşı savaşmamaktadırlar. Savaş her egemen kesim tarafından kendi uyruklarına karşı verilmektedir ve savaşın amacı toprak ele geçirmek ya da toprak yitirmeyi önlemek değil, toplum yapısının hiç değişmeden sürmesini sağlamaktır. Demek, "savaş" sözcüğü bile, yanıltıcı bir anlam kazanmıştır. Savaşın, sürekli bir niteliğe bürünmekle, savaş olmaktan çıktığını söylemek belki de doğrudur. Savaşın, Neolitik Çağ'dan başlayarak yirminci yüzyıl başlarına kadar insanlar üzerinde yarattığı baskı ortadan kalkmış, yerini çok farklı bir şeye bırakmıştır. Üç süper-devlet, birbiriyle savaşmak yerine, sürekli barış içinde kalarak birbirini kendi sınırları içinde rahat bırakma konusunda anlaşsaydı, sonuç nerdeyse aynı olurdu. Çünkü o zaman da her biri dış tehlike baskısından uzak kalır, kendi dünyasında yaşamayı sürdürürdü. Gerçekten sürekli olacak bir barış, sürekli bir savaşla aynı kapıya çıkardı. Parti üyelerinin büyük çoğunluğu daha dar bir anlamda anlasa da, Parti sloganının özündeki anlam budur: *Savaş Barıştır.*

Winston bir an okumayı bıraktı. Uzakta bir yere düşen bir tepkili bombanın gümbürtüsünü duymuş, ama tele-ekranın bulunmadığı bir odada yasak kitapla baş başa olmanın keyfi kaçmamıştı. Yalnızlık ve güven, nerdeyse bedeninin yorgunluğu, koltuğun yumuşaklığı, pencereden giren hafif rüzgârın yanaklarında gezinişi kadar somut duygulardı. Kitap onu büyülemiş, daha doğrusu düşündüklerini haklı çıkarmıştı. Gerçi bir bakıma yeni bir şey söylemiyordu, ama çekici gelmesinin bir nedeni de buydu. Dağınık düşüncelerini toparlayabilseydi, o da kitapta söylenenleri söylerdi. Kendininkine benzemekle birlikte, daha güçlü, daha sistemli, daha korkusuz bir zihnin ürünüydü bu kitap. En iyi kitaplar insana zaten bildiklerini söyleyen kitaplardır, diye geçirdi aklından. Yeniden Birinci Bölüm'e dönmüştü ki, merdivende Julia'nın ayak seslerini duydu ve karşılamak için yerinden kalktı. Julia kahverengi alet çantasını yere fırlatıp Winston'ın kollarına atıldı. Birbirlerini görmeyeli bir haftadan fazla olmuştu.

"*Kitabı* aldım," dedi Winston, birbirlerinden ayrılırlarken.

Julia, pek ilgilenmemişçesine, "Ya, demek aldın? Güzel," dedi ve kahve yapmak için hemen gaz sobası önüne çömeldi.

Konuya ancak yatakta yarım saat geçirdikten sonra dönebildiler. Akşam, yatak örtüsünü üstlerine çekmeyi gerektirecek kadar serinlemişti. Aşağıdan o bildik şarkı sesi ve taşların üstündeki ayak sesleri geliyordu. Winston'ın ilk gelişinde gördüğü, kaslı kolları pençe pençe olmuş kadın sanki avludan hiç ayrılmamıştı. Sanki sabahtan akşama kadar çamaşır leğeni ile çamaşır ipi arasında mekik dokuyor, mandalları ne zaman ağzından çıkarsa o arzulu şarkıya başlıyordu. Julia yan dönmüş, uykuya dalmak üzereydi. Winston yerde duran kitabı uzanıp aldı, doğrulup yatağın baş tarafına yaslandı.

"Okumalıyız," dedi. "Sen de okumalısın. Kardeşliğin bütün üyeleri okumalı."

Julia, gözlerini açmadan, "Sen okusana," dedi. "Yüksek sesle oku. Böylesi daha iyi. Hem, okurken açıklarsın bana."

Saat altıyı, on sekizi gösteriyordu. En azından üç dört saatleri vardı. Winston kitabı dizlerinin üstüne yerleştirdi, başladı okumaya:

Birinci Bölüm
Cehalet Güçtür.

Bilinen tarih boyunca, olasılıkla Neolitik Çağ'ın sona ermesinden bu yana, dünyada üç tür insan olagelmiştir: Yüksek, Orta ve Aşağı. Bunlar kendi içlerinde de pek çok alt bölüme ayrılmışlar, sayısız ad taşımışlar, sayıları ve birbirlerine karşı tutumları çağdan çağa değişmiş, ama toplumun temel yapısı hiçbir zaman değişmemiştir. Olağanüstü ayaklanmalar ve kesin görünen değişimlerden sonra bile, tıpkı ne kadar hızlı döndürülürse döndürülsün dönme ekseni doğrultusu hep aynı kalan bir jiroskop gibi, aynı düzen hep kendini yeniden dayatmıştır.

"Julia, uyanık mısın?" diye sordu Winston.
"Evet, sevgilim, kulağım sende. Devam et. Müthiş."
Winston devam etti:

Bu üç kesimin amaçları asla uzlaştırılamaz. Yüksek kesimin amacı, bulunduğu yeri korumaktır. Orta kesimin amacı, Yüksek kesimle yer değiştirmektir. Aşağı kesimin amacı ise –bir amacı varsa kuşkusuz, çünkü Aşağı kesimin temel özelliği, ağır ve sıkıcı işlerin altında çoğu zaman gündelik yaşam dışında hiçbir şeyin bilincine varamayacak kadar ezilmesidir– tüm ayrımları ortadan kaldırmak ve tüm insanların eşit olacağı bir toplum yaratmaktır. O yüzden, ana çizgisi değişmeyen bir savaşım tarih boyunca tekrarlanıp durmaktadır. Yüksek kesimin uzun dönemler boyunca iktidarı güvenli bir biçimde elinde tuttuğu görülmüş, ancak önünde sonunda ya kendine olan inancını ya da güçlü bir biçimde yönetme yeteneğini yitirdiği, hatta her ikisini birden yitirdiği dönemler de hep yaşanmıştır. Böyle dönemlerde, özgürlük ve adalet uğruna savaşıyor görünerek Aşağı kesimi de yanına alan Orta kesim tarafından devrilmiştir. Ne var ki, Orta kesim, hedefine ulaşır ulaşmaz, Aşağı kesimi eski kölelik konumuna geri gönderir ve kendisi Yüksek kesim konumuna geçer. Çok geçmeden, öteki kesimlerin birinden ya da her ikisinden de kopan yeni bir Orta kesim ortaya çıkar ve savaşım yeniden başlar. Bu üç kesimden, hedeflerine geçici de olsa hiçbir zaman ulaşamayan, yalnızca Aşağı kesimdir. Tarih boyunca hiçbir somut gelişme olmadığını söylemek abartılı olabilir. Günümüzdeki çöküş döneminde bile, ortalama insan, birkaç yüzyıl öncekinden fiziksel olarak daha iyi durumdadır. Ama refahın artması da, hareket tarzındaki yumuşamalar da, reformlar ya da devrimler de, insanlığı eşitliğe bir adım bile yaklaştırmamıştır. Aşağı kesim açısından, hiçbir tarihsel değişiklik, efendilerinin adının değişmesinden başka bir anlam taşımamıştır.

On dokuzuncu yüzyılın sonlarına gelindiğinde, pek çok gözlemci, bu sürecin durmadan yinelendiğini açık seçik görmüştür. O zaman, tarihi döngüsel bir süreç olarak yorumlayan düşünce okulları doğmuş, bunlar eşitsizliğin insan yaşamının değişmez yasası olduğu savını öne sürmüştür. Hiç kuşkusuz, bu öğretinin savunucuları geçmişte de her zaman olmuştu; ama bu kez ortaya konuluşunda gözle görülür bir farklılık vardı. Eskiden, hiyerarşik toplum düzeninin gerekliliği, özellikle Yüksek kesimin öğretisiydi. Krallar ve aristokratlar ve onların asalakları rahipler, hukukçular ve benzerleri tarafından savunulmuş ve ölümden sonra düşsel bir dünya vaatleriyle yenir yutulur hale getirilmişti. Orta kesim, iktidarı ele geçirmek için savaşım verirken, hep özgürlük, adalet ve kardeşlik gibi kavramlardan yararlanmıştı. Şimdilerde ise, henüz yönetimde olmayan, ama çok geçmeden yönetimde olmayı umut eden insanlar kardeşlik kavramına sarılmaya başladılar. Eskiden, Orta kesim eşitlik bayrağına sarılarak devrimler yapmış, ama eski zorbalık düzenini devirir devirmez kendisi yeni bir zorbalık düzeni kurmuştu. Yeni Orta kesimler ise zorbalıklarını önceden ilan ettiler. On dokuzuncu yüzyıl başlarında ortaya çıkmış bir kuram olan ve eskiçağların köle isyanlarına kadar uzanan düşünceler zincirinin son halkasını oluşturan sosyalizm, hâlâ eski çağların ütopyacılığının etkisi altındaydı. Ama sosyalizmin, 1900'den başlayarak ortaya çıkan her değişkesinde, özgürlük ve eşitliği sağlama amacı gittikçe daha açık biçimde terk edildi. Yüzyıl ortalarında doğan yeni akımlar, Okyanusya'da İngsos, Avrasya'da Neo-Bolşevizm, Doğuasya'da herkesçe bilinen adıyla Ölüme Tapınma, bilinçli bir biçimde özgürlük*süzlük* ve eşit*sizliği* sürekli kılmayı hedefliyordu. Bu yeni akımlar, hiç kuşkusuz, eski akımların bağrından doğmuştu ve onların adlarını koruyor, ideolojilerine sahte bir bağlılık gösteriyordu. Hepsinin amacı, ilerlemeyi durdurmak ve tarihi kendi seçtikleri bir anda dondurmaktı. O bildik sarkaç bir kez daha salınacak, sonra da duracaktı. Orta kesim, her zamanki gibi, Yüksek kesimi alt edip onun yerini alacak; ama bu kez Yüksek kesim, bilinçli bir strateji yürüterek, konumunu sürekli kılmayı başaracaktı.

Yeni öğretiler, biraz da, tarihsel bilginin birikimiyle ve on dokuzuncu yüzyıldan önce hemen hiç var olmayan tarih bilincinin gelişmesiyle ortaya çıkmıştır. Tarihin döngüsel işleyişi artık anlaşılır bir şeydi ya da öyle görünüyordu ve anlaşılır bir şey olduğuna göre, değiştirilebilirdi de. Ama yeni öğretilerin ortaya çıkışının temelinde

234

yatan başlıca neden, insanların eşitliğinin daha yirminci yüzyılın başlarında teknik bakımdan olanaklı duruma gelmiş olmasıydı. Gerçi insanların hâlâ doğuştan yetenekleri açısından eşit olmadıkları ve uzmanlık gerektiren işlerde bazı bireylerin öbürlerine yeğ tutulması gerektiği doğruydu; ama artık sınıf ayırımlarına ya da büyük servet farklılıklarına gerçekten gerek kalmamıştı. Önceki çağlarda, sınıf ayırımları yalnızca kaçınılmaz değil, aynı zamanda istenen bir şey olmuştu. Uygarlığın bedeli eşitsizlikle ödenmişti. Ne var ki, makine üretiminin gelişmesiyle birlikte durum değişmişti. İnsanların farklı işlerde çalışmaları hâlâ gerekli olsa da, artık farklı toplumsal ve ekonomik düzeylerde yaşamaları gerekmiyordu. Dolayısıyla, iktidarı ele geçirmenin eşiğinde olan yeni kesimlerin gözünde, artık uğruna savaşım verilmesi gereken bir ülkü olmaktan çıkmış, önüne geçilmesi gereken bir tehlike olmuştu. Adil ve barışçı bir toplumun mümkün olmadığı daha ilkel çağlarda, eşitliğe inanmak epeyce kolaydı. İnsanlar, binlerce yıldır, yasalar ve ağır işlerin olmadığı bir toplumda kardeşçe yaşadıkları bir yeryüzü cenneti düşlemişlerdi. Ve bu düş, her tarihsel değişimden kazançlı çıkan kesimleri de belirli ölçüde etkilemişti. Fransız, İngiliz ve Amerikan devrimlerinin mirasçıları insan haklarına, söz özgürlüğüne, yasalar önünde eşitliğe ve benzerlerine bir ölçüde inandıklarını kendilerince dile getirmişler ve hatta belirli ölçüde bu kavramlar doğrultusunda davranmaya özen göstermişlerdi. Ama yirminci yüzyılın kırklı yıllarına gelindiğinde, siyasal düşünce alanındaki tüm ana akımlar otoriter bir niteliğe bürünmüştü. Yeryüzü cenneti, tam da gerçekleşebilir olduğu anda gözden düşmüştü. Bütün yeni siyasal kuramlar, hangi adla ortaya çıkarsa çıksın, önünde sonunda yeniden hiyerarşiye ve sınıflandırmaya varıyordu. Ve 1930 dolaylarında genel görünüm sertleşmeye başlarken, çok uzun zamandır, bazı yerlerde yüzlerce yıldır terk edilmiş uygulamalar –yargılamasız hapsetmeler, savaş tutsaklarının köle gibi kullanılması, meydanlarda toplu idamlar, itiraf ettirmek için yapılan işkenceler, rehinelerin kullanılması ve geniş kitlelerin sürülmesi– yeniden yaygınlaşmakla kalmamış, kendilerini aydın ve ilerici sayanlarca bile hoş görülür, dahası savunulur olmuştu.

İngsos ve rakipleri, ancak dünyanın dört bir yanında uluslararası savaşlar, içsavaşlar, devrimler ve karşı-devrimlerle geçen bir on yıl sonra, tam anlamıyla oluşturulmuş siyasal kuramlar olarak ortaya çıktılar. Ama yirminci yüzyılda daha önce belirmiş ve genel olarak totaliter diye nitelenmiş çeşitli sistemler bunların habercisi olmuştu ve var olan kargaşadan doğacak dünyanın ana hatları çoktan anlaşılmıştı. Bu dünyayı ne tür insanların yöneteceği de anlaşılmıştı. Yeni aristokrasi büyük ölçüde bürokratlar, biliminsanları, teknisyenler, sendika yöneticileri, tanıtım uzmanları, toplumbilimciler, öğretmenler, gazeteciler ve profesyonel politikacılardan oluşuyordu. Kökenleri ücretli orta sınıf ve işçi sınıfının üst kesimlerinde yatan bu insanlar, tekelci sanayi ve merkezi yönetimin verimsiz dünyasınca biçimlendirilmiş ve bir araya getirilmişlerdi. Bunlar, eski çağlardaki benzerleri kadar açgözlü ve lüks düşkünü değildiler, ama iktidar özlemiyle yanıp tutuşuyorlardı ve en önemlisi de ne yaptıklarının daha fazla bilincinde oldukları gibi, muhalefeti ezmekte de daha kararlıydılar. Özellikle de muhalefeti ezmekte daha kararlı oluşları çok önemliydi. Bugünkülerle karşılaştırıldığında, geçmişin tüm buyurgan yönetimlerinin isteksiz ve etkisiz kaldıkları görülür. Egemen kesimler şu ya da bu ölçüde liberal düşüncelerden hep etkilenmişti ve işleri gevşek tutma, yalnızca apaçık ortada olan işi göz önüne alma ve uyruklarının ne düşündüğüyle pek ilgilenmeme eğilimindeydi. Günümüz ölçütleriyle kıyaslandığında, Ortaçağ'ın

Katolik Kilisesi bile hoşgörülü sayılabilirdi. Bunun bir nedeni, eskiden hiçbir yönetimin yurttaşlarını sürekli denetim altında tutma gücüne sahip olmamasıydı. Ne var ki, matbaanın bulunması kamuoyunu yönlendirmeyi kolaylaştırdı, sinema ve radyo bu süreci daha da güçlendirdi. Televizyonun gelişmesiyle ve aynı aygıtın hem alıcı hem de verici olarak kullanılmasını olanaklı kılan teknolojik ilerlemeyle birlikte, özel yaşam ortadan kalktı. Bütün yurttaşlar ya da en azından izlenmeye değer bütün yurttaşlar, günün yirmi dört saati polis tarafından gözetlenebiliyor, bütün öteki iletişim kanallarından uzak tutulabildikleri gibi, sürekli resmî propagandaya bağımlı kılınabiliyorlardı. Artık ilk kez, yalnızca devlet iradesine tam bir boyun eğişin dayatılması değil, tüm yurttaşların tümüyle aynı düşüncede olmaları da sağlanmıştı.

Elliler ve altmışların devrimci döneminin ardından, toplum, her zaman olduğu gibi, yeniden Yüksek, Orta ve Aşağı kesimlere ayrıldı. Ama yeni Yüksek kesim, öncekilerin tersine, içgüdüleriyle hareket etmiyor, konumunu korumak için neyin gerekli olduğunu biliyordu. Oligarşinin biricik güvenli temelinin kolektivizm olduğu çoktan anlaşılmıştı. Servet ve ayrıcalığı korumanın en kolay yolu, bunlara ortaklaşa sahip olmaktır. Yüzyıl ortalarında meydana gelen "özel mülkiyetin ortadan kaldırılması", gerçekte, mülkiyetin eskisinden çok daha az kişinin elinde toplanması anlamına geliyordu; şu farkla ki, yeni mülkiyet sahipleri bireylerden oluşan bir kitle değil, bir kesimdi. Hiçbir Parti üyesi, ufak tefek özel eşyalar dışında, kendi başına bir şeyin sahibi değildir. Okyanusya'da her şey kolektif olarak Parti'ye aittir, çünkü her şey Parti'nin denetimi altındadır, üretilen her şeyi Parti uygun gördüğü biçimde değerlendirir. Devrimi izleyen yıllarda Parti bu egemenliği hemen hiçbir karşı koyuşla karşılaşmadan elde edebilmişti, çünkü söz konusu durum tümüyle bir kolektifleştirme olarak sunulmuştu. Eskiden beri, kapitalist sınıfın mülksüzleştirilmesini sosyalizmin izleyeceğine inanılmıştı ve kapitalistler gerçekten de mülksüzleştirilmişlerdi işte. Fabrikalar, madenler, topraklar, evler, ulaşım, her şey ellerinden alınmıştı ve bütün bunlar özel mülk olmaktan çıktığına göre artık hepsinin kamu malı olması gerekirdi. Eski sosyalist hareketin bağrından doğan ve onun terminolojisini olduğu gibi miras edinen İngsos, sosyalist programın ana maddesini gerçekten de yerine getirmiş, böylece önceden beklendiği ve istendiği gibi ekonomik eşitsizlik kalıcı kılınmıştı.

Ne var ki, hiyerarşik toplumu sürekli kılmanın sorunları bundan derindir. Egemen kesimin iktidardan düşebilmesinin yalnızca dört yolu vardır. Ya bir dış güç tarafından alt edilecektir, ya ülkeyi yönetmekte kitlelerin baş kaldırmasına yol açacak kadar yetersiz kalacaktır, ya güçlü ve hoşnutsuz bir Orta kesimin doğmasına engel olamayacaktır ya da kendine olan güvenini ve yönetme isteğini yitirecektir. Bu nedenlerin hiçbiri tek başına işlemez, dördü de şu ya da bu ölçüde bir arada etki eder. Kendini bunların hepsine karşı koruyabilen bir egemen sınıf sürekli iktidarda kalabilir. Önünde sonunda, belirleyici etken, egemen sınıfın zihinsel eğilimidir.

Yüzyılımızın ortalarından sonra, ilk tehlike gerçekten de ortadan kalkmıştı. Bugün dünyayı bölüşmüş olan devletlerin üçü de aslında yenilmezdir; ancak yavaş gerçekleşen demografik değişiklikler sonucunda yenilebilirler, ki güçlü bir yönetim bunu kolayca önleyebilir. İkinci tehlike de yalnızca kuramda kalan bir tehlikedir. Kitleler kendi başlarına asla ayaklanmadıkları gibi, sırf ezildikleri için ayaklandıkları da görülmemiştir. Açıkçası, kıyaslama olanağından yoksun bırakıldıkları sürece, ezildiklerinin farkına bile varmazlar. Bir zamanların sürekli yinelenen ekonomik bunalımları tümden gereksiz olmuştur ve artık meydana gelmelerine izin verilmemektedir. Ama daha başka ve daha büyük çarpıklıklar meydana gelebilir ve gelmektedir de; hem de hiçbir politik sonuca yol açmadan, çünkü insanların hoşnutsuzluklarını açıkça dile getirebilecekleri hiçbir olanak yoktur. Makine teknolojisinin gelişmesinden bu yana toplumumuzda kendini hissettiren üretim fazlası sorunu ise, aynı zamanda halkın moralinin gerekli düzeye yükseltilmesine de yarayan sürekli savaş düzeniyle (bkz. Üçüncü Bölüm) çözülmüştür. O yüzden, bugün bizi yönetenler açısından gerçek tehlike, becerikli, yarı-işsiz, iktidara susamış insanlardan oluşan yeni bir kesimin kopup ortaya çıkması ve kendi saflarında liberalizm ve kuşkuculuğun gelişmesidir. Demek, sorun eğitimle ilgilidir. Hem yönetici kesimin hem de onların hemen altındaki, yürütmeyle görevli daha geniş kesimin bilincinin sürekli olarak biçimlendirilmesi sorunudur. Kitlelerin bilincinin ise yalnızca olumsuz yönde etkilenmesi gerekmektedir.

Burada anlatılanlar temelinde, önceden hiçbir şey bilmeyen biri bile, Okyanusya toplumunun genel yapısını anlayabilir. Piramidin tepesinde Büyük Birader oturmaktadır. Büyük Birader yanılmaz ve her şeye kadirdir. Tüm başarılar, tüm kazanımlar, tüm zaferler, tüm bilimsel buluşlar, tüm bilgiler, tüm bilgelikler, tüm mutluluklar ve tüm erdemler doğrudan onun önderliğinden doğar ve ondan esinlenir. Büyük Birader'i bugüne kadar gören olmamıştır. O, duvarlardaki posterlerde bir yüz, tele-ekranlarda bir sestir. Onun asla ölmeyeceğinden kesinlikle emin olabiliriz, ne zaman doğduğu ise belirsizdir. Büyük Birader, Parti'nin dünyaya görünmek için büründüğü surettir. İşlevi, bir örgütten çok bir bireye karşı daha kolay duyulabilecek sevgi, korku ve saygı gibi duyguları kendisinde odaklandırmaktır. Büyük Birader'den sonra, üye sayısı altı milyonla ya da Okyanusya nüfusunun yüzde

239

ikisinden azıyla sınırlı olan İç Parti gelir. İç Parti'nin altında Dış Parti yer alır; İç Parti devletin beyni ise, Dış Parti de devletin eli kolu sayılabilir. Ondan sonra, nüfusun belki de yüzde seksen beşini oluşturan, genellikle "proleterler" dediğimiz suskun kitleler gelir. Proleterler, daha önceki sınıflandırmamıza göre, Aşağı kesimdir; sürekli olarak bir egemenin elinden bir başka egemenin eline geçen ekvatoral ülkelerin köle halklarına gelince, onlar bu yapının kalıcı ya da gerekli bir parçası değildir.

Bu üç kesime üyelik, ilke olarak, kalıtsal değildir. İç Parti üyesi olan bir ana babanın çocuğu, kuramsal olarak, İç Parti üyesi olarak doğmaz. Parti'nin her iki bölümüne de on altı yaşında yapılan bir sınavla girilir. Herhangi bir ırk ayırımı yapılmadığı gibi, bir eyaletin başka bir eyalete belirgin bir üstünlüğü de söz konusu değildir. Parti'nin en üst kademelerinde Yahudilere, Zencilere ve saf Yerli kanı taşıyan Güney Amerikalılara rastlanabilir; bölge yöneticileri de o bölgenin insanları arasından seçilirler. İnsanlar, Okyanusya'nın hiçbir yöresinde, uzak bir başkentten yönetilen bir sömürge halkı oldukları duygusuna kapılmazlar. Okyanusya'nın başkenti yoktur, resmî başkanı ise yerini kimsenin bilmediği biridir. İngilizce'nin her yerde konuşulan başlıca dil, Yenisöylem'in de resmî dil olması dışında, Okyanusya'da herhangi bir merkezileşme yoktur. Yönetenleri bir arada tutan, kan bağı değil, ortak bir öğretiye bağlılıktır. Toplumumuzun, ilk bakışta kalıtsal temellere dayalı görünen katmanlara, hem de çok katı katmanlara ayrılmış olduğu doğrudur. Farklı kesimler arasında gidiş gelişler, kapitalizmde, hatta sanayi öncesi çağlarda olduğundan çok daha azdır. Parti'nin iki bölümü arasında belirli ölçüde bir değiştokuş olabilir; ama bu, zayıfların İç Parti'den çıkarılması ve Dış Parti'nin hırslı üyelerinin yükselmelerine izin verilerek zararsız kılınmalarıyla sınırlıdır. Ne var ki, uygulamada, proleterlerin Parti'ye girmelerine izin verilmez. Hoşnutsuzluk kaynağı olabilecek en yeteneklileri Düşünce Polisi tarafından belirlenip yok edilir. Ama bu durum bir süreklilik göstermediği gibi, bir kural haline de getirilmemiştir. Parti, sözcüğün eski anlamında bir sınıf değildir. İktidarı ille de kendi çocuklarına aktarmak gibi bir amacı yoktur; en yeteneklileri başta tutmanın başka bir yolu kalmasa, proleterler arasından yepyeni bir kuşağı saflarına katmakta hiç duraksamaz. Parti'nin kalıtsal bir örgüt olmaması, zor yıllarda, muhalefetin tarafsızlaştırılmasında hiç de azımsanmayacak bir rol oynamıştı. "Sınıf ayrıcalığı" denen şeye karşı savaşım vermek üzere eğitilmiş eski türden sosyalist, kalıtsal olmayanın sürekli olamayacağı kanısındaydı. Oligarşinin sürekliliğinin fiziksel olmasının gerekmediğini görmediği gibi, kalıtsal aristokrasilerin her zaman kısa ömürlü olduğunu, buna karşılık Katolik Kilisesi gibi edinik örgütlerin kimi zaman yüzlerce, binlerce yıl sürebildiğini durup düşünmemişti bile. Oligarşik yönetimin özü babadan oğula geçmesi değil, ölülerin yaşayanlara dayattığı belirli bir dünya görüşü ve belirli bir yaşam biçiminin sürdürülmesinde diretilmesidir. Yönetici kesim, ardıllarını ortaya koyabildiği sürece yönetici kesimdir. Parti, soyunu değil, kendisini sürdürmekle ilgilenir. İktidarı *kimin* elinde tuttuğu önemli değildir, yeter ki hiyerarşik yapı hep aynı kalsın.

Zamanımızı nitelendiren tüm inançlar, alışkanlıklar, beğeniler, duygular, düşünsel eğilimler gerçekte Parti'nin gizemini korumak ve günümüz toplumunun gerçek doğasının anlaşılmasını önlemek üzere düzenlenmiştir. Şu anda somut bir başkaldırı, hatta bir başkaldırı hazırlığı bile olanaksızdır. Proleterlerin korkulacak bir yanı yoktur. Kaderlerine terk edilmiş olan proleterler, yalnızca başkaldırı dürtüsünden yoksun olarak değil, aynı zamanda dünyanın daha farklı olabileceğini kavrama gücünden de yoksun bir biçimde kuşaklar ve yüzyıllar boyunca çalışacak, üreyecek ve öleceklerdir. Proleterler, ancak sanayi teknolojisinin gelişimi onların daha ileri düzeyde eğitilmelerini gerekli kılsaydı tehlikeli olabilirlerdi; ama askerî ve tecimsel rekabet artık önemini yitirdiği için, halkın eğitiminin düzeyi düşmektedir. Kitlelerin ne düşündükleri ya da ne düşünmedikleri, ilgilenmeye değmez bir sorun olarak görülmektedir. Bir düşünceleri olmadığı için onlara düşünsel özgürlük tanınabilir. Buna karşılık, bir Parti üyesinin en önemsiz konuda bile en küçük bir düşünsel sapma göstermesi hoş görülemez.

Parti üyesi ömrü boyunca Düşünce Polisi'nin denetimi altında yaşar. Yalnızken bile yalnız olduğundan bir türlü emin olamaz. Uykuda ya da uyanık, çalışıyor ya da dinleniyor, banyoda ya da yatağında, nerede ne yapıyor olursa olsun, hiçbir uyarıda bulunulmadan ve denetlendiğini bilmeden denetlenir. Yaptığı her şey ilgilenilmeye değerdir. Dostlukları, dinlenceleri, karısına ve çocuklarına karşı tutumu, bir başınayken yüzünde beliren ifade, uykusunda mırıldandığı sözler, hatta vücudunun kendine özgü hareketleri kılı kırk yararcasına incelenir. Yalnızca açıktan açığa yanlış davranışlarının değil, gösterdiği her türlü tuhaflığın, alışkanlıklarında meydana gelen her türlü değişikliğin, bir içsavaşımın belirtisi olabilecek her türlü öfkelenişin saptanmaması olanaksızdır. Hiçbir konuda seçme özgürlüğü yoktur. Öte yandan, nasıl hareket edeceği herhangi bir yasaya ya da açık seçik belirlenmiş davranış ilkelerine bağlanmış değildir. Okyanusya'da yasa diye bir şey yoktur. Saptandıkları zaman kesin ölüm demek olan düşünceler ve davranışlar resmî olarak yasaklanmamıştır ve ardı arası kesilmeyen temizlikler, tutuklamalar, işkenceler, hapse atmalar ve buharlaştırmalar gerçekten suç işlemiş olan kişileri cezalandırmak için değil, ileride suç işleyebileceği düşünülen kişileri yok etmek amacıyla uygulanır.

242

Bir Parti üyesinin yalnızca düşüncelerinin değil, içgüdülerinin de doğru olması gerekir. Ondan beklenen inançlar ve davranışların pek çoğu hiçbir zaman açık seçik belirtilmez; açık seçik belirtilse, İngsos'un bağrındaki çelişkiler açığa çıkacaktır. Parti üyesi su katılmadık bir bağnazsa (Yenisöylem'de *derindüşünür*), her koşulda, hangi inancın doğru olduğunu ya da kendisinden hangi duygunun beklendiğini, düşünmeye gerek duymadan, bilecektir. Kaldı ki, çocukluğunda gördüğü ve *suçdurdurum*, *aklakara* ve *çiftdüşün* gibi Yenisöylem sözcükleri çevresinde dönen incelikli zihin eğitimi, onu, neyle ilgili olursa olsun derin düşünme konusunda isteksiz ve yeteneksiz kılar.

Bir Parti üyesinden kişisel duygular taşımaması ve coşkuya kapılmaması beklenir. Dışarıdaki düşmanlara ve içerideki hainlere karşı bitmek bilmeyen bir nefretle, sürekli bir zafer sevinciyle ve Parti'nin gücü ve bilgeliği karşısında kendini aşağılayarak yaşaması gerekir. Yaşadığı yavan, doyumsuz hayatın neden olduğu hoşnutsuzluklar İki Dakika Nefret gibi yöntemlerle dışarıya yöneltilip giderilir ve kuşkucu ya da asi bir kişilik yaratabilecek kuruntular genç yaşlarda aşılanan iç disiplinle önceden yok edilir. Küçük çocuklara bile öğretilebilecek bu iç disiplinin ilk ve en basit aşamasına Yenisöylem'de *suçdurdurum* denir. *Suçdurdurum*, her türlü tehlikeli düşüncenin eşiğinde adeta içgüdüsel olarak ansızın durabilme becerisi anlamına gelir. Kıyaslamaları kavramama, mantık hatalarını algılamama, İngsos'a ters düşüyorsa en basit görüşleri bile yanlış anlama ve sapkınlığa varabilecek her türlü düşünceden sıkılma ya da nefret etme gücünü içerir. Sözün kısası, *suçdurdurum*, koruyucu aptallık demektir. Ne ki, aptallık yeterli değildir. Tam tersine, gerçek anlamda bağnazlık, zihnin işleyişine, bir akrobatın bedenine hükmettiği kadar hükmedebilmeyi gerektirir. Okyanusya toplumu, sonuçta, Büyük Birader'in her şeye kadir, Parti'nin de yanılmaz olduğu inancına dayanır. Ama aslında Büyük Birader her şeye kadir, Parti de yanılmaz olmadığı için, olguların ele alınışında her an sürekli bir esneklik gereklidir. Buradaki anahtar sözcük, *aklakara*'dır. Pek çok Yenisöylem sözcüğü gibi bu sözcüğün de birbiriyle çelişen iki anlamı vardır. Düşman söz konusu olduğunda, apaçık gerçeğin karşısına dikilerek küstahça aka kara, karaya ak demektir. Bir Parti üyesi söz konusu olduğunda ise, Parti disiplini öyle gerektirdiğinde gönülden bir sadakatle aka kara, karaya ak demektir. Ama aynı zamanda, akın kara olduğuna *inanmak*, dahası akın kara olduğunu *bilmek* ve o güne kadar bunun tam tersine inandığını unutmak anlamına gelir. Böyle bir şey geçmişin sürekli olarak değiştirilmesini gerektirir, ki bunu olanaklı kılan da geri kalan her şeyi kapsayan ve Yenisöylem'de *çiftdüşün* diye bilinen düşünce sistemidir.

Geçmişin değiştirilmesi iki nedenle gereklidir. Bunlardan biri yan nedendir ve önlem niteliği taşır. Yan neden, Parti üyesinin, tıpkı proleter gibi, günümüz koşullarına biraz da elinde hiçbir kıyaslama ölçütü bulunmadığı için katlanıyor olmasıdır. Parti üyesi, yabancı ülkelerden kopartıldığı gibi geçmişten de kopartılmalıdır, çünkü atalarından daha iyi durumda olduğuna ve ortalama yaşam düzeyinin sürekli yükseldiğine inanması gerekmektedir. Ama geçmişin yeniden düzenlenmesinin asıl önemli nedeni, Parti'nin yanılmazlığının korunmak zorunda olmasıdır. Parti'nin öngörülerinin hep doğru çıktığını göstermek için söylevlerin, istatistiklerin, tekmil kayıtların sürekli güncelleştirilmesi yeterli değildir. Aynı zamanda öğretide ya da politik çizgide en küçük bir değişikliğe izin verilmemelidir. Çünkü fikir ya da politik çizgi değiştirmek, zayıflık belirtisidir. Örneğin, Avrasya ya da Doğuasya (hangisi olursa olsun) bugün düşmanınsa, o ülkenin eskiden beri hep düşmanın olmuş olması gerekir. Gerçekler bunun tersini mi söylüyor, o zaman gerçekler değiştirilmelidir. Böylece tarih sürekli olarak yeniden yazılır. Geçmişin Gerçek Bakanlığı tarafından günü gününe çarpıtılması, düzenin varlığını korumak açısından, Sevgi Bakanlığı'nca yürütülen baskı ve istihbarat çalışmaları kadar gereklidir.

Geçmişin değişebilirliği, İngsos'un ana ilkesidir. Geçmişte olup bitenlerin nesnel bir varlığının olmadığı, varlığını yalnızca yazılı kayıtlarda ve belleklerde sürdürdüğü ileri sürülür. Kayıtlar ve bellekler neyi kabul ediyorsa, geçmiş odur. Parti tüm kayıtları da, üyelerinin zihinlerini de tam bir denetim altında tuttuğuna göre, geçmiş de Parti nasıl olmasını istiyorsa öyle olacaktır. Ayrıca, geçmiş değiştirilebilir olsa da, değiştirildiğine ilişkin tek bir örnek bile yoktur. Çünkü o anda gerek duyulduğu biçimde yeniden oluşturulduğunda, geçmiş artık bu yeni biçimdir, daha önce farklı bir geçmiş yaşanmış olamaz. Çoğu zaman olduğu gibi, aynı olayın bir yıl içinde pek çok kez değiştirilmesi gerekse de geçerlidir bu. Mutlak gerçek her zaman Parti'nin tasarrufundadır ve şurası açıktır ki, mutlak hiçbir zaman bugünkünden farklı olmuş olamaz. Bundan da anlaşılacağı gibi, geçmişin denetim altına alınması her şeyden önce belleğin eğitilmesine bağlıdır. Tüm yazılı kayıtların o günün bağnazlığıyla uyuşmasını sağlamak yalnızca mekanik bir iştir. Ama olayların istendiği biçimde meydana geldiğini *anımsamak* da gereklidir. Ve birinin anılarını yeniden düzenlemek ya da yazılı kayıtları çarpıtmak gerekliyse, o zaman bunları yaptığını *unutmak* da gereklidir. Bunun nasıl becerileceği herhangi bir zihinsel teknik gibi öğrenilebilir. Parti üyelerinin çoğu ve elbette bağnaz oldukları kadar zeki de olan herkes bunu öğrenmiştir. Eskisöylem'de buna açıkça "gerçeklik denetimi" denmiştir. Yenisöylem' de ise, çok başka şeyleri de kapsasa da, *çiftdüşün* denir.

Çiftdüşün, insanın iki çelişik inancı zihninde aynı

anda bulundurabilmesi ve ikisini de kabullenebilmesi anlamına gelir. Partili aydın, anılarının ne yönde değiştirilmesi gerektiğini bildiği gibi, gerçeklikle oyun oynadığını da bilir; ama *çiftdüşün* uygulayarak kendini gerçekliğin çiğnenmediğine de inandırır. Bu işlem bilinçli bir biçimde yapılmak zorundadır, yoksa yeterince kusursuz olmaz; ama aynı zamanda bilinçsiz bir biçimde de yapılmak zorundadır, yoksa insanda bir sahtelik, dolayısıyla da suçluluk duygusu uyandırır. Parti'nin asıl işi, uğrunda savaşılan amaçta tam bir dürüstlükle kararlı olmayı elden bırakmadan, bilinçli yanıltmayı da uygulamak olduğundan, İngsos'un özünde *çiftdüşün* yatar. İçtenlikle inanarak bile bile yalan söylemek, artık uygun görülmeyen her türlü gerçeği unutmak, sonra yeniden gerektiğinde de gerekli olduğu sürece yeniden anımsamak, nesnel gerçekliğin varlığını yadsımak ve bütün bunları yaparken yadsıdığın gerçekliği göz önünde bulundurmak... Bunların hepsi de olmazsa olmaz şeylerdir. *Çiftdüşün* sözcüğünü kullanırken bile *çiftdüşün* uygulamak gereklidir. Çünkü insan bu sözcüğü kullanmakla, gerçeklikle oynayıp onu çarpıttığını kabulleniyordur; yeni bir *çiftdüşün*'le bunu kafasından siler; ve yalan her zaman gerçeğin bir adım önünde, bu böyle sürüp gider. Sonuç olarak, Parti *çiftdüşün* sayesinde tarihin akışını durdurabilmiştir ve hepimiz biliyoruz ki, daha binlerce yıl durdurmayı sürdürebilir.

Tüm eski oligarşiler ya katılaştığı ya da yumuşadığı için yıkılmıştır. Ya pusulayı şaşırıp kibre kapıldıkları, değişen koşullara ayak uyduramadıkları için devrilmişlerdir ya da gevşeyip ürkekleştikleri, zor kullanmaları gerektiğinde ödünler verdikleri için. Demek, ya bilinçlilikten ya da bilinçsizlikten yıkılmışlardır. Parti'nin başarısı, bu iki durumun aynı anda var olabildiği bir düşünce sistemi yaratmış olmasındadır. Kaldı ki, Parti'nin egemenliği ancak böyle bir düşünsel temel üstünde kalıcı kılınabilirdi. Yönetmek ve yönetimini sürekli kılmak istiyorsan, gerçeklik duygusunu yolundan çıkaracaksın. Çünkü yönetmenin sırrı, bir yandan kendinin yanılmazlığına inanırken, bir yandan da geçmişteki hatalarından ders çıkarabilmektedir.

Söylemeye bile gerek yok ki, *çiftdüşün*'ü en ustaca uygulayanlar, *çiftdüşün*'ü icat edenler ve onun sonsuz bir zihinsel yanıltma sistemi olduğunu bilenlerdir. Toplumumuzda, olup bitenleri en iyi bilenler, aynı zamanda dünyayı olduğu gibi görmekten en uzak olanlardır. Genellikle, kavrayış ne denli fazlaysa, yanılma da o ölçüde fazladır: Zekâ ne denli fazlaysa, akıl o ölçüde azdır. Bunun açık bir örneği, bir insan toplumsal skalada yükseldikçe savaş isterisinin de şiddetlenmesidir. Savaş karşısında nerdeyse en akılcı tutumu gösterenler, durmadan el değiştiren bölgelerin bağımlı halklarıdır. Savaş, onların gözünde, tepelerindeki dev bir gelgit dalgası gibi sürekli gidip gelen bir tehlikeden başka bir şey değildir. Hangi tarafın kazanacağı konusunda tam bir kayıtsızlık içindedirler. Efendilerinin değişmesinin hiçbir şeyi değiştirmeyeceğinin, yeni efendilerinin de onlara eski efendileri gibi davranacağının, eski efendileri için ne kadar çalışıyorlarsa yeni efendileri için de o kadar çalışacaklarının ayırdındadırlar. "Proleterler" dediğimiz, azıcık daha iyi koşullardaki işçiler ancak zaman zaman savaşın bilincine varırlar. Gerektiğinde kışkırtılarak korku ve nefret taşkınlıklarına yöneltilebilirler, ama kendi başlarına kaldıklarında da savaşın olduğunu uzun süre unutabilirler. Asıl savaş coşkusu, en çok Parti saflarında, özellikle de İç Parti'de görülür. Dünyanın ele geçirilmesi gerektiğine en çok bunun olanaksız olduğunu bilenler inanırlar. Karşıtların –bilgi ile bilgisizliğin, siniklik ile bağnazlığın– her nasılsa kaynaştırılması Okyanusya toplumunun belirleyici özelliklerinden biridir. Resmî ideoloji, en küçük bir pratik nedenin olmadığı durumlarda bile çelişkilerle doludur. Sözgelimi,

Parti, sosyalist hareketin savunduğu temel ilkeleri yadsı-
yıp yerin dibine batırır ve bunu sosyalizm adına yaptığını
ileri sürer. İşçi sınıfını yüzyıllardır görülmemiş bir biçim-
de aşağılarken, üyelerine, bir zaman kol emekçilerinin
giydiği ve bu nedenle seçildiği söylenen bir üniforma giy-
dirir. Aile dayanışmasını sistemli bir biçimde baltalarken,
önderine doğrudan doğruya aile bağlılığını çağrıştıran bir
ad yakıştırır. Bizleri yönetmekte olan dört Bakanlığın ad-
ları bile, gerçeklerin kasıtlı olarak tersyüz edilmesindeki
saygısızlığın yansımasıdır. Barış Bakanlığı savaşın, Gerçek
Bakanlığı yalanların, Sevgi Bakanlığı işkencenin, Varlık
Bakanlığı yokluğun bakanlığıdır. Bu çelişkiler rastlantısal
olmadığı gibi, sıradan bir ikiyüzlülükten de kaynaklan-
maz; bunlar, *çiftdüşün*'ün bilinçli uygulamalarıdır. Çünkü
iktidar ancak çelişkilerin uzlaştırılmasıyla sonsuza kadar
korunabilir. Eski döngü başka hiçbir biçimde kırılamaz.
İnsanların eşit olmaları engellenecekse –bizim deyimi-
mizle Yüksek kesimdekiler yerlerini hep koruyacaklar-
sa–, ağır basan zihin hali denetimli çılgınlık olmalıdır.

Ama şu ana kadar nerdeyse göz ardı ettiğimiz bir
soru var. O da şu: İnsanların eşitliğinin *neden* engellen-
mesi gerekmektedir? Sürecin işleyişinin doğru tanımlan-
dığını varsayarsak, tarihi belirli bir zamanda dondurmak
için verilen bu kılı kırk yararcasına planlanmış dev uğra-
şa neden gerek duyulmaktadır?

Burada sırrın özüne varıyoruz. Daha önce gördüğü-
müz gibi, Parti'nin, en çok da İç Parti'nin üstün becerisi,
çiftdüşün'e bağlıdır. Ama bunun da derininde, ilk önce
iktidarın ele geçirilmesine yol açan, ardından da *çiftdü-
şün*, Düşünce Polisi, sürekli savaş ve tüm gerekli donanı-
mın ortaya çıkmasını sağlayan güdü, o hiç sorgulanma-
yan içgüdü yatar. Bu güdü aslında...

Winston, insanın yeni bir sesin ayırdına varması gibi,

sessizliğin ayırdına vardı. Julia'nın bir süredir hiç kımıldamadığını fark etti. Belden yukarısı çıplak, yan dönmüş yatıyordu, yanağını eline dayamış, siyah perçemi gözlerinin üstüne düşmüştü. Göğsü düzenli bir biçimde ağır ağır inip kalkıyordu.

"Julia."

Yanıt gelmedi.

"Julia, uyanık mısın?"

Yanıt yoktu. Uyuyordu. Winston kitabı kapattı, usulca yere bıraktı, uzanıp örtüyü üstlerine çekti.

Asıl sırrı hâlâ anlamamış olduğunu düşündü. *Nasıl* olduğunu anlamıştı; *neden* olduğunu anlamamıştı. Üçüncü Bölüm gibi Birinci Bölüm de ona bilmediği bir şey öğretmemiş, bildiklerini sistemleştirmişti, o kadar. Ama okuduktan sonra, aklını kaçırmış olmadığını eskisinden daha iyi anlamıştı. İnsanın azınlıkta olması, tek kişilik bir azınlık olması bile, deli olduğu anlamına gelmiyordu. Bir doğru vardı, bir de doğru olmayan; doğruya sarıldığın zaman, tüm dünyayı karşına bile alsan, deli olmuyordun. Batmakta olan güneşin sarı ışığı pencereden girdi, yastığa düştü. Winston gözlerini kapadı. Yüzüne vuran güneş ve genç kızın onun bedenine değen yumuşak bedeni güçlü, güvenli bir duygu uyandırdı, gevşediğini duyumsadı. Güvendeydi, her şey yolundaydı. "Akıllılık çoğunluğa bakılarak ölçülmez," diye mırıldanırken, bu sözün derin bir bilgelik içerdiğini düşünerek uykuya daldı.

X

Uyandığında, uzun zamandır uyuduğu duygusuna kapılır gibi oldu, ama eski saate bakar bakmaz saatin henüz yirmi otuz olduğunu gördü. Kısa bir süre daha, yattığı yerde kestirdi; çok geçmeden arka avludan o bildik boğuk şarkı yükseldi:

Beyhude bir hayaldi,
Nisan güneşi gibi geldi geçti,
Bir bakış, bir söz aklımı çeldi,
Gönlümü çaldı, çekti gitti.

Anlaşılan, bu aptal şarkı hâlâ seviliyordu. Hâlâ dillerden düşmemişti. Nefret Şarkısı'ndan uzun ömürlü olmuştu. Julia şarkı sesine uyandı, tatlı tatlı gerindikten sonra kalktı.

"Acıktım," dedi. "Hadi, biraz daha kahve yapalım. Lanet olsun! Soba sönmüş, su soğuk." Sobayı kaldırıp salladı. "Gaz bitmiş."

"İhtiyar Charrington'dan biraz alabiliriz belki."

"Dolu olup olmadığına bakmıştım sözüm ona. Ben giyiniyorum. Soğumuş burası."

Winston da kalkıp giyindi. Şarkıyı söyleyen ses yorulmak bilmiyordu:

Derler ki zaman her şeyi iyi edermiş,
Zamanla her şey unutulur gidermiş,
Bir de bana sor, o gözyaşları ve kahkahalar,
Bugün hâlâ canımı yakar, yüreğimi dağlar!

Winston, tulumunun kemerini bağlarken, pencereye doğru yürüdü. Güneş evlerin ardında batmış olmalıydı; ışığı artık avluya vurmuyordu. Avlunun taşları az önce yıkanmış gibi ıslaktı; mavisi bacaların külahları arasından o kadar dingin ve uçuk görünüyordu ki, Winston elinde olmadan gökyüzünün de yıkanmış olduğunu geçirdi aklından. Kadın bıkıp usanmadan gidip geliyor, mandalları ağ-

250

zına bir alıp bir çıkarıyor, bir şarkı söylüyor bir susuyor, bitmek bilmeyen çocuk bezlerini ha bire ipe asıp duruyordu. Winston, kadının geçimini çamaşır yıkayarak mı sağladığını, yoksa sürüyle torunun kölesi mi olduğunu merak etti. Julia da yanına gelmişti; büyülenmişçesine, aşağıdaki iriyarı gövdeye bakıyorlardı. Winston, kendini kaptırmış çalışmakta olan kadının çamaşır ipine uzanan kalın kollarına, güçlü, kısraksı kalçalarına bakarken, ilk kez kadının güzel olduğunu fark etti. Çocuk doğurmaktan göbek bağlayıp top gibi olmuş, çalışmaktan yıprana yıprana içi geçmiş bir şalgama dönmüş elli yaşlarındaki bir kadının bedeninin güzel olabileceği daha önce hiç aklına gelmemişti. Ama güzel işte, neden olmasın ki, diye düşündü. Koca bir kaya parçasını andıran yusyumru gövde ve pütür pütür olmuş kıpkırmızı ten, bir genç kızın bedeninin yanında, gülün yanında olgunlaşıp etlenmiş meyvesi gibi kalırdı. Ama meyve neden çiçekten aşağı kalsındı ki?

"Çok güzel," mırıldandı.

Julia, "Kalçaları yayla gibi," diyecek oldu.

"Bu da ona mahsus bir güzellik işte," dedi Winston.

Kolunu Julia'nın incecik beline doladı. Julia'nın bedeni kalçasından dizine Winston'ın bedenine yaslanmıştı. Bu bedenler asla çocuk yapamazdı. Yapamayacakları tek bir şey varsa, o da buydu. Sırrı ancak dilden dile dolaştırabilir, zihinden zihine aktarabilirlerdi. Avludaki kadının zihni yoktu, yalnızca güçlü kolları, sıcak bir yüreği ve doğurgan bir karnı vardı. Winston, kim bilir kaç çocuk doğurmuştur, diye geçirdi aklından. On beş çocuk doğurmuş olsa şaşırmazdı. Kısa bir süre, belki bir yıl çiçeğe durup yabanıl güzelliğinin sefasını sürmüş, sonra birden, döllenmiş bir meyve gibi etlenip semizleşmiş, sertleşip kızarmıştı; kim bilir, belki otuz yıldan fazla bir zamandır hayatı önce çocukları, ardından torunları için çamaşır yıkamakla, yerleri fırçalamakla, giysileri yamamakla, yemek pişirmekle, ortalığı temizlemekle, eşyaları cilalayıp parlatmakla, sökükleri dikmekle geçiyordu. Buna karşın, hâlâ şarkı söylüyordu. Winston'ın kadına duyduğu gizemli saygı, nedendir bilinmez, bacaların ardında sonsuzca uzanıp giden soluk, bulutsuz göğün suretine karışıyordu. Burada olduğu gibi Avrasya'da da, Doğuasya'da da gökyüzünün herkes için bir olması ne kadar tuhaftı. O göğün altındaki insanlar da birbirlerine çok benziyorlardı; her yerde, yeryüzünün dört bir yöresinde, birbirlerinin varlığından habersiz, aralarına nefret ve yalan duvarları girmiş, ama yine de birbirinin aynı olan; düşünmeyi hiçbir zaman öğrenmedikleri halde, bir gün dünyayı altüst edebilecek gücü yüreklerinde, içlerinde, kaslarında biriktirmekte olan yüz milyonlarca insan yaşıyordu. Umut, varsa eğer, poleterlerdeydi! Winston, daha *kitabı* sonuna kadar okumamış olmasına karşın, Goldstein'ın son mesajının bu olduğunu anlamıştı. Gelecek proleterlerindi. Peki, vakti geldiğinde proleterlerin kuracağı dünyanın, kendisine, Winston Smith'e Parti'nin dünyası kadar yabancı gelmeyeceğinden emin olabilir miydi? Evet, olabilirdi, çünkü o dünya hiç değilse aklın ağır bastığı bir dünya olacaktı. Eşitliğin olduğu yerde akıl ağır basabilirdi. Bu, önünde sonunda gerçek olacaktı, güç bilince dönüşecekti. Proleterler ölümsüzdü, avludaki şu yiğit insana baktığında bundan kuşku duymuyordun. Er geç uyanacaklardı. Bunun gerçekleşmesi için bin yıl geçmesi de gerekse, her şeye karşın hayatta kalacaklar, Parti'nin paylaşmadığı ve öldüremediği o canlılığı kuşlar gibi bedenden bedene aktaracaklardı.

Winston, "O ilk gün, ormanın kıyısında bizim için şakıyan o ardıçkuşunu anımsıyor musun?" diye sordu.

"Bizim için şakımıyordu ki," diye yanıtladı Julia. "Kendi keyfine şakıyordu. Kendi keyfine bile değil. Öylesine şakıyordu işte."

Kuşlar şakıyordu, proleterler şakıyordu, Parti şakımıyordu. Dünyanın her yerinde, Londra'da ve New York'ta, Afrika'da ve Brezilya'da, sınırların ötesindeki gizemli, yasak ülkelerde, Paris ve Berlin sokaklarında, Rusya'nın sonsuz ovalarındaki köylerde, Çin ve Japonya'nın çarşılarında, her yerde ama her yerde, çalışmaktan ve çocuk doğurmaktan, hayatı boyunca işten başını alamamaktan harabeye dönmüş olmasına karşın hâlâ şakıyan o sağlam, yenilmez gövde dimdik dikiliyordu. Bir gün gelecek, o görkemli kalçaların arasından bilinçli bir kuşak doğacaktı. Sizler ölüydünüz; gelecek onlarındı. Ama onların bedeni canlı tuttukları gibi sizler de zihni canlı tutsaydınız ve iki iki daha dört eder gizli öğretisini başkalarına aktarsaydınız, sizler de o geleceği paylaşabilirdiniz.

"Biz ölmüşüz," dedi Winston.

"Biz ölmüşüz," diye yineledi Julia, görev bilircesine.

"Siz ölmüşsünüz," deyiverdi arkalarından acımasız bir ses.

İrkilerek birbirlerinden ayrıldılar. Winston donup kalmıştı. Julia'nın gözleri belermiş, gözlerinin akı belirmişti; beti benzi uçmuştu. Yanaklarındaki allık, yüzüne kondurulmuş birer leke gibi görünüyordu.

"Siz ölmüşsünüz," diye yineledi acımasız ses.

Julia, soluk soluğa, "Resmin arkasından geldi," dedi.

"Resmin arkasından geldi," dedi ses. "Olduğunuz yerde kalın. Emir verilmedikçe kıpırdamayın."

Başlıyordu, sonunda başlıyordu işte! Birbirlerinin gözlerinin içine bakmaktan başka bir şey yapamıyorlardı. Kaçıp canlarını kurtarmak, evden kaçıp gitmek için artık çok geçti; akıllarının ucundan bile geçmiyordu kaçmak. Duvardan gelen acımasız sese boyun eğmemek olanaksızdı. Bir elektrik düğmesi çevrilmiş gibi bir çıt sesi geldi, ardından bir şangırtı duyuldu. Duvardaki resim yere düşmüş, arkasından bir tele-ekran belirivermişti.

"Artık bizi görebiliyorlar," dedi Julia.

"Artık sizi görebiliyoruz," dedi ses. "Odanın ortasına gelin. Sırt sırta durun. Ellerinizi başınızın arkasında bitiştirin. Sakın birbirinize değmeyin."

Birbirlerine değmiyorlardı, ama Winston Julia'nın tepeden tırnağa titrediğini hissediyordu. Belki de titreyen kendi bedeniydi. Dişlerinin birbirine vurmasını güçbela engelleyebiliyor, ama dizlerine hâkim olamıyordu. Aşağıdan, evin içinden ve dışından postal sesleri geliyordu. Avluya bir sürü adamın doluştuğu anlaşılıyordu. Taşların üstünde bir şey sürüklüyorlardı. Kadın şarkıyı birden kesmişti. Çamaşır leğeni avlunun bir köşesine fırlatılmış gibi bir çangırtı duyuldu, öfkeli bağırtılar birbirine karıştı ve acı bir çığlık koptu.

"Ev kuşatılmış," dedi Winston.

"Ev kuşatıldı," diye yineledi ses.

Winston, Julia'nın dişlerinin birbirine çarptığını duydu. "Vedalaşsak iyi olacak galiba," dedi Julia.

"Vedalaşsanız iyi olacak," dedi ses. Ardından, bambaşka bir ses, Winston'ın daha önce duyduğunu sandığı ince, kibar bir ses araya girdi: "Bu arada, yeri gelmişken, 'Al şu mumu, doğru yatağına, yoksa yersin baltayı kafana!'"

Winston'ın arkasında bir şangırtı koptu, yatağın üstüne bir şey düştü. Dışarıdan pencereye bir merdiven dayamışlar, merdivenin başı pencerenin çerçevesini yerinden söküp içeriye düşürmüştü. Birisi pencereye tırmanıyordu. Postal seslerinden, birilerinin üst kata çıktıkları anlaşılıyordu. Odayı bir anda, siyah üniformaları, uçları kabaralı postalları ve ellerinde coplarıyla iriyarı adamlar doldurdu.

Winston, artık titremek şöyle dursun, gözlerini bile kırpıştırmıyordu. Önemli olan tek şey, hiç kıpırdamamak, onlara vurma fırsatı vermemek için hiç kıpırdamamaktı! Ağzı, bir yumruk dövüşçüsünün yassı çenesini andıran çenesinin üzerinde ince bir yarık gibi kalan bir adam, karşısına dikilmiş, copu parmakları arasında döndürüp duruyordu. Winston adamla göz göze geldi. Elleri başının arkasında, yüzü ve gövdesi korumasız, öylece durmak, dayanılmaz bir çıplaklık duygusu veriyordu. Adam bembeyaz dilinin ucuyla ipince dudaklarını yaladıktan sonra yürüyüp gitti. Tam o sırada bir şangırtı daha koptu. Adamlardan biri, cam kâğıt ağırlığını masanın üstünden kaptığı gibi şöminenin kenarına çarpmış, paramparça etmişti.

Pastaların tepesine kondurulan minik pembe şekerleri andıran ufacık mercan parçası halının üstünde yuvarlandı. Winston, ne kadar küçük, diye geçirdi aklından, ne kadar küçükmüş meğer! Arkasında birinin nefesini hissetti, sonra birden ayak bileğine öyle bir tekme yedi ki, az kalsın yere düşüyordu. Adamlardan birinden karın boşluğuna bir yumruk yiyen Julia da katlanır cetveller gibi iki büklüm olmuştu. Yerde sürünürken soluk almaya çalışıyordu. Winston başını çevirip bakmaya cesaret edemiyor, ama Julia'nın ardına kadar açılan ağzı, mosmor kesilmiş yüzü ikide bir görüş açısına giriyordu. Dehşete kapılmış olmakla birlikte, Julia'nın çektiği acıyı, soluk alabilmek için bastırmak zorunda kaldığı o ölümcül acıyı kendi bedeninde duyumsayabiliyordu. Bilmediği bir şey değildi: Bir an önce soluk almak zorunda olduğun için, o korkunç, içe işleyen acıyı duymazdın bile. Çok geçmeden, iki adam, Julia'yı kollarından ve bacaklarından tutup karga tulumba odadan çıkardı. Winston bir an Julia'nın baş aşağı çevrilmiş yüzünü görür gibi oldu; sapsarı kesilmişti, gözleri kapalıydı, yanaklarındaki allık izleri silinmemişti. Bu, Julia'yı son görüşü olacaktı.

Hiç kıpırdamadan öylece duruyordu. Henüz kimseden yumruk yememişti. Kafasından, kendiliğinden gelen ama tümden ilgisiz görünen bir yığın düşünce geçiyordu. Bay Charrington'ı da yakalayıp yakalamadıklarını merak ediyordu. Avludaki kadına ne yaptıklarını merak ediyordu. Birden, çok sıkıştığını fark ederek şaşırdı, çünkü daha iki üç saat önce işemişti. Şöminenin üstündeki saatin dokuzu gösterdiğini fark etti, demek saat yirmi birdi. Oysa odaya vuran ışık çok güçlüydü. Ağustos akşamı saat yirmi birde havanın kararıyor olması gerekmez miydi? Yoksa ikisi de saati şaşırmış, sabaha kadar uyumuş, uyandığında da saat ertesi sabah sekiz otuzken yirmi otuz mu sanmıştı? Ama daha fazla kafa yormadı. Bu işin ipe sapa gelir yanı yoktu.

O sırada koridordan, öncekilerden daha hafif bir ayak sesi geldi ve kapıdan içeri Bay Charrington girdi. Siyah üniformalıların tavrında bir değişiklik, bir yumuşama oldu. Ne ki, Bay Charrington'ın görünüşünde de bir değişiklik vardı. Gözü cam kâğıt ağırlığının parçalarına takıldı.

Sert bir sesle, "Kaldırın şunları yerden," dedi.

Adamlardan biri fırladığı gibi buyruğu yerine getirdi. Bay Charrington'ın Londralılara özgü şivesi kaybolmuştu; Winston biraz önce tele-ekrandan gelen sesi birden tanıdı. Bay Charrington'ın sırtında yine o eski kadife ceket vardı, ama nerdeyse ağarmış olan saçları siyahtı. Sonra, gözlüğü de yoktu. Winston'a, kimliğini belirliyormuşçasına keskin bir bakış fırlattı ve bir daha da ilgilenmedi. O olduğu belliydi, ama artık aynı kişi değildi. Gövdesi dikleşmişti, daha iri görünüyordu. Yüzündeki ufak tefek değişikliklere karşın bambaşka biri olup çıkmıştı. Siyah kaşları incelmiş, kırışıklıkları gitmiş, yüz hatları değişmiş, burnu bile küçülmüştü sanki. Otuz beş yaşlarında bir adamın temkinli, soğuk yüzüydü bu. Winston, ömründe ilk kez, hem de kim olduğunu bilerek, Düşünce Polisi'nden biriyle karşı karşıya olduğunu fark etti.

Üçüncü bölüm

I

Nerede olduğunu bilmiyordu. Büyük olasılıkla Sevgi Bakanlığı'ndaydı; ama bunu anlamak olanaksızdı. Duvarları parlak beyaz fayans kaplı, yüksek tavanlı, penceresiz bir hücredeydi. Gizlenmiş lambalardan içeriye çiğ bir ışık vuruyor, havalandırmayla ilgili olduğunu sandığı sürekli bir uğultu geliyordu. Ancak oturulabilecek genişlikte bir tahta sıra duvarı kapıya kadar çevreliyordu; kapının tam karşısında ise, tahta oturağı olmayan bir tuvalet vardı. Dört duvara da birer tele-ekran yerleştirilmişti.

Karnına dinmek bilmeyen bir ağrı saplanmıştı. Üstü kapalı yük arabasına tıkıp götürdüklerinden beri ağrıyordu karnı. Ama bir yandan da midesi kazınıyor, açlıktan gözleri kararıyordu. Belki yirmi dört saattir hiçbir şey yememişti, belki de otuz altı saattir. Tutuklandığında sabah mı, yoksa akşam mı olduğunu hâlâ bilmiyordu, herhalde hiçbir zaman bilemeyecekti de. Tutuklandığından bu yana hiç yemek vermemişlerdi.

Daracık sıranın üstünde, ellerini dizinde kenetlemiş, hiç kıpırdamadan oturuyordu. Daha şimdiden hiç kıpırdamadan oturmayı öğrenmişti. Beklenmedik bir hareket yaparsan, tele-ekrandan hemen bağırmaya başlıyorlardı. Ama açlık gittikçe bastırıyordu. Tulumunun cebinde ekmek kırıntıları olabileceği geldi aklına. Cebindeki bir şe-

259

yin arada sırada bacağına sürtündüğüne bakılırsa, irice bir ekmek parçası bile olabilirdi. Sonunda, cebinde ne olduğunu anlamanın çekiciliği korkusuna ağır bastı ve elini cebine attı.

Tele-ekrandan bir ses, "Smith!" diye bağırdı. "6079 Smith W! Hücrede elleri cebe sokmak yok!"

Yeniden ellerini dizinde kenetleyip hiç kımıldamadan oturdu. Oraya getirilmeden önce, sıradan bir hapishaneye ya da devriyeler tarafından kullanılan geçici bir tutukevine götürülmüştü. Orada ne kadar kaldığını bilmiyordu, en azından birkaç saat kalmış olmalıydı; saat olmadığı gibi, içeriye gün ışığı da girmediğinden, ne kadar zaman geçtiğini kestirmek zordu. Hem gürültülü hem de leş gibi kokan bir yerdi. Onu, şimdikine benzeyen ama pislik içinde ve on on beş kişinin doluştuğu bir hücreye koymuşlardı. Çoğu adi suçlu olmakla birlikte, aralarında birkaç siyasi mahkûm da vardı. Ne zamandır su yüzü görmemiş bir sürü bedenin arasına sığışıp duvarın dibinde sessizce oturmuştu; korkudan ve karnındaki ağrıdan çevresindekilerle pek ilgilenememiş, ama Partili mahkûmlarla adi tutukluların tavırları arasındaki fark da gözünden kaçmamıştı. Partili mahkûmlar hep suskun ve ürkektiler, adi suçlular ise göründüğü kadarıyla hiçbir şeye aldırmadıkları gibi, hiç kimseyi de umursamıyorlardı. Muhafızlara ana avrat sövüyorlar, eşyalarına el konulduğunda var güçleriyle direniyorlar, yerlere açık saçık laflar yazıyorlar, giysilerinin olmadık yerlerinden çıkardıkları kaçak yiyecekleri yiyorlar, dahası düzeni sağlamaya kalkıştığı zaman tele-ekrana küfürler yağdırmaktan bile çekinmiyorlardı. Buna karşılık, bazılarının muhafızlarla arası çok iyiydi, onlara lakaplarıyla sesleniyorlar, kapıdaki gözetleme deliğinden bir sigara alabilmek için sırnaşıp yaltaklanıyorlardı. Muhafızlar da, sertlik göstermeleri gerektiği zaman bile, adi suçlulardan belirli bir hoşgörüyü esirgemiyorlardı. Mahkûmların çoğunun gönderilmeyi bekledikleri çalışma kampları dillerden düşmüyordu. Söylenenlere bakılırsa, adamını bulursan ve işini bilen biriysen, çalışma kamplarında "geçinip gidebilirdin". Rüşvetin, adam kayırmanın, haraççılığın her türlüsü kol geziyordu, eşcinsellik ve fuhuştan geçilmiyordu, gizli gizli patatesten alkol bile imal ediliyordu. Kilit yerlere yalnızca adi suçlular, özellikle de bir çeşit beylik oluşturan soyguncular ve caniler getiriliyordu. Bütün iğrenç işler ise siyasilere yaptırılıyordu.

Tutukevinden her çeşit mahkûm gelip geçiyordu: uyuşturucu satıcıları, hırsızlar, haydutlar, karaborsacılar, sarhoşlar, fahişeler. Kimi sarhoşlar o kadar azgın oluyordu ki, öteki mahkûmlar onları ancak elbirliğiyle durdurabiliyorlardı. Altmış yaşlarında, koca memeleri karnına sarkmış, ak saçları darmadağınık, harabeye dönmüş bir kadın getirmişler, güçbela içeri sokmuşlardı; tekmeler savuran, bağırıp çağıran kadını dört muhafız zor zapt ediyordu. Tekmeler savurmaya çalıştığı botlarını güçlükle çıkardıktan sonra, kadını tuttukları gibi Winston'ın kucağına fırlatmışlardı; az daha uyluk kemikleri kırılacaktı Winston'ın. Kadın yerinden doğrulup muhafızların arkasından, "O... çocukları!" diye haykırmıştı. Sonra da, münasebetsiz bir yerde oturduğunu fark ederek Winston'ın dizlerinin üstünden tahta sıraya kaymıştı.

"Pardon, yavrum," demişti. "İsteyerek oturmadım kucağına, o fırlamalar ittiler. Herifçioğulları bir hanfendiye nasıl muamele edileceğini bilmiyorlar." Birden durmuş, memelerini toparlamış ve öğürmüştü. "Kusura kalma," demişti, "kafam biraz iyi de."

Sonra öne eğilmiş, midesinde ne var ne yoksa çıkarmıştı.

Gözlerini kapayıp arkasına yaslanarak, "Rahatladım be," demişti. "Hep söylerim, asla içinde tutmayacaksın. Mideye indirir indirmez çıkar gitsin."

Biraz toparlanmıştı, dönüp Winston'a bakmıştı, hemen kanı kaynamış gibiydi. Tombul kolunu Winston'ın omzuna atıp onu kendine çekmişti, ağzından bira ve kusmuk kokuları yayılıyordu.

"Senin adın ne bakayım, yavrum?" demişti.

"Smith," demişti Winston.

"Smith mi?" demişti kadın. "Çok matrak. Benim adım da Smith." Sonra da üzünçlü bir sesle eklemişti: "Kim bilir, belki de ananımdır senin."

Gerçekten de annem olabilir, diye düşünmüştü Winston. Yaşı tutuyordu, uzaktan andırıyordu da, insan çalışma kampında yirmi yıl kaldıktan sonra biraz değişiyordu herhalde.

Winston'la başka konuşan olmamıştı. Adi suçlular Partili mahkûmları fena halde dışlıyorlardı. Umursamadıkları gibi, "Siyasiler," diye aşağılıyorlardı onları. Partili mahkûmlar başkalarıyla, en çok da birbirleriyle konuşmaktan çekiniyor gibiydiler. Ancak bir keresinde, yan yana oturan iki kadının telaşla fısıldaşmaları içerideki gürültü patırtı arasında Winston'ın kulağına çalınmıştı; "yüz bir numaralı oda"dan söz edildiğini duymuş, ama bir şey anlamamıştı.

Oraya getirileli herhalde iki üç saat olmuştu. Karnındaki ağrı dinmek bilmiyordu; bazen hafifliyor, bazen şiddetleniyor, zihni de buna uygun olarak bir açılıyor, bir bulanıyordu. Şiddetlendiğinde, ağrının kendisinden ve yemek yeme isteğinden başka bir şey düşünemiyordu. Hafiflediğinde ise, ürküye kapılıyordu. Zaman zaman, başına gelecekleri öyle elle tutulur, gözle görülür bir biçimde kestirebiliyordu ki, yüreği daralıyor, soluksuz kalıyordu. Kollarına coplarla vurulduğunu, bacaklarının kabaralı postallarla tekmelendiğini duyumsuyor, kırık dişleri arasından yalvarıp yakardığını, yerlerde sürünerek aman dilediğini görür gibi oluyordu. Julia'yı pek düşündüğü yoktu. Zihnini ona veremiyordu. Gerçi onu seviyordu, ona ihanet etmeyi aklından geçirmiyordu; ama bu, aritmetik kurallarını bilmek gibi, bilinen bir olgudan öteye geçmiyordu. Aslında ona karşı en küçük bir sevgi duymuyor, başına neler gelmiş olabileceğini pek umursamıyordu. O'Brien'ı daha sık düşünüyor, onu düşündükçe içinde ufak da olsa bir umut ışığı yanıyordu. O'Brien, tutuklandığını biliyor olmalıydı. Kardeşliğin, hiçbir zaman üyelerini kurtarmaya kalkışmadığını söylemişti. Ama jiletten söz etmişti; bir yolunu bulurlarsa içeriye jilet gönderiyorlardı. Muhafızlar hücresine dalıncaya kadar belki beş saniyelik bir zamanı olacaktı. Jilet yakıcı bir soğuklukla etine girecek, jileti tutan parmakları bile kemiğe kadar kesilecekti. Hasta bedeninin en küçük bir acı karşısında tir tir titreyip büzüldüğünü anımsadı. Fırsatını bulsa bile jileti kullanacağından kuşkuluydu. Birazcık daha hayatta kalmak, sonunda işkence olduğunu bile bile on dakika fazla yaşamayı kabullenmek ona daha doğal geliyordu.

Bazen hücrenin duvarındaki fayansları saymaya çalışıyordu. Kolayca sayabilmesi gerekirken, bir yerde hep sayıyı şaşırıyordu. Sık sık da, nerede olduğunu, gündüz mü gece mi olduğunu bile anlayamıyordu. Dışarısının apaydınlık olduğunu düşünürken, çok geçmeden kapkaranlık olduğu sanısına kapılıveriyordu. İçgüdüleri, orada ışıkların hiç söndürülmediğini söylüyordu. Orası karanlığın olmadığı yerdi: Yaptığı göndermeyi O'Brien'ın neden kavramış göründüğünü şimdi anlıyordu. Sevgi Bakanlığı'nda hiç pencere yoktu. Hücresi binanın tam ortasında da olabilirdi, dışarıya bakan bir duvarın içerisinde de; yerin on kat altında da olabilirdi, otuz kat yukarısında da. Kafasının içinde oradan oraya dolaşıyor, bedeniyle duyumsayarak tepelerde bir yerde mi, yoksa yeraltının derinliklerinde mi olduğunu belirlemeye çalışıyordu.

Dışarıdan, yaklaşan postal sesleri geldi. Çelik kapı gıcırdayarak açıldı. Siyah deri üniforması pırıl pırıl parlayan, solgun, keskin hatlı yüzü balmumundan bir maskı andıran, genç ve yakışıklı bir subay, kapının eşiğinde zıpkın gibi dikildi. Dışarıdaki muhafızlara yanlarındaki mahkûmu içeri getirmeleri için işaret etti. Şair Ampleforth ayaklarını sürüyerek hücreden içeri girdi. Kapı yeniden gıcırdayarak kapandı.

Ampleforth, dışarı çıkılacak başka bir kapı olduğunu sanıyormuşçasına sağa sola birkaç ürkek adım attıktan sonra, hücrenin içinde bir aşağı bir yukarı dolanmaya başladı. Henüz Winston'ı fark etmemişti. Tedirgin bakışları Winston'ın başının bir metre üzerinden duvara dikilmişti. Ayakkabıları yoktu; iri, kirli parmakları çoraplarındaki deliklerden dışarı fırlamıştı. Belli ki birkaç gündür tıraş olmamıştı. Yanaklarını örten fırça gibi sakal, yüzüne, kırılgan yapısı ve ürkek davranışlarıyla hiç uyuşmayan acımasız bir görünüm vermişti.

Winston bedenini saran uyuşukluktan biraz olsun sıyrıldı. Tele-ekrandan gelebilecek uyarıyı göze alarak Ampleforth'la konuşmalıydı. Ampleforth'un jileti getirmiş olması bile mümkündü.

"Ampleforth," dedi Winston.

Tele-ekrandan hiçbir uyarı gelmedi. Ampleforth, biraz şaşırmışçasına, öyle kaldı. Bakışları ağır ağır Winston'a çevrildi.

"Vay, Smith!" dedi. "Demek sen de!"

"Neden içeri aldılar seni?"

"Aslına bakarsan..." Winston'ın karşısındaki sıranın ucuna ilişti. "Aslında bir tek suç vardır, değil mi?"

"Sen de o suçu işledin, öyle mi?"

"Öyle görünüyor."

Elini alnına götürdü, bir şey anımsamaya çalışıyormuşçasına ellerini şakaklarına bastırdı.

"Oluyor işte," diye mırıldandıktan sonra, başını kaldırıp Winston'a bakarak sinirli bir sesle ekledi: "Beni tutuklamalarına yol açmış olabilecek bir tek olay geliyor aklıma. Tam bir kafasızlıktı. Kipling'in şiirlerinin son basımını hazırlıyorduk. Bir dizenin sonundaki 'Tanrı' sözcüğünü değiştirmedim. Ne yapayım, elim gitmedi! Değiştirmek olanaksızdı. 'Tanrı', 'sanrı' sözcüğüyle uyak yapıyordu. Bilmem, dilimizde 'sanrı' ile uyak yapan pek az sözcük olduğunu biliyor musun? Günlerce kafa patlattım. Başka uyak *bulamadım*."

Yüzünün ifadesi değişmişti. Öfkesi geçip gitmiş, yerini handiyse bir hoşnutluğa bırakmıştı. Kirli ve sert sakalının arasından, işe yaramaz bir olguyu keşfetmiş bilgiç bir bilginin aydınca coşkusu, sevinci yansıyordu.

"Hiç aklına gelir miydi?" dedi. "İngiliz şiirinin tarihine baktığında, İngiliz dilinin uyak bakımından ne kadar yoksul olduğunu görüyorsun."

Hayır, böyle bir şey Winston'ın aklının ucundan bile geçmediği gibi, şu içinde bulundukları durumda en küçük bir önemi ya da ilginçliği de yoktu.

"Saatin kaç olduğunu biliyor musun?" diye sordu.

Ampleforth, afallayarak, "Doğrusu hiç farkında değilim," dedi. "Beni iki gün önce tutukladılar, belki de üç gün olmuştur, ne bileyim." Biraz da bir pencere bulabileceği beklentisiyle, duvarlara bakındı. "Burada gece ile gündüz arasında hiçbir fark yok. Saatin kaç olduğu nasıl anlaşılır ki?"

Bir süre havadan sudan konuştular, sonra birden, durup dururken, birisi tele-ekrandan haykırarak susmalarını buyurdu. Winston, ellerini dizlerinin üstünde kavuşturup sessizce oturdu. Daracık sıraya bir türlü sığamayan Ampleforth, ince uzun ellerini önce bir dizinde, sonra öbür dizinde kenetleyerek sağa sola kıpraşıp durdu. Tele-ekrandan, kıpırdamadan oturması için bir bağırtı daha geldi. Bir süre öyle oturdular. Yirmi dakika mı, bir saat mi, anlamak güçtü. Dışarıdan yine postal sesleri geldi. Winston'ın içi çekildi. Birazdan, az sonra, belki beş dakikaya kadar, belki hemen o anda, postal sesleri iyice yaklaşacak, sıranın ona geldiği anlaşılacaktı.

Kapı açıldı. Donuk yüzlü genç subay hücreye girdi. Eliyle Ampleforth'u işaret etti.

"101 Numaralı Oda'ya," dedi.

Ampleforth, yüzünde hafif bir tedirginlik belirse de pek bir şey anlamadan, muhafızların arasında ağır ağır yürüyerek çıktı gitti.

Aradan, Winston'a çok uzun gelen bir zaman geçti. Karnındaki ağrı yeniden başlamıştı. Zihni, her seferinde aynı deliklere düşen bir top gibi, hep aynı hatta sürükleniyordu. Yalnızca altı şey geçiyordu kafasından. Karnındaki ağrı; bir parça ekmek; kan ve çığlıklar; O'Brien; Julia; jilet. Yine içi çekildi; postal sesleri yaklaşıyordu. Kapının açılmasıyla birlikte içeriye ağır bir ter kokusu yayıldı. Parsons hücreden içeri girdi. Altında haki bir şort, üstünde spor bir gömlek vardı.

Bu kez Winston'ın aklı başından gitmişti.

"*Sen*, burada ha!" deyiverdi.

Parsons'ın Winston'a bakışında merak ve şaşkınlıktan eser yoktu, gözlerinde yalnızca acı okunuyordu. Bir aşağı bir yukarı sarsak sarsak yürümeye başladı, ayakta zor duruyordu. Tombul bacaklarının üstünde dik durduğunda ise, dizlerinin titrediği açıkça görülüyordu. Ardına kadar açılmış gözleri uzak bir noktaya takılıp kalmıştı sanki.

"Neden alındın içeri?" diye sordu Winston.

Parsons, ağlamaklı bir sesle, "Düşüncesuçu!" dedi. Sesinin tonunda, aynı anda hem suçunu tam bir kabulleniş hem de böyle bir suçun yöneltilmesi karşısında duyulan inanılmaz dehşet vardı. Winston'ın tam karşısında durdu, umarsızca içini döktü: "Ne dersin, beni vurmazlar, değil mi, dostum? Durup dururken niye vursunlar ki? İnsan elinde olmayan düşünceleri yüzünden vurulur mu? Duruşmaların hakça yapıldığını biliyorum. Evet, bu konuda güveniyorum onlara! Sicilimi biliyorlardır, değil mi? *Sen* biliyorsun nasıl bir herif olduğumu. Kendi çapımda fena bir adam değilimdir işte. Pek zeki sayılmam, tamam, ama salağın teki olduğum da söylenemez. Parti için elimden geleni yapmaya çalıştım, değil mi? Söylesene, beş yılla kurtulur muyum sence? Hadi on yıl olsun! Benim gibi bir adam çalışma kampında çok işe yarar. Bir kerecik yoldan çıktım diye öldürmezler değil mi beni?"

"Suçlu musun?" dedi Winston.

"Tabii ki suçluyum!" diye bağırdı Parsons, tele-ekrana dalkavukça bakarak. "Parti masum bir adamı tutuklayacak değil ya!" Kurbağayı andıran yüzüne bir dinginlik, dahası bir ermişlik gelmişti. "Düşüncesuçu korkunç bir şeydir, dostum," dedi bir özdeyiş söylüyormuşçasına. "Sinsi bir şeydir. Adamı esir alır da, farkına bile varmazsın. Beni nasıl ele geçirdi, biliyor musun? Uykumda! İster inan, ister inanma. Çalışıp çabalayan, üzerine düşeni yapmaya çalışan bir adamım ben, kafamın içinde kötü şeyler olduğunu nereden bileyim. Sonra uykumda konuşmaya başlamışım. Hem de ne demişim, biliyor musun?"

Sağlığından söz ederken tiksinç bir şey söylemek zorunda kalan biri gibi, sesini alçalttı.

"'Kahrolsun Büyük Birader!' Evet, böyle demişim. Hem de kaç kere. Aramızda kalsın, dostum, iş çığırından çıkmadan beni yakaladıklarına öyle memnunum ki. Mahkemeye çıktığımda onlara ne diyeceğim, biliyor musun? 'Sağ olun,' diyeceğim, 'çok geç olmadan beni kurtardığınız için sağ olun.'"

Winston, "Seni kim ihbar etti?" diye sordu.

Parsons, üzünçlü bir övünçle, "Küçük kızım," diye karşılık verdi. "Meğer kapı deliğinden dinlemiş. Uykumda söylediklerimi ertesi gün devriyelere yetiştirmiş. Yedi yaşında bir bacaksızdan bekler misin? Ama en küçük bir kin beslemiyorum ona karşı. Tam tersine, övünç duyuyorum onunla. Demek, iyi yetiştirmişim."

Birkaç kez daha sarsak sarsak gitti geldi; dönüp dönüp istekle tuvalete bakıyordu. Sonra birden şortunu indirdi.

"Özür dilerim, dostum," dedi. "Ne yapayım. Geldi işte."

Koca poposunu klozete yerleştirdi. Winston elleriyle yüzünü kapattı.

Tele-ekrandan, "Smith!" diye bir bağırtı geldi. "6079 Smith W! Aç yüzünü. Hücrede yüzünü örtmek yasak."

Winston yüzünü açtı. Parsons tuvalette gürültülü bir biçimde uzun uzun işini gördü. Sonra anlaşıldı ki sifon bozuktu; hücre saatlerce kokudan geçilmedi.

Parsons'ı götürdüler. Nedendir bilinmez, daha başka tutuklular da geldi gitti. İçlerinde "101 Numaralı Oda"ya götürülmüş bir kadın da vardı; o odanın adı geçmeyegörsün, tir tir titremeye başlıyor, beti benzi kireç kesiliyordu. Bir ara Winston tahmin yürütmeye çalıştı: Oraya sabahleyin getirildiyse şimdi öğleden sonra olmalıydı, yok öğleden sonra getirildiyse o zaman şimdi gece yarısı olsa gerekti. Hücrede kadınlı erkekli altı mahkûm vardı. Hepsi de hiç kıpırdaman oturuyordu. Winston'ın tam karşısında, yüzü tıpkı iri, zararsız bir kemirgenin yüzüne benzeyen, çenesiz, dişlek bir adam oturmaktaydı. Pençe pençe olmuş, tombul yanaklarının altı o kadar sarkmıştı ki, yediklerini orada biriktirdiği izlenimini uyandırıyordu. Açık gri gözlerini ürkek ürkek içeridekilerin yüzlerinde gezdiriyor, biriyle göz göze gelince de bakışlarını kaçırıveriyordu.

Kapı açıldı, içeriye bir mahkûm daha girdi; Winston adamı görür görmez tepeden tırnağa ürperdi. Sıradan, kılıksız bir adamdı, mühendis ya da teknisyen olabilirdi. Ama Winston'ı asıl afallatan, yüzünün sıskalığıydı. Avurdu avurduna göçmüştü. Yüzü o kadar zayıftı ki, ağzı ve gözleri kocaman kalıyordu; gözlerinde, birine ya da bir şeye karşı korkunç, ölümcül bir nefret okunuyordu.

Adam, Winston'ın biraz ilerisine oturdu. Winston dönüp bir daha bakmadı adama, ama acılar içindeki, kadidi çıkmış yüzü gözlerinin önünden gitmiyordu. Birden ne olduğunu anladı. Adam açlıktan ölüyordu. Nerdeyse aynı anda hücredekilerin de aklına aynı şey gelmişti. Tahta sırada çepeçevre oturanlar şöyle bir kıpırdandılar. Çenesiz adam, gözlerini yeni gelene dikiyor, sonra suçluluk duyarak bakışlarını kaçırıyor, ama dayanamayıp yeniden bakmaktan alamıyordu kendini. Biraz sonra, oturduğu yerde kıpırdanmaya başladı. Sonunda kalktı, hücrede paytak paytak gezinirken elini tulumunun cebine daldırdı, bir parça kirli ekmeği utanarak, yüzü bir deri bir kemik kalmış adama uzattı.

Tele-ekrandan kulakları sağır eden, korkunç bir bağırtı geldi. Çenesiz adam korkudan havaya sıçradı. Suratı kurukafaya dönmüş adam, kendisine uzatılan armağanı almak istemediğini bütün dünyaya göstermek istercesine, ellerini hemen arkasına götürdü.

Tele-ekrandaki ses, "Bumstead!" diye gürledi. "2713 Bumstead J! Bırak o ekmeği elinden!"

Çenesiz adam ekmeği yere bıraktı.

"Olduğun yerde kal," dedi ses. "Yüzünü kapıya dön. Kıpırdayayım deme."

Çenesiz adam deneni yaptı. Tombul, sarkık yanaklarının titremesine engel olamıyordu. Kapı gıcırdayarak açıldı. İçeri girip bir adım yana çekilen genç subayın ardından, kısa boylu, tıknaz, kolları kaslı, ense kulak yerinde bir muhafız belirdi. Gelip çenesiz adamın karşısına dikildi ve subayın bir işaretiyle, suratının ortasına var gücüyle korkunç bir yumruk attı. Yumruğun gücüyle nerdeyse ayakları yerden kesilen adam savrulup gitti, tuvaletin altına çarptı. Kendinden geçmişçesine yerde yatarken, ağzından burnundan koyu bir kan geldi. Elinde olmadan hafif bir inilti çıktı ağzından. Yerde dertop olduktan sonra elleri ve dizleri üstünde güçlükle doğruldu. Takma dişleri, ağzından gelen kanlı salyalara bulanarak yere düştü.

Tutuklular, elleri dizlerinde kenetlenmiş, hiç kıpırdamadan oturuyorlardı. Çenesiz adam zorlukla kalkıp yerine oturdu. Yüzünün bir yanı şimdiden morarmaya başlamıştı. Dudakları davul gibi şişmiş, ağzı, tam ortasında kara bir delik bulunan kıpkırmızı bir et yığınına dönmüştü. Ara sıra tulumunun göğsüne kan damlıyordu. Gri gözleri, daha da suçlu bakışlarla, bu onur kırıcı olaydan ötürü kendisini ne kadar aşağıladıklarını anlamak istercesine öbürlerinin yüzlerinde dolaşıyordu.

Kapı açıldı. Subay, suratı bir deri bir kemik kalmış adama el etti.

"101 Numaralı Oda'ya," dedi.

Winston'ın oturduğu taraftan boğuk bir ses geldi, bir hareketlenme oldu. Adam kendini yere attığı gibi diz çökmüş, ellerini kenetlemişti.

"Yoldaş! Komutanım!" diye haykırdı. "Beni neden oraya götürüyorsunuz ki? Size bildiğim her şeyi anlatmadım mı? Öğreneceğiniz başka ne kaldı ki? Her şeyi itiraf ettim, söylemediğim hiçbir şey kalmadı! Varsa söyleyin, hemen itiraf edeyim. İsterseniz yazıp verin, imzalayayım! Yeter ki 101 Numaralı Oda'ya götürmeyin!"

Subay, "101 Numaralı Oda'ya," diye yineledi.

Adamın zaten sararıp solmuş yüzü öyle bir renge bürünmüştü ki, Winston'ın ağzı açık kaldı. İnsan görse inanmazdı ama, adamın yüzü yemyeşil olmuştu.

"Dilediğinizi yapın bana!" diye uludu. "Haftalardır aç bıraktınız zaten. Bitirin şu işi, bırakın öleyim. Vuracaksınız vurun. Asacaksanız asın. İsterseniz yirmi beş yıl verin. Başka kimi ele vermemi istiyorsanız söyleyin. Kim olduğunu söyleyin, yeter; istediğiniz her şeyi söylerim. Kim olduğu, ona ne yapacağınız umurumda değil. Benim bir karım, üç de çocuğum var. En büyüğü altı yaşında. Topunu getirip gözlerimin önünde gırtlaklarını kesin, gıkımı çıkarmam. Yeter ki 101 Numaralı Oda'ya götürmeyin beri!"

"101 Numaralı Oda'ya," dedi subay.

Adam, kendi yerine bir başka kurban ararcasına, çılgın bakışlarla öteki tutuklulara göz gezdirdi. Bakışları çenesiz adamın darmadağın olmuş yüzüne takıldı. İncecik kolunu ona doğru uzattı.

"Götürmeniz gereken bu işte, ben değilim!" diye bağırdı. "Suratı dağıtıldıktan sonra neler dediğini duymadınız. Bana bir fırsat verin, size neler söylediğini bir bir anlatayım. Parti'ye karşı olan *o*, ben değilim." Muhafızlar üstüne yürüdüler. Adam avazı çıktığı kadar haykırmaya başladı. "Onu duymadınız!" diye tekrarlıyordu. "Teleekranda bir terslik oldu. Sizin aradığınız o. Beni bırakın, onu alın!"

İki irikıyım muhafız onu kollarından yakalamaya kalktı. Ama tam o sırada kendini yere attığı gibi tahta sıranın demir ayaklarından birine yapıştı. Bir hayvan gibi uluyup duruyordu. Muhafızlar onu oradan çekip almak için tutup asıldılar, ama demire akıl almaz bir güçle yapışmıştı. Yirmi saniye kadar asılıp durdular. Tutuklular, elleri dizlerinin üstünde kenetlenmiş, sessizce oturuyor, doğruca önlerine bakıyorlardı. Adam çok geçmeden ulumayı kesti; demire olanca gücüyle tutunmaktan soluğu kesilmişti. Sonra birden değişik bir haykırış duyuldu. Muhafızlardan birinin postalıyla attığı tekme, adamın elinin parmaklarını kırmıştı. Ayaklarından tutup sürüklediler.

"101 Numaralı Oda'ya," dedi subay.

Dışarı çıkarırlarken güçlükle yürüyor, başı önünde,

parçalanan elini ovuşturuyordu, karşı koyacak gücü kalmamıştı.

Uzun bir süre geçti. Yüzü kaşık kadar kalmış adamı götürdüklerinde gece yarısı idiyse, şimdi sabah olmalıydı; yok, götürdüklerinde sabah idiyse, şimdi öğleden sonra olsa gerekti. Winston saatlerdir bir başınaydı. Daracık sırada oturmaktan o kadar acı çekiyordu ki, ikide bir kalkıp hücrenin içinde dolanıyor, üstelik tele-ekrandan da bir uyarı gelmiyordu. Çenesiz adamın yere düşürdüğü ekmek parçası hâlâ oradaydı. Başlangıçta ona bakmamak için ne yapacağını bilemiyordu, ama çok geçmeden açlık yerini susuzluğa bıraktı. Ağzında yapış yapış, kötü bir tat vardı. İçerideki uğultu ve hiç kapatılmayan beyaz ışık baygınlık veriyor, kafasının içini bomboş hissetmesine yol açıyordu. Kemiklerindeki ağrı dayanılmaz olduğunda ayağa kalkıyor, ayağa kalkınca da başı döndüğü için hemen oturuyordu. Bedensel duyumlarını biraz denetim altına alabildiğinde, yeniden dehşete kapılıyordu. Kimi zaman, gittikçe azalan bir umutla, O'Brien ve jilet düşüyordu aklına. Jileti yemeğin içine gizleyerek gönderebilirlerdi, ama yemek verildiği yoktu ki. Julia daha da belli belirsiz geçiyordu aklından. Bir yerlerde acı çekiyor olmalıydı, belki de kendisinden çok daha kötü durumdaydı. O anda acı içinde çığlık atıyor olabilirdi. "Acımı iki katına çıkararak Julia'yı kurtarabilecek olsam, bunu yapar mıyım? Evet, yaparım," diye geçirdi aklından. Ama böyle yapmak zorunda olduğunu bildiği için aldığı düşünsel bir karardı bu. Gerçekten içinden geldiği için değil. İnsan burada acıdan ve acının yaklaşmakta olduğunu sezmekten başka hiçbir şey duyumsayamıyordu. Kaldı ki, insanın gerçekten acı çekerken, hangi nedenle olursa olsun acısının artmasını istemesi mümkün müydü? Ama bu soruyu yanıtlamak şimdilik olanaksızdı.

Yeniden postal sesleri duyuldu. Kapı açıldı, içeriye O'Brien girdi.

Winston yerinden fırladı. O'Brien'ı görmenin şaşkınlığıyla boş bulunmuş, yıllardır ilk kez tele-ekranın varlığını unutmuştu.

"Demek sizi de yakaladılar!" diye bağırdı.

O'Brien, nerdeyse pişmanlık içeren belli belirsiz bir alaycılıkla, "Beni çoktan yakalamışlardı," dedi. Yana çekildi. Elinde uzun siyah copuyla, iriyarı bir muhafız belirdi.

"Bunu biliyordun, Winston," dedi O'Brien. "Sakın kendini kandırma. Biliyordun bunu, hep biliyordun."

Evet, şimdi anlıyordu, başından beri biliyordu. Ama şimdi bunu düşünecek vakit yoktu. Gözü muhafızın elindeki coptan başka bir şey görmüyordu. Her an bir yerine inebilirdi cop: kafasına, kulağına, koluna, dirseğine...

Ve indi dirseğine! Bir eliyle dirseğini tutarak, inme inmişçesine dizlerinin üstüne çöktü. Her şey sapsarı bir ışığa boğuldu. Tek bir cop darbesinin bu kadar acı vermesi olacak şey değildi! Işık dağıldığında, ikisinin tepesine dikilmiş, kendisine baktığını gördü. Muhafız gülmekten kırılıyordu. En azından bir soru yanıtını bulmuştu. İnsan hiçbir zaman, hiçbir nedenle acısının artmasını isteyemezdi. Olsa olsa acısının dinmesini isteyebilirdi. Dünyada fiziksel acı kadar kötü bir şey olamazdı. Felç olmuş sol kolunu tutarak yerde kıvranırken, acı karşısında kahramanlık taslanamaz, asla kahramanlık taslanamaz, diye düşünüp duruyordu.

II

Kamp yatağını andıran, ama yerden biraz daha yüksekte duran bir şeyin üstünde, sımsıkı bağlanmış, yatıyordu. Yüzüne, eskisinden daha güçlü bir ışık vuruyordu. Bir yanında O'Brien duruyor, dikkatle ona bakıyordu. Öbür yanında duran beyaz önlüklü adamın elinde bir şırınga vardı.

Gözlerini açtıktan sonra bile çevresindekileri ancak yavaş yavaş algılayabiliyordu. Bu odaya sanki bambaşka bir dünyadan, çok daha derinlerdeki bir sualtı dünyasından yüzerek çıkıyordu. Ne kadardır orada, derinlerde olduğunu bilmiyordu. Tutuklandığı andan beri karanlık ya da aydınlık görmemişti. Kaldı ki, anımsadıklarının da bir sürekliliği yoktu. Bilincinin, uykudaki bilincinin bile zaman zaman kapandığı ve kapkara bir boşluktan sonra yeniden açıldığı olmuştu. Ama bu boşluklar günlerce ya da haftalarca mı sürmüştü, yoksa yalnızca birkaç saniye mi, bunu bilmek olanaksızdı.

Karabasan, dirseğine indirilen o ilk darbeyle başlamıştı. Sonradan, tüm olup bitenin, başlangıçta tutukluların hemen hepsine uygulanan sıradan bir sorgulama olduğunu kavrayacaktı. Herkesin önünde sonunda itiraf etmek zorunda kalacağı, casusluk, sabotaj ve benzerleri gibi bir sürü suç vardı. İtiraf bir formalite olmasına karşın, işkence gerçekti. Kaç kez dayak yemişti, dayaklar ne kadar sürmüştü, anımsayamıyordu. Hep siyah üniformalı beş altı adam oluyordu başında. Bazen yumruk atarak, bazen coplarla, bazen demir çubuklarla dövüyorlar, bazen de postallarıyla tekmeliyorlardı. Kim bilir kaç kez umarsız bir hayvan gibi yerlerde yuvarlanmış, tekmelerden sakınabilmek için bitmek bilmeyen boşuna bir çabayla debelenip durmuş, ama her seferinde kaburgalarına, karnına, dirseklerine, baldırlarına, kasığına, hayalarına, kuyruksokumuna daha fazla tekme yemekten kurtulamamıştı. Kimi zaman bu iş o denli uzun sürüyordu ki, bilincini yitirmeyi becerememesi, muhafızların attığı dayaktan çok daha acımasız, korkunç ve dayanılmaz geliyordu. Bazen sinirleri öyle boşanıyordu ki, daha dayak başlamadan yalvar yakar oluyor, muhafızın kalkan yumruğunu görür görmez, işlediği işlemediği bir sürü suçu itiraf ediveriyordu. Kimi zaman, ilkin hiçbir şey itiraf etmemeye karar veriyor, o zaman ağzından tek bir sözcüğü bile söke söke almak zorunda kalıyorlardı; kimi zaman da, kendince bir uzlaşma yolu arayarak, "İtiraf edeceğim, ama hemen değil. Acı dayanılmaz olana kadar direnmeliyim. Üç tekme daha atsınlar, sonra iki tekme daha, o zaman ne istiyorlarsa söylerim," diyordu kendi kendine. Bazen ayakta duramaz hale gelinceye kadar dövdükten sonra hücrenin taş zeminine patates çuvalı gibi fırlatıp atıyorlar, kendine gelmesi için birkaç saat bekleyip yeniden götürüyor, yeniden dayağa başlıyorlardı. Toparlanıp kendine gelmesi için daha uzun süreler gerektiği de oluyordu. Ama çoğu zaman uykuda ya da baygın geçen bu süreleri belli belirsiz anımsıyordu. Duvara iliştirilmiş tahtadan bir ranzası, teneke lavabosu olan bir hücreyi, sıcak çorba, ekmek ve bazen kahveden oluşan yemekleri anımsıyordu. Sakalını kazıyıp saçını kesmeye gelen suratsız berberi, nabzını ölçüp reflekslerini kontrol eden, gözkapaklarını kaldırıp gözlerine bakan, sert parmaklarıyla kırık kemiklerini yoklayan, uyutmak için koluna iğne vuran ekşi suratlı, sevimsiz, beyaz önlüklü adamları anımsıyordu.

Dayaklar giderek seyrekleşmiş; daha çok, yanıtları yeterli bulunmazsa her an geri gönderilebileceğine ilişkin bir gözdağına, bir korkutmacaya dönüşmüştü. Sorgucuları artık siyah üniformalı kaba saba adamlar değil, ufak tefek, tombul Partili entelektüellerdi; bu parlak gözlüklü, aceleci adamlar, Winston'ın üzerinde –emin değildi ama, yanılmıyorsa– aralıksız on on iki saat nöbetleşe çalışıyorlardı. Bunlar, hiç dinmeyen hafif bir acı duymasına özen göstermekle birlikte, yalnızca bu acıyla yetinmiyorlardı. Tokat atıyorlar, kulaklarını büküyorlar, saçını çekiyorlar, tek ayak üstünde durduruyorlar, işemesine izin vermiyorlar, yüzüne parlak ışıklar tutarak gözlerinden yaşlar boşanmasını sağlıyorlardı; bütün bunların tek amacı, onu aşağılamak, düşünme ve akıl yürütme gücünü yok etmekti. Asıl silahları, saatlerce süren acımasız sorgulamalardı: Tuzağa düşürerek yalanını yakalıyorlar, söylediği her şeyden başka bir anlam çıkarıyorlar, ne zaman yalan söylese ve çelişkiye düşse tepesine çöküyorlardı; ta ki, ruhu karardığı ve utancından yerin dibine geçtiği için hüngür hüngür ağlamaya başlayıncaya kadar. Bazen bir sorgu sırasında beş altı kere ağladığı bile oluyordu. Çoğu zaman bağırıp çağırarak sövgüler yağdırıyorlar, her duraksamasında yeniden muhafızların ellerine teslim etmekle tehdit ediyorlardı; ama bazen de tutumları birden değişiyor, ona yoldaş diye seslenerek İngsos ve Büyük Birader adına yalvarıyorlar; üzgün bir sesle, Parti'ye bağlılığının, verdiği zararları gidermek istemesini sağlayacak kadar sürüp sürmediğini soruyorlardı. Saatlerce süren sorgulamadan sonra sinirleri boşandığı için, bu kadarı bile gözyaşlarına boğulmasına yetiyordu. Sonunda, muhafızların postalları ve yumruklarından çok, başının etini yiyip duran bu adamlar kırmıştı direncini. Artık ne istense söylüyor, önüne konulan her kâğıdı imzalıyordu. Artık yeniden tepesine binmelerine meydan vermeden, kendisinden neyi itiraf etmesini istediklerini öğrenip bir an önce itiraf etmekten başka bir şey düşünmüyordu. Parti'nin önde gelen üyelerinin öldürülmesinden, bozgunculuk tohumları eken broşürlerin dağıtılmasından, devletin parasını zimmetine geçirmekten, askerî sırların satılmasından sorumlu olduğunu, pek çok sabotaj eylemine katıldığını itiraf etmişti. Ta 1968'den beri Doğuasya hükümetine para karşılığında casusluk yaptığını itiraf etmişti. Dindar, kapitalizm hayranı ve cinsel sapık olduğunu itiraf etmişti. Karısının hayatta olduğunu kendisi bildiği gibi, kendisini sorgulayanların da bilmeleri gerekiyordu, ama karısını öldürdüğünü de itiraf etmişti. Goldstein'la yıllardır temasta olduğunu, hemen hemen bütün tanıdıklarının katıldıkları bir yeraltı örgütüne üye olduğunu itiraf etmişti. Her şeyi itiraf etmek ve herkesi işin içine katmak daha kolaydı. Üstelik, bir bakıma hepsi doğruydu. Parti'ye düşman olduğu doğruydu ve Parti'nin gözünde, düşünce ile eylem arasında en küçük bir ayrım yoktu.

Anımsadığı daha başka şeyler de vardı. Zihninde birbirinden kopuk, bulanık görüntüler halinde geziniyorlardı.

Bir çift gözden başka bir şey göremediği için karanlık mı, aydınlık mı olduğunu anlayamadığı bir hücredeydi. Yakınlarda bir yerden bir aletin yavaş ve düzenli tıkırtıları duyuluyordu. Gözler gittikçe büyüyor ve parlaklaşıyordu. Birden oturduğu yerden havalanıp sürükleniyor, bir çift göz onu içine çekip yutuveriyordu.

Göz alıcı ışıklar altında, kadranlarla kuşatılmış bir koltuğa kayışlarla bağlanmıştı. Beyaz önlüklü bir adam kadranlardaki rakamları okuyordu. Dışarıdan postal sesleri geliyordu. Kapı gıcırdayarak açılıyor, yüzü balmumundan bir maskı andıran subay, ardında iki muhafızla içeri giriyordu.

"101 Numaralı Oda'ya," diyordu subay.

Beyaz önlüklü adam dönüp bakmıyordu. Winston'a da bakmıyor, gözlerini kadranlardan ayırmıyordu.

Bir kilometre genişliğinde, ışıl ışıl aydınlatılmış, uçsuz bucaksız bir koridorda, bir yandan kahkahalar atarak, bir yandan da bağıra çağıra itiraflarda bulunarak düşe kalka ilerliyordu. Her şeyi, işkence altında gizlemeyi başardığı şeyleri bile itiraf ediyordu. Tüm bir yaşamöyküsünü, zaten bilen insanlara anlatıyordu. Muhafızlar, öteki sorgucular, beyaz önlüklüler, O'Brien, Julia,

Bay Charrington da onunla birlikteydiler, koridorda hep birlikte kahkahalar patlatarak düşe kalka ilerliyorlardı. Gelecekte saklı duran o korkunç şey her nasılsa atlanmış, olmamıştı. Her şey yolundaydı, acılar son bulmuştu, yaşamı son ayrıntısına kadar gözler önüne serilmiş, anlaşılmış, bağışlanmıştı.

Tahta yatakta doğruldu, O'Brien'ın sesini duyar gibi olmuştu. Tüm sorgu boyunca, O'Brien'ı hiç görmemiş olmasına karşın, onun hep yanı başında olduğunu hissetmişti. Her şeyi yöneten O'Brien'dı. Muhafızları Winston'ın üzerine salan da, onu öldürmelerini önleyen de oydu. Winston'ın ne zaman acı içinde haykıracağına, ne zaman dinlenmesine izin verileceğine, ne zaman yemek yiyeceğine, ne zaman uyuyacağına, koluna ne zaman uyuşturucu enjekte edileceğine karar veren oydu. Soruları soran da, yanıtları telkin eden de oydu. O hem işkence eden hem de koruyandı; hem sorgucu hem de dosttu. Uyutulduğu sırada mı, kendiliğinden uyurken mi, yoksa uyanıkken mi, anımsamıyordu, ama bir keresinde bir ses, "Merak etme, Winston; benim korumam altındasın," diye fısıldamıştı. "Yedi yıl boyunca izledim seni. Artık dönüm noktası geldi. Seni kurtaracağım, seni kusursuz kılacağım." O'Brien'ın sesi olup olmadığını kestiremiyordu; ama yedi yıl önce, rüyasında ona, "Bir gün karanlığın olmadığı bir yerde buluşacağız," diyen sesle aynı sesti.

Sorgulamanın sona erdiğini anımsamıyordu. Arada bir süre her şey kararmış, ardından şimdi bulunduğu hücre ya da oda yavaş yavaş çevresinde belirginleşmişti. Sırtüstü, dümdüz yatıyor, hiç kıpırdayamıyordu. Bedeninin belli başlı noktaları, yattığı yere perçinlenmiş gibiydi. Başının arkası bile bir biçimde tutturulmuştu. O'Brien, tepesine dikilmiş, ciddi, hatta biraz da üzgün, ona bakmaktaydı. Aşağıdan bakıldığında, gözlerinin altındaki torbalar ve yanaklarından çenesine kadar inen derin çizgiler, yüzünü kaba ve yorgun gösteriyordu. Winston'ın sandığından yaşlıydı; kırk sekiz elli yaşlarında olmalıydı. Üstünde rakamların bulunduğu bir kadranın kolunu tutuyordu.

"Sana demiştim," dedi O'Brien, "bir daha ancak burada buluşuruz diye."

"Evet," dedi Winston.

O'Brien'ın elini hafifçe oynatışı dışında hiçbir uyarı gelmeden, bedenini bir acı dalgası kapladı. Olup biteni göremediği için ürkütücü bir acıydı, bunun kendisini öldürebileceğini hissediyordu. Kaldı ki, gerçekten böyle bir şey yapılıyor muydu, bu acı elektrik vererek mi sağlanıyordu, ayırdında değildi; ama bedeni paramparça oluyor, eklemleri yavaş yavaş birbirinden ayrılıyordu. Acıdan alnı tere batmıştı, ama belkemiğinin kopmak üzere olduğunu duyumsaması onu çok daha fazla korkutuyordu. Mümkün olduğu kadar sesini çıkarmamaya çalışarak dişlerini sıktı, burnundan derin bir nefes aldı.

O'Brien, gözlerini yüzünden ayırmadan, "Korkuyorsun," dedi, "birazdan bir yerinin kopacağından korkuyorsun. Özellikle de belkemiğinin kopacağından. Omurlarının birbirinden ayrıldığını, omurlarındaki sıvının aktığını görür gibi oluyorsun. Aklından geçen bu, öyle değil mi, Winston?"

Winston yanıt vermedi. O'Brien kadranın kolunu geri çekti. Acı, geldiği gibi gidiverdi.

"Kırktaydı," dedi O'Brien. "Bu kadrandaki rakamların yüze kadar çıktığını görebilirsin. Bu konuşmamız boyunca lütfen aklından çıkarma: Sana istediğim anda, istediğim kadar acı verebilirim. Bana yalan söylediğin, kaçamaklı yanıtlar vermeye kalktığın, hatta her zamanki zekâ düzeyinin altına düştüğün anda acıdan çığlığı basarsın. Anlaşıldı mı?"

"Anlaşıldı," dedi Winston.

O'Brien biraz yumuşamış gibiydi. Gözlüğünü düzeltirken düşünceli görünüyordu, odanın içinde şöyle bir gidip geldi. Kibar ve sabırlı bir sesle konuşuyordu. Cezalandırmaktan çok, açıklamak ve inandırmak isteyen bir hekim, öğretmen, hatta rahip gibiydi.

"Senin için kendimi paralıyorum, Winston," dedi. "Çünkü sen buna değersin. Sorununun ne olduğunu çok iyi biliyorsun. Aslında yıllardır biliyordun, ama bilmezlikten gelmek için elinden geleni yaptın. Ussal dengesizlik var sende. Bellek yetersizliği çekiyorsun. Gerçek olayları anımsayamadığın gibi, hiç olmamış olayları anımsadığına inandırıyorsun kendini. Neyse ki bunun tedavisi var. Bugüne kadar kendini iyileştirmek için hiçbir çaba harcamadın, çünkü iyileşmek istemiyordun. Azıcık istemen yeterliydi, ama buna hazır değildin. Şimdi bile, hastalığına bir erdemmiş gibi dört elle sarılıyorsun. Örneğin, söyler misin: Okyanusya şu anda hangi devletle savaşıyor?"

"Ben tutuklandığımda, Okyanusya Doğuasya'yla savaşıyordu."

"Doğuasya'yla. Tamam. Zaten Okyanusya her zaman Doğuasya'yla savaş halindedir, öyle değil mi?"

Winston nefesini tuttu. Konuşmak için ağzını açtı, ama bir şey demedi. Gözlerini kadrandan ayıramıyordu.

"Lütfen gerçeği söyle, Winston. *Senin* gerçeğini. Ne anımsıyorsan onu söyle."

"Tutuklanmadan daha bir hafta öncesine kadar Doğuasya'yla hiç savaşmadığımızı anımsıyorum. Onlar bizim müttefikimizdiler. Avrasya'yla savaş halindeydik. O da dört yıl sürmüştü. Ondan önce..."

O'Brien eliyle işaret ederek Winston'ı susturdu.

"Başka bir örnek vereyim," dedi. "Birkaç yıl önce çok ciddi bir yanılgıya kapılmıştın. Bir zamanlar Parti üyesi olan üç kişinin, her şeyi itiraf ettikten sonra vatana ihanet ve sabotajdan idam edilen Jones, Aaronson ve

Rutherford'un kendilerine yüklenen suçları işlemediklerini sanıyordun. İtiraflarının düzmece olduğunu su götürmez bir biçimde kanıtlayan bir belge bulduğunu sanıyordun. Gördüğünü sandığın o fotoğraf bir sanrıydı. Gerçekten elinde tuttuğunu sanmıştın. Şöyle bir fotoğraftı."

O'Brien'ın parmakları arasında ince uzun bir gazete parçası belirmişti. Gazete parçası beş saniye kadar Winston'ın görüş alanında kaldı. Fotoğrafı açık seçik görebilmişti. Hem de *o* fotoğraftı. On bir yıl önce rastlantıyla eline geçtiğinde hemen yok ettiği fotoğraftı; Jones, Aaronson ve Rutherford'u New York'taki bir Parti toplantısında gösteren fotoğrafın bir kopyası. Bir an gözlerinin önünde belirmiş, sonra gözden kaybolmuştu. Ama görmüştü işte, gözleriyle görmüştü! Yattığı yerden acıyla doğrulmaya kalkıştı, ama boşuna. Doğrulmak şöyle dursun, azıcık kıpırdamak bile olanaksızdı. O an kadranı bile unutmuştu. Tek istediği, fotoğrafı yeniden parmakları arasında tutabilmek, hiç değilse bir kez daha görebilmekti.

"Var işte!" diye bağırdı.

O'Brien, "Hayır, yok," dedi.

Odanın karşı duvarındaki bellek deliğine gidip kapağını kaldırdı. İnce kâğıt parçası sıcak hava akımında döne döne gitti, derinlerde bir yerde alevlerin arasında yok oldu. O'Brien dönüp geldi.

"Kül oldu," dedi. "Kül olduğunu bile anlamak olanaksız. Toz. Artık yok. Hiçbir zaman da olmadı."

"Ama vardı! Hâlâ da var! Belleğimizde var. Ben anımsıyorum. Siz de anımsıyorsunuz."

"Ben anımsamıyorum," dedi O'Brien.

Winston yıkılmıştı. Çiftdüşün buydu işte. Korkunç bir umarsızlığa kapılmıştı. O'Brien'ın yalan söylediğinden emin olsa, hiç kaygı duymayacaktı. Ama O'Brien'ın fotoğrafı gerçekten unutmuş olması pekâlâ mümkündü. O zaman, fotoğrafı anımsadığını yadsıdığını unutmuş olabileceği gibi, unuttuğunu da unutmuş olabilirdi. Bunun sıradan bir hile olduğundan nasıl emin olabilirdi ki insan? Belki de delilerdeki o zihin kayması gerçekten olabiliyordu: Onu yenik düşüren düşünce bu oldu.

O'Brien, başına dikilmiş, dikkatle ona bakıyordu. Dikbaşlı ama parlak bir çocuğa sabırla özen gösteren bir öğretmenden farksızdı.

"Geçmişin denetlenmesiyle ilgili bir Parti sloganı vardır," dedi. "Söyler misin, lütfen."

Winston, boyun eğerek, "Geçmişi denetim altında tutan, geleceği de denetim altında tutar; şimdiyi denetim altında tutan, geçmişi de denetim altında tutar," dedi.

O'Brien, başıyla onaylayarak, "Şimdiyi denetim altında tutan, geçmişi de denetim altında tutar," dedi. "Geçmişin gerçekten var olduğu kanısında mısın, Winston?"

Winston bir kez daha umarsızlığa kapılmıştı. Kadrana bir bakış fırlattı. Kendisini acı duymaktan kurtaracak yanıtın "evet" mi, yoksa "hayır" mı olduğunu bilmediği gibi, hangi yanıtın doğru olduğuna inandığını da bilmiyordu.

O'Brien, hafifçe gülümseyerek, "Sen metafizikçi değilsin, Winston," dedi. "Var olmanın ne anlama geldiğini şu ana kadar hiç düşünmedin. Daha açık söyleyeyim. Geçmiş, uzamda somut olarak var mıdır? Geçmişin varlığını hâlâ koruduğu herhangi bir yer, bir somut nesneler dünyası var mıdır?"

"Hayır."

"Öyleyse, geçmiş, varsa eğer, nerededir?"

"Kayıtlarda. Yazılı olarak."

"Kayıtlarda. Başka nerede?"

"Zihinlerde. İnsanların belleğinde."

"Bellekte. Güzel. Eh, biz Parti olarak tüm kayıtları da, tüm bellekleri de denetim altında tuttuğumuza göre, geçmişi de denetim altında tutuyoruz demektir, değil mi?"

Winston, kadranı bir an için yine unutarak, "Ama insanların bir sürü şeyi anımsamalarını nasıl önleyebilirsiniz ki?" diye bağırdı. "İstemdışı bir şey bu. Anımsamamak insanın elinde değil. Belleği nasıl denetim altında tutabilirsiniz? Benimkini denetlemediniz!"

O'Brien yeniden sertleşti. Elini kadrana uzattı.

"Tam tersine," dedi, "*sen* denetlemedin belleğini. O yüzden buradasın. Alçakgönüllülüğü, özdenetimi beceremediğin için buradasın. Akıllılığın bedeli olan boyun eğmeye hiç yanaşmadın. Deliliği, tek kişilik bir azınlık olmayı yeğledin. Gerçekliği ancak denetim altındaki zihinler görebilir, Winston. Sen, gerçekliğin nesnel, dışsal ve kendi başına var olan bir şey olduğunu sanıyorsun. Ayrıca, gerçekliğin apaçık ortada olduğuna inanıyorsun. Herkesin her şeyi senin gibi gördüğüne inandırıyorsun kendini. Ama beni dinlersen, Winston, gerçeklik dışsal bir şey değildir. Gerçeklik insanın zihnindedir, başka bir yerde değil. Bireyin her zaman yanılabilen ve kısa zamanda yok olup giden zihinlerinde değil, yalnızca Parti'nin ortaklaşa ve ölümsüz zihnindedir. Parti neye gerçek diyorsa, gerçek *odur*. Parti'nin gözünden bakmadıkça, gerçekliği görmek olanaksızdır. İşte senin yeniden öğrenmen gereken de bu, Winston. Bu da, benliğini yok etmeyi, iradeli olmayı gerektirir. Akıllı olmak istiyorsan, özünden geçmelisin."

Söylediklerinin özümsenmesini bekliyormuşçasına bir an durduktan sonra, "Güncene, 'Özgürlük, iki kere iki dört eder diyebilmektir' diye yazdığını anımsıyor musun?" diye sordu.

"Evet," dedi Winston.

O'Brien, başparmağını kapatarak sol elini tersinden Winston'a gösterdi.

"Kaç parmağımı görüyorsun, Winston?"

"Dört."

"Peki, Parti dört değil de beş diyorsa, o zaman kaç?"

"Dört."

Winston acıyla inledi. Kadranın ibresi elli beşe çıkmıştı. Gövdesi tepeden tırnağa tere batmıştı. Hava ciğerlerine doldu ve dışarı boşalırken, dişlerini kenetleyerek bile önleyemediği boğuk iniltiler çıkardı Winston. O'Brien, hâlâ dört parmağını göstererek, onu izliyordu. Kolu geri çekti. Acı birazcık hafifledi.

"Kaç parmak görüyorsun, Winston?"

"Dört."

İbre altmışa yükseldi.

"Şimdi kaç parmak, Winston?"

"Dört! Dört! Başka ne diyebilirim ki? Dört!"

İbre yeniden yükselmiş olmalıydı, ama Winston kadrana bakamıyordu. O kaba, acımasız yüzden ve dört parmaktan başka bir şey görmüyordu. Parmaklar, gözlerinin önünde dev birer sütun gibi dikiliyordu; bulanık ve titreşir gibiydiler, ama dört tane oldukları kesindi.

"Kaç parmak var, Winston?"

"Dört! Kesin şunu, kesin! Nasıl yaparsınız? Dört! Dört!"

"Kaç parmak, Winston?"

"Beş! Beş! Beş!"

"Hayır, Winston, yararı yok. Yalan söylüyorsun. Hâlâ dört olduğunu düşünüyorsun. Söyle lütfen, kaç parmak var?"

"Dört! Beş! Dört! Siz ne diyorsanız. Yeter ki kesin şunu, durdurun şu acıyı!"

Bir de baktı, O'Brien'ın kolu omuzlarında, dikilmiş oturuyor. Birkaç saniyeliğine kendinden geçmiş olsa gerekti. Gövdesini saran kayışlar gevşetilmişti. Çok üşüyordu, zangır zangır titriyor, çeneleri birbirine vuruyor, gözlerinden yaşlar boşanıyordu. Bir an küçük bir çocuk gibi O'Brien'a sarıldı, omzuna dolanan o ağır kol onu rahatlattı. Sanki O'Brien onun koruyucusuydu, acı başka bir yerden geliyordu, kaynağı başka bir yerdeydi, onu acıdan kurtaracak olan O'Brien'dı sanki.

"Çok yavaş öğreniyorsun, Winston," dedi O'Brien usulca.

Winston, hüngür hüngür ağlayarak, "Elimde değil," dedi. "Gözümle gördüğümü nasıl yadsırım? İki kere iki dört eder."

"Bak, Winston. Bazen iki kere iki beş eder. Hatta bazen üç eder. Bazen aynı anda hem beş hem üç ettiği de olur. Daha fazla çaba göstermelisin. Aklı başında olmak kolay değildir."

Winston'ı yatağa uzandırdı. Winston'ın kolları ve bacaklarını saran kayışlar yeniden sıkılandı; gerçi acı geçmiş, titreme durmuştu ama, bitkin düşmüştü, üşüyordu. O'Brien, işlem boyunca yerinden kıpırdamadan öylece durmuş olan beyaz önlüklü adama başıyla işaret etti. Beyaz önlüklü adam eğilip Winston'ın gözlerine baktı, nabzını saydı, göğsünü dinledi, parmaklarıyla orasına burasına vurarak tepeden tırnağa muayene ettikten sonra, O'Brien'a başıyla olur verdi.

"Bir daha ver," dedi O'Brien.

Acı Winston'ın bedeninin içinden akıp geçti. İbre yetmişte, yetmiş beşte olmalıydı. Bu kez gözlerini kapamıştı. Biliyordu, parmaklar hâlâ oradaydı ve hâlâ dört taneydi. Önemli olan tek bir şey vardı, o da bedeninin kasılması geçinceye kadar hayatta kalabilmekti. Artık ağlayıp ağlamadığının ayırdında değildi. Acı yeniden hafifledi. Gözlerini açtı. O'Brien kolu geriye çekmişti.

"Kaç parmak var, Winston?"

"Dört. Sanırım dört. Elimde olsa beş görürdüm. Beş görmeye çalışıyorum."

"Hangisini istiyorsun: Beni beş parmak gördüğüne inandırmayı mı, yoksa gerçekten beş görmeyi mi?"

"Gerçekten beş görmek istiyorum."

"Bir daha ver," dedi O'Brien.

İbre belki de seksen dokuza yükselmişti. Winston, acının nereden kaynaklandığını artık ancak kesik kesik anımsayabiliyordu. Sımsıkı kapalı gözkapaklarının gerisinde, bir yığın parmak şıkır şıkır oynuyor, birbirine dolanıp çözülüyor, birbirinin ardında kaybolup yeniden beliriyordu. Onları saymaya çalışıyor, ama neden saymaya çalıştığını bilmiyordu. Tek bildiği, onları saymanın olanaksız olduğu ve bunun her nasılsa dört ile beş arasındaki gizemli özdeşlikten kaynaklandığıydı. Acı yeniden azaldı. Gözlerini açtığında, hâlâ aynı şeyi görmekte olduğunu fark etti. Sayısız parmak, akıp giden ağaçlar gibi, durmadan birbirine karışarak iki yönde geçip gidiyordu hâlâ. Gözlerini yeniden kapadı.

"Kaç parmağımı görüyorsun, Winston?"

"Bilmiyorum. Bilmiyorum. Bir daha yaparsanız ölürüm. Dört, beş, altı... İnan olsun, bilmiyorum."

"Bu daha iyi," dedi O'Brien.

Winston'ın koluna bir iğne girdi. Çok geçmeden tüm bedenine sağaltıcı, yatıştırıcı bir sıcaklık yayıldı. Acısını nerdeyse unutmuş gibiydi. Gözlerini açtı ve minnetle O'Brien'a baktı. O kaba saba, çirkin ama bir o kadar da zeki yüzü görünce yüreği altüst oldu. Kımıldayabilse, elini uzatıp O'Brien'ın koluna koyacaktı. Onu hiç o andaki kadar sevmemişti, ama bunun nedeni yalnızca çektiği acıya son vermiş olması değildi. O eski, derinlerde yatan duygu geri gelmişti; O'Brien'ın dost mu, yoksa düşman mı olduğu önemli değildi. Konuşulabilecek biriydi O'Brien. İnsan sevilmekten çok anlaşılmayı istiyordu belki de. O'Brien yaptığı işkenceyle onu çıldırmanın eşiğine getirmişti, birazdan canını alacağı da açıktı. Ama hiç fark etmezdi. Bir bakıma, arkadaşlıktan derin bir şeydi bu, yakın dosttular: Asıl söylenmesi gerekenler hiçbir zaman söylenmeyecek olsa bile, bir gün bir yerde buluşup konuşabilirlerdi. O'Brien, aklından aynı düşünce geçiyormuşçasına ona bakıyordu.

Sakin, sohbet edercesine, "Nerede olduğunu biliyor musun, Winston?" diye sordu.

"Bilmiyorum. Tahmin edebiliyorum. Sevgi Bakanlığı'nda."

"Ne kadardır burada olduğunu biliyor musun?"

"Bilmiyorum. Günler, haftalar, aylardır... Sanırsam aylardır."

"Peki, insanları neden buraya getiriyoruz sence?"

"İtiraf ettirmek için."

"Hayır, onun için değil. Başka?"

"Cezalandırmak için."

"Hayır!" diye bağırdı O'Brien. Sesi müthiş değişmiş, yüzüne hem bir sertlik hem de canlılık gelmişti. "Hayır! Ne yalnızca itiraf ettirmek için ne de cezalandırmak için. Seni neden buraya getirdiğimizi söyleyeyim mi? İyileştirmek için! Aklını başına getirmek için! Bilesin, Winston, buraya getirdiğimiz hiç kimseyi iyileşmeden bırakmayız! İşlediğin o ahmakça suçlar umurumuzda değil. Parti gözle görülür eylemlerle ilgilenmez; bizi ilgilendiren tek şey düşüncedir. Biz düşmanlarımızı yok etmek için uğraşmayız, onları değiştiririz. Bilmem, anlatabiliyor muyum?"

Winston'ın üzerine eğilmişti. Yüzü çok yakında olduğu için kocaman, aşağıdan bakıldığı için korkunç çirkin görünüyordu. Cezbeye gelmiş gibiydi, çılgınca bir coşku okunuyordu yüzünde. Winston'ın yüreğine yine bir ürküntü düştü. Elinde olsa, yattığı yere iyice gömülecekti. O'Brien'ın durduk yerde, sırf zevk için kadranın kolunu kaldırmak üzere olduğundan emindi. Ama tam o sırada O'Brien arkasını döndü. Odanın içinde bir aşağı bir yukarı gidip geliyordu. Öfkesi biraz olsun yatışmış gibiydi:

"Her şeyden önce bilmelisin ki, burada şehit olmak diye bir şey yoktur. Geçmişte din adına yapılan gaddarlıkları okumuşsundur. Ortaçağ'da Engizisyon diye bir şey vardı. Hiçbir işe yaramadı. Sapkınlığı ortadan kaldırmayı amaçlıyorlardı, güçlendirmekten başka bir şey yapmadılar. Engizisyon'un diri diri yaktığı her sapkının yerine binlercesi ortaya çıktı. Neden? Çünkü Engizisyon, düşmanlarını meydanlarda, hem de hâlâ nedamet getirmemişlerken öldürdü; daha doğrusu, onları nedamet getirmedikleri için öldürdü. İnsanlar gerçek inançlarından vazgeçmedikleri için ölüyorlardı. İster istemez, tüm onur kurbanın, tüm utanç da onu diri diri yakan Engizisyoncu'nun oluyordu. Sonraları, yirminci yüzyılda totaliter denenler ortaya çıktı. Alman Nazileri ve Rus Komünistleri. Ruslar sapkınlığı Engizisyon'dan daha acımasızca bastırdılar. Geçmişteki hatalardan ders çıkarmışlardı; en azından, şehitler yaratmamak gerektiğini öğrenmişlerdi. Kurbanlarını halk mahkemesine çıkarmadan önce onurlarını yerle bir ediyorlardı. İşkence yaparak, hücreye atarak dirençlerini kırıp öyle bir sindiriyorlardı ki, acınası, umarsız birer şamar oğlanına dönüyordu hepsi; sonunda, ne istenirse itiraf ediyorlar, birbirlerini ihbar ederek, suçlayarak paçalarını kurtarmaya çalışıyorlar, merhamet dilenmeye başlıyorlardı. Ama yine de, yalnızca birkaç yıl sonra aynı olayın tekrarlanmasına engel olunamadı. Ölenler birer şehit olup çıkmışlar, gözden düşürülüp saygınlıklarını yitirdikleri unutuluvermişti. Peki, niçin bir kez daha böyle olmuştu? Bir kere, işkence altında konuşturuldukları ve itiraflarının doğru olmadığı açıkça bilindiği için. Oysa biz böyle hatalar yapmayız. Burada ağızlardan çıkan itirafların hepsi doğrudur. Doğru olmalarını sağlarız. En önemlisi de, ölülerin ayağa kalkıp karşımıza dikilmelerine izin vermeyiz. Gelecek kuşakların senin hakkını teslim edeceğini aklından bile geçirme, Winston. Gelecek kuşaklar senin adını bile duymayacak. Tarihten silineceksin. Seni gaza dönüştürüp stratosfere yollayacağız. Geriye hiçbir şey kalmayacak senden; ne nüfus kütüğünde bir ad ne de belleklerde yaşayan bir anı. Geçmişten silindiğin gibi, gelecekten de silineceksin. Hiç var olmamış olacaksın!"

Winston, bir an, öyleyse bana neden işkence yapıyorlar ki, diye geçirdi aklından. O'Brien, Winston aklından geçeni yüksek sesle söylemiş gibi, birden durdu. Gözlerini kısarak o kocaman, çirkin yüzüyle Winston'ın tepesine dikildi.

"Seni önünde sonunda yok edeceğimize göre, söyleyeceğin ya da yapacağın hiçbir şeyin bir şey değiştirmeyeceğini düşünüyorsun," dedi. "O zaman da, seni neden önce sorgulamaya kalktığımızı merak ediyorsun. Aklından geçen bu, öyle değil mi?"

"Evet," dedi Winston.

O'Brien hafifçe gülümsedi. "Sen çürük malsın, Winston. Temizlenmesi gereken bir lekesin. Demin, bizim geçmişteki zorbalardan farklı olduğumuzu söylemedim mi sana? Biz zoraki boyun eğilmesinden de, kölece boyun eğilmesinden de hoşlanmayız. Bize özgür iradenle teslim olmalısın. Biz, sapkınları bize direniyor diye yok etmeyiz; direndikleri sürece asla yok etmeyiz. İnançlarından döndürür, kafalarının içini ele geçirip yeniden biçimlendiririz. İçlerindeki tüm kötülükleri, tüm yanılgıları silip atar, lafta değil, canıgönülden saflarımıza katılmalarını sağlarız. Öldürmeden önce bizden biri yaparız. Ne kadar gizli ve güçsüz olursa olsun hiçbir yanlış düşüncenin bu dünyada barınmasına katlanamayız. Ölüm anında bile herhangi bir sapmaya izin veremeyiz. Eskiden sapkın diri diri yakılmaya giderken bile sapkınlığından vazgeçmez, vazgeçmek şöyle dursun, övünerek ilan edermiş sapkınlığını. Rusya'daki temizlik hareketlerinin kurbanları bile kurşuna dizilmeye giderken asi düşüncelerini kafalarının içinde korurlarmış. Oysa biz beyni tuzla buz etmeden önce kusursuz bir hale getiririz. Eski despotluklar, 'Şunu yapmayacaksın, bunu yapmayacaksın' diye buyuruyordu. Totaliterler, 'Şöyle yapacaksın, böyle yapacaksın' diye dayatıyorlardı. Biz ise, insanlara, '*Sen aslında şusun, aslında şöyle düşünüyorsun, şuna inanıyorsun*' diye bastırıyoruz. Buraya getirdiğimiz hiç kimse bize karşı koyamaz. Herkes pirüpak edilir. Hani şu masum olduklarına inandığın üç alçak hain vardı ya, Jones, Aaronson ve Rutherford, sonunda onları bile yola getirdik. Sorgulamalarına ben de katılmıştım. Yavaş yavaş çözüldüklerini, yalvarıp yakardıklarını, ağlayıp sızladıklarını gördüm; üstelik acıdan ya da korkudan değil, sırf pişmanlıktan. Onlarla işimiz bittiğinde birer insan müsveddesine dönmüşlerdi. Yaptıklarına üzülüyor ve Büyük Birader'e sevgi duyuyorlardı, hepsi o kadar. Onu ne kadar çok sevdiklerini görmek insanın yüreğine işliyordu. Zihinleri tertemiz olmuşken ölebilmek için, bir an önce kurşuna dizelim diye yalvarıyorlardı."

Konuşurken kendinden geçiyordu. Hâlâ cezbede gibiydi, yüzündeki çılgınca coşku silinmiş değildi. Winston, rol yapmıyor, diye geçirdi içinden, ikiyüzlü değil, söylediği her sözü inanarak söylüyor. Winston'a en ağır gelen, kendi düşünsel zayıflığının ayırdında olmasıydı. O'Brien'ın iri ama kalıplı gövdesi odanın içinde gidip geliyor, bir görünüyor, bir kayboluyordu. O'Brien, kendisinden her bakımdan büyük biriydi. Kendisinin bilip bileceği tüm düşünceleri çoktan öğrenmiş, incelemiş ve yadsımıştı. Zihni, Winston'ın zihnini *kapsıyordu*. Peki, o zaman, O'Brien nasıl deli olabilirdi ki? Deli olan, kendisi olsa gerekti. O'Brien, tepesinde durup Winston'a baktı. Sesi yine dikleşmişti.

"Yelkenleri suya indirerek paçayı kurtaracağını sanıyorsan yanılıyorsun, Winston. Yoldan çıkanlar hiçbir zaman bağışlanmaz. Yaşamana izin versek bile, bizden asla kurtulamazsın. Bu işin sonu yok. Şimdiden bilesin. Seni öyle bir ezeceğiz ki, geri dönüşün olmayacak. Başına öyle işler gelecek ki, bin yıl yaşasan düzelemeyeceksin. Bir daha asla normal bir insanın duyumsadıklarını duyumsayamayacaksın. Yüreğindeki her şey ölmüş olacak. Bundan sonra sevgi nedir, dostluk nedir bilmeyeceksin; ne yaşama sevinci ne gülüp eğlenmek ne merak ne cesaret ne de dürüstlük, hepsinden yoksun kalacaksın. Bomboş bir adam olacaksın. Sıkıp içini boşalttıktan sonra, içine kendimizi dolduracağız."

Sözünü bitirdikten sonra beyaz önlüklü adama işaret etti. Winston, başının arkasına büyükçe bir aygıtın yerleştirildiğini fark etti. O'Brien yatağın yanı başına oturduğu için, yüzü Winston'ın yüzüyle aynı hizadaydı.

Winston'ın başının üzerinden, beyaz önlüklü adama, "Üç bin," dedi.

Winston'ın şakalarına hafif nemli birer ped yerleştirildi. Winston, yeniden canının yanacağını sanarak sindi. O'Brien, Winston'ın elini tutarak sevecenlikle güven verdi.

"Bu sefer canın yanmayacak," dedi. "Gözlerini gözlerimden ayırma."

Tam o sırada, müthiş bir patlama oldu ya da patlamaya benzer bir şey, çünkü herhangi bir ses çıkıp çıkmadığı belli değildi. Kesin olan bir şey varsa, o da kör edici bir ışığın çaktığıydı. Winston'ın canı yanmamış, ama yüzükoyun dönmüştü. Daha önce sırtüstü yatarken, her nasılsa yüzükoyun döndürülmüştü sanki. Müthiş ama acısız bir darbe onu yere sermişti. Bu arada kafasının içinde de bir şey olmuştu. Gözleri yeniden görmeye başladığında, kim olduğunu ve nerede olduğunu anımsadı ve kendisine bakan yüzü tanıdı; ama beyninden bir parça alınmış gibi, bir yerlerde büyük bir boşluk vardı.

"Çok uzun sürmeyecek," dedi O'Brien. "Gözlerimin içine bak. Okyanusya hangi ülkeyle savaşıyor?"

Winston şöyle bir düşündü. Okyanusya'dan ne kast edildiğini ve kendisinin Okyanusya'nın bir yurttaşı olduğunu biliyordu. Avrasya ile Doğuasya'yı da anımsıyordu; ama kimin kiminle savaştığını bilmiyordu. Aslında, bir savaş olduğunun bile ayırdında değildi.

"Anımsamıyorum."

"Okyanusya, Doğuasya'yla savaşıyor. Şimdi anımsadın mı?"

"Evet."

"Okyanusya en başından beri Doğuasya'yla savaşta. Senin yaşamının, Parti'nin, tarihin başlangıcından bu yana savaş, hep aynı savaş aralıksız sürüyor. Bunu anımsıyor musun?"

"Evet."

"On bir yıl önce, vatana ihanetten ölüme mahkûm edilen üç adam hakkında bir efsane uydurdun. Onların masum olduğunu kanıtlayan bir kâğıt parçası gördüğünü sandın. Oysa böyle bir kâğıt hiç olmadı. Onu sen uydurdun, sonra da kendini buna inandırdın. Şimdi de onu ilk uydurduğun anı anımsa bakalım. Anımsıyor musun?"

"Evet."

"Şimdi bak, elimin parmaklarını görüyor musun? Beş parmak gördün. Bunu anımsıyor musun?"

"Evet."

O'Brien sol elinin parmaklarını kaldırmış, ama başparmağını kapatmıştı.

"Beş parmak var. Beş parmağı görüyor musun?"

"Evet."

Ve bir an için, zihni yerine gelinceye kadar, gerçekten de beş parmak gördü. Tastamam beş parmaktı gördüğü. Sonra her şey yeniden normale döndü, eski korku, nefret ve şaşkınlık doludizgin geri geldi. Ama bir an –ne kadar olduğunu bilmiyordu, belki otuz saniye– kuşkuya yer bırakmayacak kadar açık bir biçimde görmüştü; O'Brien'ın her yeni uyarısı beynindeki boşluğun bir bölümünü doldurmuş ve mutlak gerçek olup çıkmıştı; öyle ki, gerekirse iki kere iki beş edebildiği gibi üç de edebilirdi. O'Brien daha elini indirmeden her şey silinip gitmişti; gerçi yeniden göremiyordu, ama anımsayabiliyordu, tıpkı bir insanın çok eskiden, bambaşka biriyken yaşadığı bir olayı olanca canlılığıyla anımsaması gibi.

"Gördün mü," dedi O'Brien, "pekâlâ olabiliyormuş işte."

"Evet," dedi Winston.

O'Brien, bu kadarını yeterli bulmuşçasına, yerinden kalktı. Winston, sol tarafındaki beyaz önlüklü adamın bir ampulü kırıp içindeki sıvıyı şırıngaya çektiğini gördü. O'Brien gülümseyerek Winston'a döndü. Hep yaptığı gibi, gözlüğünü burnunun üstünde geriye itti.

"Güncende yazdıklarını anımsıyor musun?" dedi. "Hiç değilse seni anlayan ve konuşulabilecek biri olduğum için, benim dost ya da düşman olmamın bir önemi olmadığını yazmıştın. Haklıydın. Seninle konuşmaktan zevk alıyorum. Kafan bana uyuyor. Kafan benimkine benziyor, ama sen biraz kaçıksın. Sorgu sona ermeden, istersen birkaç soru sorabilirsin bana."

"Ne istersem sorabilir miyim?"

"Ne istersen." O sırada Winston'ın gözlerinin kadrana kaydığını gördü. "Merak etme, kapalı. İlk sorunu sor bakalım."

"Julia'ya ne yaptınız?" dedi Winston.

O'Brien bir kez daha gülümsedi. "Julia sana ihanet etti, Winston. Hem de anında, hiç duraksamadan. Doğrusu, bu kadar çabuk taraf değiştiren birini çok az gördüm. Görsen tanıyamazsın. Asiliğinden, düzenbazlığından, çılgınlığından ve bozgunculuğundan eser kalmadı, hepsinden arındırıldı. Ders kitaplarına geçecek kadar kusursuz bir biçimde döndürüldü."

"İşkence yaptınız mı ona?"

O'Brien bu soruyu yanıtsız bıraktı. "Başka soru?" dedi.

"Büyük Birader diye biri var mı?"

"Tabii ki var. Parti var. Büyük Birader, Parti'nin cisme bürünmüş halidir."

"Peki, ama benim var olduğum gibi mi var?"

"Sen yoksun ki," dedi O'Brien.

Winston bir kez daha umarsızlığa kapıldı. Var olmadığını kanıtlayan savları biliyor, en azından kestirebiliyordu, ama bunların hepsi çok saçmaydı, kelime oyunundan başka bir şey değildi. "Sen yoksun ki" açıklaması mantık açısından tam bir saçmalık değil miydi? Ama bunu söylemenin ne yararı vardı ki? O'Brien'ın, o yanıtlanması olanaksız, çılgınca savlarla kendisini yerle bir edeceğini düşünerek irkildi.

"Bence varım," dedi yorgun bir sesle. "Kim olduğumun farkındayım. Doğdum, öleceğim. Kollarım ve bacaklarım var. Boşlukta bir yer kaplıyorum. Başka hiçbir somut nesne benimle aynı anda aynı yeri kaplayamaz. Peki, Büyük Birader'in de bu anlamda var olduğu söylenebilir mi?"

"Hiç önemli değil. Büyük Birader var."

"Peki, Büyük Birader bir gün ölecek mi?"

"Tabii ki ölmeyecek. Nasıl ölebilir ki? Başka soru?"

"Kardeşlik diye bir örgüt var mı?"

"Bunu asla öğrenemeyeceksin, Winston. Seninle işimiz bittiğinde seni salıversek de, doksan yaşına kadar da yaşasan, bu sorunun yanıtının Evet mi, yoksa Hayır mı olduğunu asla öğrenemeyeceksin. Ömrün boyunca kafanda, çözülmemiş bir bilmece olarak kalacak."

Winston yattığı yerde hiç sesini çıkarmadı. Göğsü biraz daha hızlı inip kalkmaya başlamıştı. İlk aklına gelen soruyu hâlâ sormamıştı. Sormak zorundaydı, ama bir türlü soramıyordu. O'Brien'ın yüzünden, bu işi eğlenceli bulduğu anlaşılıyordu. Gözlüğünün camlarından bile alaycı bir parıltı yansıyor gibiydi. Winston ansızın, biliyor, dedi içinden, ne soracağımı biliyor! Ve aklından geçen soruyu soruverdi:

"101 Numaralı Oda'da ne var?"

O'Brien'ın yüz ifadesinde hiçbir değişiklik olmadı. Donuk bir sesle yanıtladı:

"101 Numaralı Oda'da ne olduğunu biliyorsun, Winston. 101 Numaralı Oda'da ne olduğunu herkes bilir."

Beyaz önlüklü adama parmağıyla işaret etti. Anlaşılan, oturum sona ermişti. Winston'ın koluna bir iğne saplandı. O anda uykuya daldı.

III

"Yeniden bütünlenmen üç aşamadan oluşuyor," dedi O'Brien. "Öğrenme, kavrama ve kabullenme. Artık ikinci aşamaya geçmenin vakti geldi."

Winston, yine sırtüstü, dümdüz yatıyordu. Ama kayışları biraz gevşetilmişti. Hâlâ yatağa bağlı olmakla birlikte, dizlerini bir parça kımıldatabiliyor, başını iki yana çevirebiliyor, kollarını dirsekten kaldırabiliyordu. Kadran da eskisi kadar ürkütücü olmaktan çıkmıştı. Çabuk ve zekice yanıtlar verdiğinde acıdan kurtuluyordu; O'Brien, kadranın kolunu, ancak Winston aptallık ettiği zaman kaldırıyordu. Bazen bütün bir oturum boyunca kadrana gerek kalmadığı bile oluyordu. Winston kaç oturum olduğunu anımsayamıyordu. Sorgulamanın tümü uzun, belirsiz bir zamana –belki birkaç haftaya– yayılmıştı; bazen günlerce, bazen de yalnızca bir iki saat ara veriliyordu.

"Orada yatarken," dedi O'Brien, "hep Sevgi Bakanlığı'nın sana neden bu kadar zaman ayırdığını, seninle neden bu kadar uğraştığını merak ettin, hatta bana sordun bile. Aslında aynı soru serbestken de kafanı kurcalıyordu. Yaşadığın toplumun işleyişini kavrıyor, ama altında yatan güdüleri kavrayamıyordun. Güncene ne yazdığını anımsıyor musun: 'Nasıl'ını anlıyorum: neden'ini anlamıyorum.' 'Neden'ini düşündüğün zaman aklından kuşku duymuştun. Kitabı, Goldstein'ın kitabını okudun; en azından bazı bölümlerini okumuşsundur. Bilmediğin bir şey var mıydı içinde?"

"Siz okudunuz mu?" dedi Winston.

"O kitabı yazan benim. Daha doğrusu, yazılmasına katkıda bulundum. Bilirsin, hiçbir kitap tek başına yazılmaz."

"Kitapta yazanlar doğru mu peki?"

"Tanımlamalar doğru. Ortaya koyduğu program ise tam bir saçmalık. Bilginin gizliden gizliye birikmesi –bilinçlenmenin giderek yaygınlaşması–; en sonunda da proleteryanın ayaklanması... Parti'nin alaşağı edilmesi. Bunları söyleyeceğini sen de kestirmiştin. Hepsi saçma. Proleterler, bin yıl da, bir milyon yıl da geçse, asla ayaklanmazlar. Ayaklanamazlar. Nedenini söylememe gerek yok; sen biliyorsun zaten. Şiddetli bir isyan hayalleri besliyorsan, sil at kafandan. Parti'nin alaşağı edilmesi olanaksız. Parti egemenliği sonsuza dek sürecek. İyice kafana sok bunu."

Yatağa biraz daha yaklaştı. "Parti'nin egemenliği sonsuza dek sürecek," diye yineledi. Sonra da, Winston susadursun, "Şimdi, gelelim, 'nasıl' ve 'neden' sorununa. Parti'nin iktidarını *nasıl* koruduğunu çok iyi biliyorsun," diye ekledi. "Sen bana, iktidara *neden* sımsıkı sarıldığımızı söyle. Bizi buna yönelten ne? İktidarı neden bu kadar istiyoruz? Haydi, söyle bakalım."

Winston yine de kısa bir süre suskun kaldı. Kendini bitkin hissediyordu. O'Brien'ın yüzünde yine o kendinden geçişin çılgınca pırıltısı belirmişti. O'Brien'ın ne diyeceğini biliyordu: Parti, iktidarı, kendi çıkarları için değil, çoğunluğun iyiliği için istiyordu. Parti iktidarda olmak istiyordu, çünkü halk kitleleri özgürlüğü kaldıramayan ya da gerçekle yüzleşemeyen, dolayısıyla kendilerinden güçlü birileri tarafından yönetilmesi ve sistemli bir biçimde aldatılması gereken zayıf, korkak yaratıklardı. İnsanlar özgürlük ile mutluluk arasında seçim yapmak zorundaydı ve büyük çoğunluk mutluluğu seçiyordu. Parti, zayıfların ebedi koruyucusu, iyilik olsun diye kötülük eden, başkalarının mutluluğu uğruna kendi mutluluğundan vazgeçen, bu yola baş koymuş bir mezhepti. Ama korkunç olan, diye düşündü Winston, O'Brien'ın bütün bunları inanarak söyleyecek olması. Yüzünden okunuyordu bu. O'Brien her şeyi biliyordu. Dünyanın aslında nasıl bir yer olduğunu, kitlelerin ne kadar küçük düşürücü koşullarda yaşadıklarını, Parti'nin onları hangi yalanlar ve zorbalıklarla o koşullarda tuttuğunu Winston'dan çok daha iyi biliyordu. Her şeyi kavramış, her şeyi tartıp değerlendirmiş olmasına karşın, hiçbir şey fark etmemişti: En sonunda ulaşılacak amaç, her şeyi haklı kılıyordu. Senin görüşlerini sonuna kadar dinledikten sonra kendi bildiğini okumakta direten, senden daha zeki bir çılgına karşı ne yapabilirsin ki, diye geçirdi aklından.

"Bizi bizim iyiliğimiz için yönetiyorsunuz," dedi duyulur duyulmaz bir sesle. "İnsanların kendi kendilerini yönetemeyeceklerine inanıyorsunuz. O yüzden de..."

Sözünü bitiremeden çığlığı bastı. Ansızın bıçak gibi bir acı saplanmıştı bedenine. O'Brien kolu kaldırmış, ibreyi otuz beşe yükseltmişti.

"Çok aptalcaydı, Winston, çok aptalca," dedi. "Bu kadar aptalcasını senden beklemezdim, çok daha akıllıca bir yanıt verebilirdin."

Kolu geri çekip devam etti:

"Sorumun yanıtı neydi, söyleyeyim sana. Şöyle: Parti, iktidarda olmayı, yalnızca kendi çıkarı için istiyor. Başkalarının iyiliği bizim umurumuzda değil, bizi ilgilendiren yalnızca iktidardır. Servet, lüks, uzun yaşamak ya da mutluluk değil, yalnızca iktidar, salt iktidar. Salt iktidarın ne demek olduğunu birazdan anlayacaksın. Bizi geçmişteki tüm oligarşilerden farklı kılan, ne yaptığımızı biliyor olmamız. Onların hepsi, hatta bize benzeyenleri bile korkak ve ikiyüzlüydü. Alman Nazilerinin ve Rus Komünistlerinin yöntemleri bizim yöntemlerimize çok yaklaşmıştı, ama onlar kendi güdülerini tanımayı hiçbir zaman göze alamadılar. İktidarı zorunlu olarak ve belirli bir süre için ele geçirdiklerini, yolun sonunda insanların özgür ve eşit olacakları bir cennetin beklediğini söylüyorlar, dahası belki de buna inanıyorlardı bile. Biz öyle değiliz. Kimsenin iktidarı sonradan bırakmak amacıyla ele geçirmediğini biliyoruz. İktidar bir araç değil, bir amaçtır. Kimse devrimi korumak için diktatörlük kurmaz; diktatörlük kurmak için devrim yapar. Zulmün amacı zulümdür. İşkencenin amacı işkencedir. İktidarın amacı iktidardır. Şimdi anlamaya başladın mı beni?"

Winston, daha önce de olduğu gibi, O'Brien'ın yüzünün ne kadar yorgun olduğunu fark ederek irkildi. Gerçi güçlü, tıkız ve acımasız bir yüzdü, bu yüzdeki zekâ ve denetimli tutku karşısında kendini hep umarsız hissediyordu; ama yine de bir yorgunluk vardı bu yüzde. Gözlerinin altında torbalar oluşmuş, yanaklarının derisi

298

sarkmıştı. O'Brien, ona doğru eğilerek göçkün yüzünü iyice yaklaştırdı.

"Yüzümün yaşlı ve yorgun olduğu geçiyor aklından," dedi. "İktidardan dem vurmama karşın, kendi bedenimin çürümesini bile önleyemediğimi düşünüyorsun. Bireyin yalnızca bir hücre olduğunu anlayamıyor musun, Winston? Hücrenin yorgunluğu, organizmanın canlılığını gösterir. Tırnaklarını kesince ölüyor musun?"

Yataktan uzaklaştı, odanın içinde yine bir eli cebinde gidip gelmeye başladı.

"Biz iktidarın rahipleriyiz," dedi. "Tanrı, iktidardır. Ama şu anda iktidar, senin için bir sözcükten öte bir şey değil. Artık iktidarın ne demek olduğunu biraz öğrenmen gerekiyor. İlk kavraman gereken de, iktidarın ortaklaşa bir şey olduğu. Birey ancak birey olmaktan çıktığı ölçüde iktidar sahibi olabilir. Parti sloganını biliyorsun: 'Özgürlük Köleliktir.' Bunun tersinden de söylenebileceğini hiç düşündün mü? Kölelik özgürlüktür. Yalnız –yani özgür– insan her zaman yenilgiye uğrar. Böyledir, çünkü insan yıkımların en büyüğü olan ölmeye yazgılıdır. Ama tümüyle, tam anlamıyla boyun eğebildiği, kimliğinden sıyrılabildiği, Parti'yle kaynaşıp *bir olabildiği* zaman, işte o zaman gücü her şeye yeter ve ölümsüz olur. Kavraman gereken ikinci şey de, iktidarın insanlara hükmetmek olduğu. Bedenlere hükmetmek, ama en çok da zihinlere hükmetmek. Maddeye –senin deyişinle, dış gerçekliğe–hükmetmek önemli değildir. Üstelik maddeye tümüyle hükmediyoruz zaten."

Winston, bir an, kadranı umursamaksızın var gücüyle doğrulup oturmaya çalıştıysa da, acıyla debelenerek olduğu yerde kaldı.

"Ama maddeye nasıl hükmedebilirsiniz ki?" diye haykırdı. "İklime ya da yerçekimi yasasına bile hükmedemiyorsunuz. Hastalığa, acıya, ölüme de..."

O'Brien, Winston'ı eliyle susturdu. "Biz maddeye

hükmediyoruz, çünkü zihne hükmediyoruz. Gerçeklik kafanın içindedir. Yavaş yavaş öğreneceksin, Winston. Bizim yapamayacağımız hiçbir şey yok. Görünmezlik, havaya yükselme, ne istersen. İstersem bir sabun köpüğü gibi yükselebilirim yerden. İstemiyorum, çünkü Parti istemiyor. Doğa yasalarıyla ilgili bu on dokuzuncu yüzyıl düşüncelerini kafandan atmalısın. Doğa yasalarını biz yaparız."

"Hayır, doğru değil! Siz bu gezegenin bile efendisi değilsiniz. Avrasya ve Doğuasya ne olacak? Daha oraları bile fethedemediniz."

"Hiç önemli değil. Gerektiği zaman fethederiz. Hem fethetmesek bile ne fark eder ki? Bizim için varlığıyla yokluğu bir onların. Dünya, Okyanusya'dır."

"Ama sizin dünya dediğiniz yer bu evrende küçücük bir nokta. İnsanoğlu da minicik, umarsız! Ne kadar zamandır var ki? Milyonlarca yıl kimse yaşamadı dünyada."

"Saçmalama. Dünya bizimle yaşıt, bizden yaşlı değil. Nasıl daha yaşlı olsun ki? İnsanoğlunun bilincinde olmadığı hiçbir şey var olamaz."

"Ama kayalar, insanoğlunun esamisi okunmazken burada yaşamış olan soyu tükenmiş hayvanların, mamutlar, mastodonlar[1] ve dev sürüngenlerin kemikleriyle dolu."

"Sen o kemikleri gözülerinle gördün mü, Winston? Görmedin tabii. Onlar on dokuzuncu yüzyıl biyologlarının uydurması. İnsandan önce hiçbir şey yoktu. Bir gün sonu gelirse, insandan sonra da hiçbir şey olmayacak. İnsan dışında hiçbir şey yoktur."

"Ama tüm evren bizim dışımızda. Yıldızlara baksanıza! Bazıları bir milyon ışık yılı uzağımızda. Onlara hiçbir zaman erişemeyeceğiz."

O'Brien, hiç umursamadan, "Yıldız dediğin ne ki?"

---

1. File benzer, soyu tükenmiş birkaç memeli türü. (Ç.N.)

dedi. "Birkaç kilometre uzaktaki kor parçası. İstesek erişebiliriz yıldızlara. Hatta onları yok edebiliriz. Dünya, evrenin merkezidir. Güneş ve yıldızlar dünyanın çevresinde dönerler."

Winston bir kez daha debelenerek doğrulmaya çalıştı. Bu kez hiçbir şey söylemedi. O'Brien, Winston dediklerine karşı çıkmış da onu yanıtlıyormuşçasına sürdürdü sözünü:

"Bu dediğim, belirli durumlarda geçerli olmayabilir tabii. Okyanusa açılırken ya da bir güneş tutulmasını önceden belirlemeye çalışırken, dünyanın güneşin çevresinde döndüğünü ve yıldızların milyonlarca, milyonlarca kilometre uzakta olduğunu varsaymak çoğu zaman daha uygun düşer. Ama ne fark eder ki? İkili bir astronomi sistemi yaratamayacağımızı mı sanıyorsun? Yıldızlar, gereksinimimize göre, yakın ya da uzak olabilir. Matematikçilerimizin bu konuda yetersiz olduklarını mı sanıyorsun? Çiftdüşünü ne çabuk unuttun?"

Winston yatağında iyice büzüldü. Ne söylerse söylesin, O'Brien'ın yanıtı hazırdı, yanıt sopa gibi tepesine iniyordu. Oysa haklı olduğunu biliyordu, *çok iyi biliyordu*. İnsanın zihninin dışında hiçbir şeyin var olmadığı inancının yanlışlığını ortaya koymanın mutlaka bir yolu olmalıydı. Bu görüşün bir aldatmaca olduğu uzun yıllar önce kanıtlanmamış mıydı? Hatta bunun şimdi aklına gelmeyen bir adı bile vardı. Tepesinde durmuş, kendisine bakan O'Brien'ın yüzünde sinsice bir gülümseyiş belirdi.

"Metafizikten pek anlamadığını sana söylemiştim, Winston," dedi. "Anımsamaya çalıştığın sözcük tekbencilik[1]. Ama yanılıyorsun. Tekbencilik değil bu. İstersen,

---

1. Tekbencilik ya da solipsizm: Felsefede, insan zihninin kendisi dışında başka varlıkların da olabileceğini kabul etmesi için hiçbir geçerli neden bulunmadığını savunan yaklaşım. (Ç.N.)

ortaklaşa tekbencilik diyebilirsin. Ama bu başka bir şey; aslında tam tersi." Sonra da, sesinin tonunu değiştirerek ekledi: "Her neyse, bütün bunların konumuzla bir ilgisi yok. Gerçek güç, uğruna gece gündüz savaşmamız gereken güç, nesnelere değil, insanlara hükmeden güçtür." Bir an durdu, bir kez daha parlak bir öğrenciye soru soran bir öğretmen havasına büründü: "İnsan insana nasıl hükmeder, Winston?"

Winston, biraz düşünüp, "Acı çektirerek," dedi.

"Tamam işte. Acı çektirerek. Boyun eğmek yetmez. Acı çekmiyorsa, kendi iradesine değil de senin iradene boyun eğdiğinden nasıl emin olacaksın? Hükmetmek, acı çektirmekle ve aşağılamakla olur. Hükmetmek, insanların zihinlerini darmadağın etmek, sonra da dilediğin gibi yeniden biçimlendirerek bir araya getirmekle olur. Nasıl bir dünya yaratmakta olduğumuzu anlamaya başladın mı şimdi? Eski reformcuların hayalini kurduğu o enayi, zevk düşkünü ütopyaların tam tersi bir dünya. Korku, ihanet ve azap dolu bir dünya, ezmenin ve ezilmenin dünyası, kendini yetkinleştirdikçe daha az acımasız olacak yerde *daha da* acımasız olan bir dünya. Bizim dünyamızda ilerleme, daha fazla acıya doğru bir ilerleme olacak. Eski uygarlıklar ya sevgi ya da adalet üstüne kurulduklarını öne sürüyorlardı. Bizim uygarlığımız ise nefret üstüne kurulu. Bizim dünyamızda korku, öfke, zafer ve kendini aşağılamadan başka bir duyguya yer yok. Başka ne varsa hepsini yok edeceğiz, hepsini. Devrim öncesinden bu yana süregelmiş düşünce alışkanlıklarını daha şimdiden kırıyoruz. Çocuk ile ana baba, insan ile insan, kadın ile erkek arasındaki bağları kopardık. Artık hiç kimse karısına, çocuğuna ya da arkadaşına güvenmeyi göze alamaz. İleride kimsenin karısı ve arkadaşı olmayacak. Çocuklar, tıpkı tavuğun altından alınan yumurtalar gibi, doğar doğmaz annelerinden alınacaklar. Cinsellik içgüdüsü yok edilecek. Dölleme, tayın vesikasının yenilenmesi gibi, her yıl yinelenen bir formalite olacak. Orgazmı ortadan kaldıracağız. Nörologlarımız şu sıralar bunun üzerinde çalışıyorlar. Parti'ye sadakat dışında sadakat diye bir şey olmayacak. Büyük Birader'e duyulan sevgi dışında sevgi diye bir şey olmayacak. Düşmanı bozguna uğrattıktan sonra atılan zafer kahkahası dışında hiçbir kahkaha atılmayacak. Sanat, edebiyat, bilim diye bir şey olmayacak. Kadiri mutlak olduğumuzda bilime gereksinimimiz kalmayacak. Güzellik ile çirkinlik arasında hiçbir ayrım olmayacak. Merak diye bir şey, yaşama sevinci diye bir şey olmayacak. Yaşamın tüm zevkleri yok edilecek. Ama durmadan büyüyen ve gittikçe ustalaşıp yetkinleşen bir iktidar esrikliği her zaman var olacak; bunu hiç aklından çıkarma, Winston. Zafer heyecanı, umarsız düşmanı ezip geçmenin coşkusu her zaman, her an yaşanacak. Geleceğin resmini görmek istiyorsan, bir insan yüzüne basmış bir postal getir gözlerinin önüne, sonsuza dek."

Winston'ın bir şey söylemesini beklercesine sustu. Winston bir kez daha yatağın içinde büzülmeye çalıştı. Hiçbir şey diyemiyordu. Kanı donmuştu. O'Brien devam etti:

"Bunun sonsuza dek böyle olacağını hiç aklından çıkarma. Postal her zaman üstüne basacak bir insan yüzü bulacak. Her zaman alt edilecek, aşağılanacak bir sapkın, bir toplum düşmanı bulunacak. Elimize düştüğünden beri başına gelen her şey sürüp gidecek, hem de daha da şiddetlenerek. Casusluk, ihanetler, tutuklamalar, işkenceler, idamlar, ortadan kaybolmalar dur durak bilmeden sürüp gidecek. Bir zafer dünyası olduğu kadar bir terör dünyası olacak bu dünya. Parti ne denli güçlenirse, o ölçüde hoşgörüsüzleşecek: Muhalefet ne denli zayıflarsa, zorbalık o ölçüde artacak. Goldstein ve onu izleyen sapkınlar sonsuza dek yaşayacaklar. Her gün, her an, sabah akşam, dize getirilecek, aşağılanacak, küçük düşürülecek, yüzlerine tükürülecek, ama yine de her zaman var olacaklar. Seninle yedi yıldır oynadığım bu oyun, her seferinde daha incelikli biçimlere bürünerek kuşaklar boyunca tekrar tekrar oynanacak. Sapkınlar burada her zaman yalvar yakar olacaklar, yıkılmış, aşağılanmış olarak acıyla haykıracaklar ve sonunda bin pişman, kendilerinden arınmış olarak kendi istekleriyle ayaklarımıza kapanacaklar. Yaratmakta olduğumuz dünya bu işte, Winston. Yengiden yengiye, zaferden zafere koşulan, iktidarı durmadan daha güçlü, daha baskın, daha şiddetli kılan bir dünya. Bu dünyanın nasıl bir yer olduğunu anlamaya başladığını görüyorum. Ama sonunda, anlamanın da ötesinde bu dünyayı kabullenecek, benimseyecek ve onun bir parçası olup çıkacaksın."

Winston biraz olsun toparlanmıştı. "Yapamazsınız!" dedi güçlükle.

"O da ne demek, Winston?"

"Demin anlattığınız gibi bir dünya yaratamazsınız. Bu bir hayal olmalı. Mümkün değil."

"Neden?"

"Korku, nefret ve zulme dayanan bir uygarlık kurulamaz. Böyle bir uygarlık ayakta kalmaz."

"Neden ayakta kalmasın ki?"

"Dayanıksız olur. Dağılır gider. Kendi kendini yok eder."

"Saçmalıyorsun. Nefretin sevgiden daha tüketici olduğunu sanıyorsun. Niye öyle olsun ki? Hem öyle olsa bile ne değişir? De ki, kendimizi daha çabuk tüketmeyi seçtik. De ki, insan yaşamının temposunu o kadar hızlandırdık ki, insanlar otuz yaşında yaşlanır oldular. Ne fark eder? Bireyin ölümünün ölüm olmadığını anlayamıyor musun? Parti ölümsüzdür."

O'Brien'ın sesinin tonu, Winston'ı yine sindirmişti. Dahası, karşı koymakta diretirse O'Brien'ın yine kadranın kolunu kaldıracağından korkuyordu. Ama yine de konuşmadan edemedi. O'Brien'ın söyledikleri karşısında kapıldığı dehşeti dile getiremese de, güçlükle, inandırıcı olmaya çalışmadan atağını sürdürdü.

"Bilemiyorum... Umurumda değil. Nasıl olacağını bilmiyorum, ama başaramayacaksınız. Önünde sonunda yenileceksiniz. Hayat sizi alt edecek."

"Biz hayata her düzeyde hükmediyoruz, Winston. Sen insan doğası diye bir şey olduğuna inanıyorsun; üstelik o insan doğasının bizim yaptıklarımıza baş kaldıracağını ve bizim karşımıza dikileceğini sanıyorsun. Oysa insan doğasını biz yaratıyoruz. İnsanoğlu eğilip bükülmeye çok yatkındır. Yoksa yine proleterler ya da kölelerin ayaklanarak bizi devireceklerini mi düşünmeye başladın? Çıkar at kafandan bunu. Onlar, hayvanlar gibi, âcizdirler. İnsanlık Parti'dir. Ötekiler adamdan sayılmaz, unut gitsin."

"Umurumda değil. Sonunda sizi alt edecekler. Er geç sizin ne olduğunuzu anlayacaklar, işte o zaman sizi paramparça edecekler."

"Bunun böyle olacağına ilişkin bir kanıt var mı ortada? Ya böyle olması gerektiğine ilişkin bir neden?"

"Hayır. Yalnızca böyle olacağına inanıyorum. Başaramayacağınızı *biliyorum*. Evrende bir şey var, bilemiyorum, bir ruh, bir cevher, işte onu hiçbir zaman yenemeyeceksiniz."

"Tanrı'ya inanıyor musun, Winston?"

"Hayır."

"O zaman, bizi yeneceğini söylediğin bu cevher nedir?"

"Bilmiyorum. İnsan ruhu."

"Peki, sen kendini insan olarak mı görüyorsun?"

"Evet."

"Sen insansan, Winston, son insansın. Senin soyun tükendi, yerini biz aldık. *Bir başına* olduğunun farkında mısın? Sen tarihin dışındasın, yoksun." Tavrı değişmiş, daha bir sertleşmişti: "Yalanlarımız ve gaddarlığımızdan ötürü kendini ahlaki olarak bizden üstün görüyorsun, değil mi?"

"Evet, kendimi sizden üstün görüyorum."

O'Brien sesini çıkarmadı. Odanın içinde başka iki ses duyuldu. Winston, çok geçmeden, bu seslerden birinin kendi sesi olduğunu fark etti. Kardeşlik örgütüne yazıldığı gece O'Brien'la yaptığı konuşmanın ses bandıydı bu. Konuşmada, yalan söyleyeceğine, çalıp çırpacağına, sahtekârlık yapacağına, adam öldüreceğine, insanları uyuşturucu kullanmaya ve fuhuşa özendireceğine, zührevi hastalıkların yayılmasını sağlayacağına, gerekirse bir çocuğun yüzüne kezzap atacağına söz veriyordu. O'Brien, bu gösteriye pek de gerek olmadığını belirtmek istercesine sabırsızca bir el hareketi yaptı. Sonra bir düğmeyi çevirdi ve sesler kesildi.

"Kalk o yataktan," dedi.

Kayışlar gevşemişti. Winston yataktan aşağıya indi; ayakta zor duruyordu.

"Sen, son insan," dedi O'Brien. "İnsan ruhunun yılmaz bekçisi. Şimdi kendini olduğun gibi gör bakalım. Çıkar üstündekileri."

Winston, tulumunu tutan ipi çözdü. Tulumun fermuarı çoktan sökülüp alınmıştı. Tutuklandığından beri üstündeki giysiyi çıkarıp çıkarmadığını anımsamıyordu. Tulumun içinden, iç çamaşırı demek için bin şahit isteyen, sapsarı olmuş, kirli paçavralara sarılı bedeni ortaya çıktı. Üstündekileri yere bırakırken, odanın karşı tarafında üç kanatlı bir ayna olduğunu fark etti. Aynaya doğru giderken ansızın durdu. İstençdışı bir çığlık koptu içinden.

"Git," dedi O'Brien. "Aynanın iki kanadı arasında dur. Kendini bir de yandan gör."

Winston korktuğu için durmuştu. İki büklüm olmuş, kırçıllaşmış, iskelete dönmüş bir yaratık kendisine doğru

306

geliyordu. Korkmasının nedeni, yalnızca bu yaratığın kendisi olduğunu bilmesi değil, aynı zamanda görünüşünün gerçekten ürkünç olmasıydı. Aynaya biraz daha yaklaştı. Yaratığın yüzü, eğik durduğu için uzamış görünüyordu. Ağlamaklı, avurdu avurduna geçmiş, hapishane kaçkını bir surat, çıplak tepesiyle birleşen çıkık bir alın, çarpık bir burun, vahşi ve ürkek gözler. Yüzü kırış kırış olmuş, ağzı sanki içine göçmüştü. Evet, bu yüz kesinlikle kendi yüzüydü, ama yüzündeki değişiklik iç dünyasındaki değişimden daha fazla gibiydi. Belli ki, yüreğinden geçenleri yansıtmayacaktı artık. Saçları yer yer dökülmüştü. İlkin saçlarının kırlaşmış olduğunu sandı, oysa kırlaşan yalnızca kafa derisiydi. Nicedir biriken kirden, elleri ve yüzü dışında tüm bedeni kurşuni bir renge bürünmüştü. Kir tabakasının altından yer yer yara izleri göze çarpıyordu; ayak bileğinin oradaki varis çıbanı irinli bir yaraya dönüşmüş, derisi pul pul olmuştu. Ama asıl korkuncu, iskeleti çıkmış, bir deri bir kemik kalmış olmasıydı; bacakları o kadar incelmişti ki, dizleri baldırlarından daha kalın görünüyordu. O'Brien'ın, kendisini bir de yandan görmesini söylerken ne demek istediğini şimdi anlıyordu. İki büklüm olmuştu. İncecik omuzları öne bükülüp kamburu çıkınca göğsü içeri göçmüştü. Kürdan gibi boynu, kafasının ağırlığı altında kırılıverecek gibiydi. Onu gören, ölümcül bir hastalığa yakalanmış altmış yaşında bir adam sanırdı.

"Yüzümün –bir İç Parti üyesinin yüzünün– yaşlı ve yorgun göründüğünü düşündüğün oldu," dedi O'Brien. "Şimdi kendi yüzün için ne düşünüyorsun bakalım?"

Winston'ı omzundan tuttuğu gibi kendine çevirdi.

"Şu haline bir bak!" dedi. "Şu bedenine bir bak, tepeden tırnağa pislik içindesin. Şu ayak parmaklarının arasındaki kirlere bak. Bacağındaki şu kokuşmuş yaraya bir bak, insanın midesini bulandırıyor. Leş gibi koktuğunun farkında mısın? Belki de artık fark etmiyorsundur.

Canlı cenazeye dönmüşsün. Görebiliyor musun? Pazın başparmağım ile işaretparmağımın arasına sığıyor. Boynun kürdan gibi kalmış, şöyle bir sıksam kopuverecek. Elimize düştüğünden beri yirmi beş kilo verdiğini biliyor musun? Saçların tutam tutam dökülüyor. Bak!" Uzanıp saçına yapıştı, bir tutam saç elinde kaldı. "Ağzını aç bakayım. Dokuz, on, on bir, evet, on bir dişin kalmış. Bize geldiğinde kaç dişin vardı peki? Kalanlar da döküldü dökülecek. Bak!"

Winston'ın ön dişlerinden birini güçlü parmaklarıyla tuttu. Winston çenesinde ani bir acı duydu. O'Brien dişi kökünden söküp alıvermişti. Hücrenin bir köşesine fırlatıp attı.

"Çürüyorsun," dedi; "parça parça dağılıyorsun. Sen nesin, biliyor musun? Bir pislik torbası. Şimdi dön arkanı da, yeniden bir bak şu aynaya. Şu sana bakan şeyi görüyor musun? Son insan bu işte. Sen insansan, işte insanlık bu. Şimdi giy şu giysilerini bakalım."

Winston ağır ağır giyinmeye başladı. O ana kadar, ne kadar zayıf ve güçsüz olduğunu fark etmemişti. Kafasını kurcalayan tek bir düşünce vardı: Burada sandığından daha uzun bir süredir bulunuyor olmalıydı. Sonra birden, o kirli paçavralara yeniden sarınırken, harabeye dönmüş bedenine bakıp yüreği paralandı. Farkında olmadan yatağın yanındaki küçük tabureye çöktü ve hüngür hüngür ağlamaya başladı. Çiğ ışığın altında, pislik içindeki iç çamaşırlarıyla mumya gibi oturmuş ağlarken ne kadar çirkin olduğunun farkındaydı, ama kendini alamıyordu. O'Brien, nerdeyse sevecenlikle, elini omzuna koydu.

"Hep böyle gidecek değil," dedi. "Bu durumdan istediğin zaman kurtulabilirsin. Her şeye sana bağlı."

Winston, hıçkırarak, "Siz yaptınız," dedi. "Beni bu hale sokan sizsiniz."

"Hayır, Winston, kendini bu hale sokan sensin. Parti'nin karşısına dikilmeye karar verdiğin an, böyle olabileceğini kabullenmiştin. O ilk eylem bütün bunları içeriyordu. Önceden bilmediğin hiçbir şey gelmedi başına."

Bir an durdu, sonra devam etti:

"Seni alt ettik, Winston. Perişan ettik seni. Bedeninin ne hale geldiğini gördün. Zihnin de aynı durumda. Onurun ayaklar altına alındı. Tekmelendin, sopa yedin, sövüldün, acı içinde haykırdın, kendi kanın ve kusmuğunun içinde yerlerde süründün. Yalvar yakar oldun, aman diledin, herkesi ele verdin, bildiğin ne varsa söyledin. Bir insan daha fazla küçük düşebilir mi?"

Winston, gözlerinden hâlâ yaşlar gelmekle birlikte, artık ağlamıyordu. Başını kaldırıp O'Brien'a baktı.

"Julia'ya ihanet etmedim," dedi.

O'Brien, tedirgin bir biçimde ona baktı. "Evet," dedi, "evet; çok haklısın. Julia'ya ihanet etmedin."

Winston, O'Brien'a duyduğu o tuhaf saygıyı, o hiçbir şeyin yok edemediği saygıyı bir kez daha yüreğinde hissetti. Ne kadar zeki, diye geçirdi aklından, ne kadar zeki! O'Brien, kendisine söyleneni bir kez olsun anlamazlık etmiyordu. Başka kim olsa, hiç duraksamadan, Julia'ya *ihanet ettiğini* söylerdi. İşkence altında söyletmedikleri ne kalmıştı ki? Julia hakkında bildiği ne varsa söylemişti onlara, alışkanlıklarını, karakterini, geçmişini; buluştuklarında neler yaptıklarını, birbirlerine neler söylediklerini, karaborsadan aldıkları yiyecekleri, yasadışı sevişmelerini, Parti'ye karşı içten içe kurdukları komploları, her şeyi en ince ayrıntısına kadar anlatmıştı. Ama yine de, kendi anladığı anlamda, ihanet etmemişti ona. Onu sevmekten hiç vazgeçmemişti; ona karşı duydukları hiç değişmemişti. O'Brien, Winston'ın ne demek istediğini açıklamaya gerek kalmadan anlayıvermişti.

"Söyler misiniz," dedi Winston, "beni ne zaman kurşuna dizerler?"

"Kim bilir, belki çok sonra," dedi O'Brien. "Sen müzmin bir vakasın. Ama umudunu kesme. Önünde sonunda herkes tedavi edilir. Ondan sonra da kurşuna dizeriz."

IV

Artık çok daha iyi sayılırdı. Günlerden söz edilebilirse, her geçen gün biraz daha kilo alıyor ve güçleniyordu.

Çiğ ışık ve o sürekli uğultuda bir değişiklik yoktu, ama şimdiki hücresi öncekilerden biraz daha rahattı. Tahta yatakta bir yastıkla şilte, yanı başında da bir tabure vardı. Banyo yapmasını sağlamışlar ve sık sık elini yüzünü yıkayabileceği bir teneke leğen vermişlerdi. Yıkanması için sıcak su bile vermişlerdi. Yeni iç çamaşırları ve temiz bir tulum vermişlerdi. Varis çıbanına merhem sürmüşlerdi. Kalan dişlerini çekmişler, takma diş takmışlardı.

Haftalar, belki de aylar geçmiş olsa gerekti. Artık düzenli aralıklarla yemek verildiği için, istese, geçen zamanı hesaplamak mümkün olabilirdi. Yirmi dört saatte üç öğün yemek verildiğini çıkarabiliyor, ama yemeğin gece mi, yoksa gündüz mü geldiğini bazen anlayamıyordu. Yemekler umulmayacak kadar iyiydi, üç öğünde bir et veriliyordu. Bir seferinde bir paket sigara bile verilmişti. Hiç kibriti yoktu, ama yemeğini getiren suskun muhafız sigarasını yakıyordu. İlk sigarada midesi bulanmasına karşın yılmamış, her yemekten sonra yarım sigara içerek o bir paketle uzun süre idare etmişti.

Kenarına güdük bir kurşunkalem bağlanmış beyaz bir yazı tahtası vermişlerdi. İlk başlarda hiç ilgilenmemiş, elini bile sürmemişti. Uyanıkken bile üzerine bir uyuşukluk çöküyordu. Çoğu kez iki yemek arasında hiç kımıldamadan yatıyor, bazen uyuyor, bazen de gözleri kapalı, belli belirsiz düşlere dalıp gidiyordu. Güçlü ışığın altında bile uyumaya çoktan alışmıştı. Hiç fark etmiyordu, yalnızca gördüğü düşler daha belirgin oluyordu. Sürekli düş görüyordu ve bunlar hep mutlu düşlerdi. Bazen Altın Ülke'de oluyordu, bazen de annesi, Julia ve O'Brien'la birlikte, gün ışığının aydınlattığı kocaman, görkemli yıkıntılar arasında oturuyordu; güneşin altında, hiçbir şey yapmadan, öylece oturuyorlar, dinginlik içinde bir şeyler konuşuyorlardı. Uyanıkken de, çoğu kez, gördüğü düşleri düşünüyordu. Acı ile uyarılmadığı için olsa gerek, düşünsel gücünü yitirmiş gibiydi. Canı sıkılmıyordu, biriyle konuşmak ya da bir şeylerle oyalanmak için hiçbir istek duymuyordu. Yalnız olmak, dövülmemek ya da sorguya çekilmemek, yeterince yemek bulmak ve temizlenebilmek onun için fazlasıyla yeterliydi.

Gittikçe daha az uyuyor, ama yine de canı yataktan çıkmak istemiyordu. Tek istediği, öylece yatmak ve bedeninin giderek güçlenişini duyumsamaktı. Orasına burasına dokunarak, kaslarının sertleşip sertleşmediğini, derisinin gerginleşip gerginleşmediğini anlamaya çalışıyordu. Şişmanlamakta olduğu sonunda iyice belli olmuştu; artık baldırları dizlerinden kesinlikle daha kalındı. Bir süre sonra, başlangıçta gönülsüzce de olsa, düzenli bir biçimde egzersiz yapmaya başladı. Çok geçmeden, hücrenin içinde voltalayarak yaptığı hesaba göre, üç kilometre yürümeye başlamıştı; düşük omuzları giderek dikleşiyordu. Egzersizleri biraz daha ağırlaştırmaya kalktığında, bazı şeyleri yapamadığını görünce hem şaşırdı hem de utandı. Yürümekten başka bir şey yapamıyordu, kolunu uzatıp tabureyi havada tutamıyor, tek ayak üstünde duramıyordu. Yere çömeldiğinde kalçaları ve baldırları o kadar acıyordu ki, ayağa kalkamıyordu. Yüzükoyun yatıp ellerini kaldırarak ağırlığını yukarıya vermeye çalışıyor, ama beceremiyordu, bir santim bile kalkmıyordu bedeni. Ama birkaç gün –ya da birkaç yemek– sonra bunu da becermeye başladı. Bir süre sonra, art arda altı kez yapabiliyordu artık. Bedeniyle iyiden iyiye övünç duymaya başlamıştı; dahası, zaman zaman, yüzünün de eski haline dönmekte olduğuna inanası geliyordu. Ama elini saçsız başına götürmeyegörsün, aynadan kendisine bakan o buruşuk, harabeye dönmüş suratı anımsayıveriyordu.

Zihni açılmaya başlamıştı. Tahta yatağa oturup sırtını duvara verdi, yazı tahtasını dizlerine alıp kararlı bir biçimde kendini yeniden eğitme görevine girişti.

Kabul etmek gerekir ki, teslim olmuştu. Aslında, şimdi baktığında, bu kararı almadan çok önceden teslim olmaya hazır olduğunu anlıyordu. Sevgi Bakanlığı'ndan içeri girer girmez –evet, o buyurgan ses tele-ekrandan onlara ne yapmaları gerektiğini söylerken Julia'yla birlikte kalakaldıklarında bile–, Parti'nin gücünün karşısına dikilmeye kalkışmanın ne kadar boş ve saçma olduğunu kavramıştı. Düşünce Polisi'nin onu yedi yıl boyunca kılı kırk yararak izlediğini artık biliyordu. En küçük bir davranışını, söylediği tek bir sözü bile gözden kaçırmamışlar, aklından geçenlerin hiçbirini kaçırmamışlardı. Güncesinin kapağının bir köşesine sürmüş olduğu beyazımsı tozu bile özenle yeniden yerine koymuşlardı. Winston'a ses bantları dinletmişler, fotoğraflar göstermişlerdi. Bazıları Julia'yla çekilmiş fotoğraflarıydı. Evet, hatta... Artık Parti'ye karşı savaşamazdı. Kaldı ki, Parti haklıydı. Haklı olması olağandı: Ölümsüz, kolektif beyin nasıl yanılabilirdi ki? Parti'nin kararlarını dışarıdan hangi ölçütlerle değerlendirebilirdiniz? Akıllılık, çoğunluğa bakılarak ölçülebilirdi. Onların düşündükleri gibi düşünmeyi öğrenmek gerekiyordu. Ancak!..

Kurşunkalem eline kalın gelmeye başlamıştı, parmakları arasında zor tutuyordu. Aklına gelen düşünceleri yazmaya koyuldu. İlkin eğri büğrü büyük harflerle şunu yazdı:

ÖZGÜRLÜK KÖLELİKTİR.

Sonra hemen altına ekledi:

İKİ KERE İKİ BEŞ EDER.

Ama sonra kendini frenler gibi oldu. Sanki bir şeyden çekiniyormuşçasına, kafasını toplayamıyordu. Ardından ne geleceğini bildiğini biliyor, ama bir türlü anımsayamıyordu. Sonunda, kendiliğinden değil de, akıl yürüterek anımsayabildi. Şöyle yazdı:

TANRI İKTİDARDIR.

Her şeyi kabul etmişti. Geçmiş değiştirilebilirdi. Geçmiş hiçbir zaman değiştirilmemişti. Okyanusya, Doğuasya'yla savaştaydı. Okyanusya her zaman Doğuasya'yla savaşta olmuştu. Jones, Aaronson ve Rutherford, kendilerine yüklenen suçları işlemişlerdi. Onların suçlu olmadıklarını kanıtlayan fotoğrafı hiç görmemişti. O fotoğraf hiç olmamıştı, kendisi uydurmuştu. Gerçi böyle olmadığını anımsar gibi oluyordu, ama bunlar kendi kendini aldattığı düzmece anılardı. Her şey o kadar basitti ki! Bir kez teslim olmayagör, gerisi kendiliğinden geliyordu. Hani, çok güçlü bir akıntıya karşı yüzmeye çalışırken birden vazgeçip kendini akıntıya bırakırsın ya, öyle bir şeydi işte. Değişen, yalnızca senin tutumundur: Önceden belirlenmiş olan şey olmuştur, o kadar. Artık neden baş kaldırmış olduğunu bile bilemiyordu. Her şey çok basitti, ancak!..

Her şey doğru olabilirdi. Doğa yasaları dedikleri, tam

bir saçmalıktı. Yerçekimi yasası tam bir saçmalıktı. O'Brien, "İstersem bir sabun köpüğü gibi yükselebilirim yerden," demişti. Winston, bundan şu sonucu çıkarıyordu: "Eğer o, yerden yükseldiğini *düşünüyorsa* ve ben de aynı anda onun yerden yükseldiğini gördüğümü *düşünüyorsam*, o zaman bu olay gerçekten oluyor demektir." Ama ansızın, tıpkı batık bir geminin su yüzeyinde belirivermesi gibi, zihninde bir düşünce beliriverdi: "Aslında böyle bir şeyin olduğu yok. Onu hayal ediyoruz. Bu bir sanrı." Ne ki, aklına düşen bu düşünceyi hemen bastırdı. Hile ortadaydı. Böyle bir düşünce, insanın kendisi dışında bir yerde "gerçek" şeylerin olduğu "gerçek" bir dünyanın var olduğunu öngörüyordu. Ama böyle bir dünya nasıl var olabilirdi ki? Herhangi bir şeyle ilgili, kendi zihnimizin dışında nasıl bir bilgimiz olabilirdi ki? Her şey zihinde olup biter. Ve zihinlerde olan her şey gerçekte de olur.

Hileyi ortaya koymakta hiçbir güçlük çekmediği gibi, kendini bu hileye kaptırma tehlikesi de yoktu. Yine de, bunun kendisi tarafından düşünülmemiş olması gerektiğini fark ediyordu. Tehlikeli bir düşünce belirir belirmez, zihin kör bir nokta oluşturmalıydı. İşlem kendiliğinden, içgüdüsel olmalıydı. Buna Yenisöylem'de *suçdurdurum* diyorlardı.

Kendini suçdurduruma alıştırmak için çalışmaya başladı. Kendi kendine, "Parti'ye göre, dünya düzdür", "Parti'ye göre, buz sudan ağırdır" diye önermelerde bulunuyor, sonra da kendini, bu savlara ters düşen görüşleri görmezlikten ya da anlamazlıktan gelmeye alıştırıyordu. Aslında hiç kolay değildi. Akıl yürütme ve doğaçlama konusunda çok güçlü olmayı gerektiriyordu. Örneğin, "iki kere iki beş eder" gibi bir önermenin ortaya çıkardığı aritmetik sorunlarını düşünsel olarak kavraması çok zordu. Bir yandan mantığı büyük bir incelikle kullanırken, bir yandan da en kaba mantık hatalarının ayırdına varmama konusunda çok yetenekli olmayı gerektiriyordu. Zekilik kadar aptallık da gerekliydi, ama aptalca davranmak da zekice davranmak kadar zordu.

Bu arada, bir yandan da, kendisini ne zaman kurşuna dizeceklerini merak ediyordu. O'Brien, "Her şey sana bağlı," demişti; ama kendisini kurşuna dizmelerini bilinçli olarak hızlandıramayacağını biliyordu. On dakika sonra da olabilirdi, on yıl sonra da. Onu yıllarca hücre hapsinde tutabilirler, bir çalışma kampına gönderebilirler ya da bazen yaptıkları gibi, bir süreliğine salıverebilirlerdi. Kurşuna dizmeden önce, tutuklanışı ve sorgulanışı sırasında yapılanların baştan sona yeniden uygulanması da pekâlâ mümkündü. Kesin olan bir tek şey vardı, o da ölümün beklediği bir anda gelmeyeceğiydi. Şimdiye kadarki yapılagelişe bakılırsa, arkadan vurdukları anlaşılıyordu; gerçi bundan hiç söz edilmiyordu, açıkça söylendiği hiç duyulmamıştı, ama her nasılsa biliniyordu: Koridorda bir hücreden öbürüne giderken, hiç uyarmadan enseden vuruyorlardı.

Bir gün –"gün" demek doğru değildi belki de, gece yarısı da olabilirdi– tuhaf ama mutluluk veren bir rüya görmüştü. Kurşunun her an sıkılabileceğini bilerek koridorda yürüyordu. Kurşunu birazdan sıkacaklarını biliyordu. Her şey çözülmüş, hale yola girmiş, uzlaşılmıştı. Artık hiçbir kuşku, hiçbir tartışma, hiçbir acı, hiçbir korku kalmamıştı. Bedeni sağlıklı ve güçlüydü. Güneşli bir havada yürüyüşe çıkmışçasına, keyifle yürüyordu. Artık Sevgi Bakanlığı'nın dar beyaz koridorlarında değildi, verilen ilaçların etkisiyle kendinden geçtiğinde olduğu gibi, gün ışığıyla aydınlanan, bir kilometre genişliğinde bir geçitte yürüyordu. Altın Ülke'deydi, tavşanlar tarafından kemirilmiş eski bir çayırın ortasından geçen bir patikada yürüyordu. Bodur, süngersi turbalığı ayaklarının altında, ılık gün ışığını yüzünde duyumsuyordu. Çayırın kıyısındaki karaağaçlar hafif rüzgârda salınıyor, biraz daha ötede söğütlerin altındaki yeşil gölcüklerde sazanların yüzdüğü bir dere akıyordu.

Birden dehşet içinde yerinden fırladı. Kan ter içindeydi. Avazı çıktığı kadar bağırdığını duydu:

"Julia! Julia! Julia, sevgilim! Julia!"

Bir an, ürpererek, Julia'nın hayalini görür gibi oldu. Yanı başında olmaktan öte, içindeydi sanki. Sanki derisinin içine girmişti. O anda, Julia'ya karşı, birlikte ve özgür oldukları günlerdekinden çok daha büyük bir sevgi duydu. Her neredeyse hâlâ hayatta olduğunu ve yardımına gereksinim duyduğunu duyumsadı.

Yeniden yatağa uzanıp kendine gelmeye çalıştı. Ne yapmıştı? Şu düşkünlük anıyla, köleliğine kim bilir daha kaç yıl eklemişti.

Çok geçmeden, koridordan gelen postal seslerini duyacaktı. Yüreğinde kopan bu fırtınayı cezasız bırakmazlardı. Onlarla yaptığı anlaşmayı bozmakta olduğunu daha önce anlamamışlarsa bile şimdi anlayacaklardı. Parti'ye boyun eğmişti ama, hâlâ nefret ediyordu Parti'den. Eskiden sapkın düşüncelerini uyumlu görünüşünün ardına gizliyordu. Şimdi ise bir geri adım daha atmış, zihinsel olarak da teslim olmuştu, ama yüreğinin içini korumayı umuyordu. Yanlış yaptığının ayırdındaydı, ama yanlış yapmayı bile bile yeğlemişti. Bunu anlarlardı; O'Brien anlardı. İtirafı, o sersemce çığlıkta gizliydi.

Her şeye yeni baştan başlamak zorunda kalacaktı. Yıllar alabilirdi. Elini yüzünde gezdirerek, aldığı yeni biçimi tanımaya çalıştı. Yanaklarında derin kırışıklar oluşmuştu, elmacıkkemikleri dokununca acıyordu, burnu yassılmıştı. Kendini aynada son gördüğünden beri, dişleri tümden yenilenmiş, protez takılmıştı. Yüzünün neye benzediğini bilmiyorsa, insanın yüzündeki ifadeyi denetlemesi kolay değildi. Kaldı ki, yalnızca yüz hatlarının denetlenmesi de yeterli değildi. Hayatında ilk kez, bir şeyi gizli tutmak istiyorsan onu kendinden de gizlemen gerektiğini anlıyordu. Gizlediğin şeyin orada olduğunu bilmeli, ama gerekmedikçe adını koymamalı, belirli bir biçime bürünüp bilincine yansımasına asla izin vermemeliydin. Artık yalnızca dosdoğru düşünmekle kalmamalı, aynı zamanda dosdoğru hissetmeli, dosdoğru rüya görmeliydi. Ve bu arada, nefretini, bedeninin bir parçası olan, yine de bedeninin geri kalan bölümüyle ilgisi olmayan bir ur gibi, bir tür kist gibi gizlemeliydi yüreğinde.

Önünde sonunda onu kurşuna dizmeye karar vereceklerdi. Bu kararın ne zaman verileceğini bilemezdi, ama birkaç saniye öncesinden kestirmek mümkün olsa gerekti. Hep arkadan vuruyorlardı, koridorda yürürken. On saniye yeterli olacaktı. O kadarcık süre içinde, içindeki dünya su yüzüne çıkacaktı. Sonra birden, tek bir söz söylemeden, hiç duraklamadan yürürken, yüz ifadesi hiç değişmeden, birden perde kalkacak ve bum! diye patlayıverecekti yüreğindeki nefret. Gürüldeyen dev bir yalım gibi her yanını saracaktı. Ve hemen aynı anda bum! diye patlayıverecekti kurşun da; belki çok geç, belki de çok erken. Zihnini istedikleri kalıba dökemeden beynini dağıtmış olacaklardı. Sapkın düşünce, pişman olunmadan, cezasız kalacak, onu bir daha asla ele geçiremeyeceklerdi. Aslında, kendi yetkinliklerinde bir delik açmış olacaklardı. Onlardan nefret ederek ölmek, özgürlük buna denirdi işte.

Gözlerini kapadı. Bu, bir düşünce akımını benimsemekten daha zor bir şeydi. İnsanın kendisini aşağılamasını, kötürüm etmesini gerektiriyordu. Pisliklerin en iğrencine bulanmak zorundaydı. Dünyanın en korkunç, en tiksinç şeyi nedir, diye düşündüğünde, ilk aklına gelen Büyük Birader oldu. Kalın siyah bıyığı ve ne yana gitseniz sizi izleyen gözleriyle o kocaman yüz (hep posterlerde gördüğü için, yüzün kendisi de bir metreden genişmiş gibi geliyordu) kendiliğinden gelip yerleşti zihnine. Büyük Birader'e karşı gerçekte neler duyuyordu?

Tam o sırada koridordan postal sesleri duyuldu. Çelik kapı gıcırdayarak açıldı. Hücreden içeri O'Brien girdi. Ardından, yüzü balmumundan bir maskı andıran subay ve siyah üniformalı muhafızlar sökün ettiler.

"Kalk," dedi O'Brien. "Gel buraya."

Winston gelip tam karşısında durdu. O'Brien güçlü elleriyle omuzlarından tutup yüzünü yaklaştırdı.

"Aklından beni aldatmayı geçiriyordun," dedi. "Çok aptalca. Dik dur. Yüzüme bak."

Durdu, daha yumuşak bir sesle devam etti:

"Sende gelişme görüyorum. Düşünsel açıdan pek az kusurun kaldı. Ama duygusal açıdan gelişme gösteremedin. Söyle bakalım, Winston, ama sakın yalan söyleyeyim deme, bilirsin, hemen yakalarım adamın yalanını, söyle şimdi, Büyük Birader'e karşı gerçekte neler duyuyorsun?"

"Nefret ediyorum ondan."

"Nefret ediyorsun. İyi. Demek son aşamaya geçmenin zamanı gelmiş. Büyük Birader'i sevmelisin. Ona boyun eğmek yeterli değil, sevmelisin onu."

Winston'ı muhafızlara doğru hafifçe itti.

"101 Numaralı Oda'ya," dedi.

V

Tutuklandığından beri gönderildiği her odada, penceresiz binanın neresinde olduğunu anlamış ya da az çok kestirmişti. Odaların hava basıncında küçük farklılıklar olsa gerekti. Muhafızların onu dövdükleri hücreler yer yüzeyinin altındaydı. O'Brien tarafından sorguya çekildiği oda yukarılarda, çatıya yakın bir yerdeydi. Burası ise yerin metrelerce altındaydı, olabildiğince aşağılardaydı.

Daha önceki hücrelerin çoğundan büyüktü. Ama Winston çevresini pek göremiyordu. Tek görebildiği, tam karşısında duran, yeşil çuha kaplı iki küçük masaydı. Biri yalnızca bir iki metre ötede; öbürü ise daha uzakta, kapının yanındaydı. Kayışlarla bir iskemleye o kadar sıkı bağlanmıştı ki, hiçbir yerini kımıldatamıyor, başını bile oynatamıyordu. Yastıklı bir düzenek başını arkadan sımsıkı kavradığı için, dosdoğru karşıya bakmak zorundaydı.

Çok kısa bir süre yalnız kaldı, sonra kapı açıldı ve içeriye O'Brien girdi.

"Bir seferinde bana, 101 Numaralı Oda'da ne olduğunu sormuştun," dedi. "Ben de sana bu sorunun yanıtını bildiğini söylemiştim. Herkes bilir. 101 Numaralı Oda'daki şey dünyanın en kötü şeyidir."

Kapı yeniden açıldı. İçeriye, elinde telden yapılmış, kutu ya da sepete benzer bir şeyle bir muhafız girdi. Elindekini uzaktaki masanın üstüne bıraktı. O'Brien öyle bir yerde duruyordu ki, Winston o şeyin ne olduğunu göremiyordu.

"Dünyanın en kötü şeyinin ne olduğu kişiden kişiye değişir," dedi O'Brien. "Kimine göre diri diri gömülmek olabilir, kimine göre yakılarak, kimine göre boğularak, kimine göre de kazığa oturtularak öldürülmek; bin türlü ölüm sayabilirim. Ölümün çok sıradan biçimleri de vardır, hatta hiç ölümcül olmayan biçimleri bile."

Winston'ın masanın üstündeki şeyi daha iyi görebilmesi için biraz kenara çekilmişti. Üstünde bir tutamağı olan, uzunca bir tel kafesti masada duran. Tel kafesin ön tarafına, içbükey yanı dışa bakan, eskrim maskesine benzer bir şey takılmıştı. Winston, üç dört metre uzağında olmasına karşın, kafesin uzunlamasına iki bölüme ayrılmış olduğunu ve her bölümde birer yaratık bulunduğunu görebiliyordu. Sıçanlar.

"Senin durumunda," dedi O'Brien, "dünyanın en kötü şeyinin sıçanlar olduğu anlaşılıyor."

Kafesi daha ilk gördüğünde, Winston bir şeyler sezerek ürpermiş, nedenini kestiremediği bir korkuya kapılmıştı. Oysa şimdi kafesin önündeki, maskeye benzeyen eklentinin neye yaradığını birden kavramıştı. Aklı başından gitti, dizlerinin bağı çözüldü.

"Bunu yapamazsınız!" diye çığlığı bastı. "Yapmamalısınız, yapmamalısınız! Olamaz!"

"Rüyalarında kapıldığın paniği anımsıyor musun?" dedi O'Brien. "Karşına karanlıktan bir duvar dikiliyor, kulağına birtakım hırıltılar geliyordu. Duvarın öbür tarafında korkunç bir şey vardı. Onun ne olduğunu bildiğinin farkındaydın, ama dile getirmeye cesaret edemiyordun. Duvarın öbür tarafında sıçanlar vardı."

Winston, "O'Brien," dedi, sesini yükseltmemeye çalışarak. "Buna hiç gerek olmadığını biliyorsunuz. Söyleyin, ne yapmamı istiyorsunuz?"

O'Brien bu soruyu doğrudan yanıtlamadı. Bu kez sesi yeniden o öğretmen edasına büründü. Winston'ın arkasında bir yerdeki dinleyicilere seslenecekmiş gibi dalgın dalgın karşıya baktı.

"Tek başına acı her zaman yetmeyebilir," dedi. "İnsanoğlu, kimi zaman, acıya dayanabilir, en ölümcül acıya bile. Ama herkesin asla dayanamayacağı, aklından geçirmek bile istemeyeceği bir şey mutlaka vardır. Burada cesaret ya da korkaklık söz konusu edilemez. Yüksek bir yerden düşerken bir ipe tutunmak korkaklık sayılmaz. Suyun dibinden yukarı çıktığında ciğerlerini havayla doldurmak da korkaklık sayılmaz. Karşı konulamayacak bir içgüdüdür bu. Aynı şey sıçanlar için de geçerli. Onlar senin için dayanılmaz. Senin için, istesen de karşı koyamayacağın bir baskı onlar. O yüzden, senden isteneni önünde sonunda yapacaksın."

"Ama benden istenen nedir, bir bilsem! Ne istendiğini bilmiyorsam nasıl yapabilirim ki?"

O'Brien kafesi alıp Winston'ın yakınındaki masanın başına geldi. Yeşil çuhanın üstüne özenle bıraktı. Winston'ın kulakları uğulduyordu. Kendini yapayalnız hissetti. Tüm seslerin çok uzaklardan geldiği, uçsuz bucaksız, bomboş bir ovanın, güneşin yakıp kavurduğu ıssız bir çölün ortasındaydı sanki. Oysa sıçanların bulunduğu kafesle arasında iki metre bile yoktu. Sıçanlar kocamandı. Dişlerinin körelip korkunçlaştığı, tüylerinin bozdan kahverengiye döndüğü bir yaştaydılar.

O'Brien, hâlâ görünmez dinleyicilere seslenircesine, "Sıçan bir kemirgen olmasına karşın etoburdur," dedi. "Bunu bilirsin. Bu kentin yoksul mahallelerinde yaşananları duymuşsundur. Öyle sokaklar var ki, kadınlar küçük çocuklarını evde beş dakika bile yalnız bırakamıyorlar. Bıraksalar, sıçanlar o saat saldırır. Göz açıp kapayıncaya kadar çocukları yalayıp yutarlar, geriye yalnızca kemikleri kalır. Hastalara ve ölümün eşiğindeki insanlara da saldırırlar. İnsanların ne zaman çaresiz olduklarını sezmekte üstlerine yoktur."

Kafesten sıçanların ciyaklamaları duyuluyordu. Ciyaklamalar Winston'a çok uzaklardan ulaşıyormuş gibiydi. Sıçanlar dövüşüyorlar, aradaki bölmeyi aşarak birbirlerini yakalamaya çalışıyorlardı. Bu arada, Winston'ın kulağına umarsız bir iç çekiş çalındı. Sanki kendinden değil de dışarıdan bir yerden gelmişti.

O'Brien kafesi kaldırdı ve parmağıyla içinde bir yere bastı. Çıt diye bir ses duyuldu. Winston iskemleden kurtulmak için çırpınıp debelendiyse de bir işe yaramadı, kımıldayamadığı gibi başını bile oynatamıyordu. O'Brien kafesi yaklaştırdı. Kafesle Winston'ın yüzü arasında bir metreden az bir mesafe kalmıştı.

"İlk mandala bastım," dedi O'Brien. "Bu kafesin nasıl çalıştığını anlamışsındır. Maske hiçbir çıkış yeri bırakmadan yüzüne oturacak. Şu öteki mandala bastığımda kafesin kapısı kalkacak. Bu açlıktan kudurmuş hayvanlar ok gibi dışarı fırlayacaklar. Bir sıçanın havada uçtuğunu gördün mü hiç? Saldırıp yüzüne dalacaklar. Bazen önce gözlere saldırırlar. Bazen de yanaklarından girip dilini yerler."

Kafes daha da yakına gelmişti; gittikçe yaklaşıyordu. Sıçanların ürkünç ciyaklamaları Winston'a başının üzerindeymiş gibi geliyordu. Yine de, müthiş bir çabayla paniğe kapılmamaya çalışıyordu. Düşünmek, düşünmek, bir saniyecik bile kalmış olsa düşünmek tek umuduydu. Birden hayvanların ağır, iğrenç kokusu geldi burnuna. Ansızın midesi bulandı, bir öğürtü geldi, kendinden geçecek gibi oldu. Ortalık karardı. Bir an deliye döndü, bir hayvan gibi çığlık kopardı. Ama birden aklına gelen bir düşünceye tutunarak karanlıktan çıktı. Kendini kurtarmanın tek bir yolu vardı. Kendisiyle sıçanların arasına başka bir insanı, başka bir insanın *bedenini* koymalıydı.

Winston koca maskeden başka bir şey göremiyordu. Tel kapı ile yüzü arasında iki üç karış kalmıştı. Sıçanlar neyin gelmekte olduğunu fark etmişlerdi. Biri sıçrayıp duruyor; öbürü, lağımların koca ihtiyarı, pembe pençelerini kafesin tellerine geçirmiş, vahşice havayı kokluyordu. Winston, bıyıkları ve sarı dişleri görebiliyordu. Bir kez daha o kapkara ürküye kapıldı. Hiçbir şey göremiyor, hiçbir şey düşünemiyordu, çaresizdi.

O'Brien, her zamanki öğretmen tavrıyla, "Eski Çin'de yaygın cezalandırma yöntemlerinden biriydi bu," dedi.

Maske Winston'ın yüzüne yaklaştıkça yaklaşıyordu. Kafesin teli yanağına değiyordu. İşte o anda... Yok, hayır, fazla iyimserliğe kapılmamalıydı, yalnızca bir umut, ufacık bir umuttu bu. Belki de artık çok geçti. Ama birden, dünyada cezasını aktarabileceği *tek bir* kişi, kendisi ile sıçanların arasına atabileceği *tek bir* beden olduğunu anladı. Ve o anda, deliler gibi, avaz çıktığı kadar bağırmaya başladı:

"Julia'ya yapın! Julia'ya yapın! Beni bırakın! Julia'ya yapın! İstediğinizi yapın ona, umurumda değil. Yüzünü paralasınlar, her yerini yalayıp yutsunlar. Beni bırakın! Julia'ya yapın! Beni bırakın!"

Geri geri gidiyor, sıçanlardan uzaklaşıyor, dipsiz bir kuyuya düşüyordu. Hâlâ iskemleye bağlıydı, ama yeri, binanın duvarlarını delip geçiyor, dünyadan, okyanuslardan, atmosferden, uzaydan, yıldızlar arasındaki boşluklardan geçerek düşüyor, durmadan uzaklaşıyordu sıçanlardan. Binlerce ışık yılı uzaklaşmış olmasına karşın, O'Brien hâlâ yanı başında duruyordu. Tel kafesin soğukluğunu hâlâ yanaklarında hissediyordu. Ama çevresini kuşatan karanlığın içinde madeni bir çıt sesi daha duydu ve kafesin kapısının açılmadığını, kapandığını anladı.

VI

Kestane Ağacı Kahvesi'nde nerdeyse in cin top oynuyordu. Pencereden içeri vuran gün ışığı, tozlu masaları sapsarı aydınlatıyordu. Kimselerin olmadığı, saat on beş sularıydı. Tele-ekranlardan cızırtılı bir müzik sesi geliyordu.

Winston her zamanki köşesinde oturmuş, önündeki boş kadehe dalıp gitmişti. Arada sırada başını kaldırıp, karşı duvardan kendisini izleyen kocaman yüze bakıyordu. Altında, BÜYÜK BİRADER'İN GÖZÜ ÜSTÜNDE yazıyordu. Garsonlardan biri çağrılmadan gelip Winston'ın kadehine ağzına kadar Zafer Cini doldurdu, bir başka şişeyi sallaya sallaya da mantarının ucundaki emzikten birkaç damla damlattı. Karanfil rayihalı sakarin, Kestane Ağacı Kahvesi'nin spesiyalitesiydi.

Winston'ın kulağı tele-ekrandaydı. O sırada yalnızca müzik çalıyordu, ama her an Barış Bakanlığı'nın özel haber bülteni okunabilirdi. Afrika cephesinden gelen son haberler hiç de iç açıcı değildi. Sabahtan akşama kadar, orada neler olduğunu merak edip durmuştu. Bir Avrasya ordusu (Okyanusya, Avrasya'yla savaştaydı: Okyanusya, Avrasya'yla her zaman savaşta olmuştu) güneye doğru yıldırım hızıyla ilerliyordu. Öğle haberlerinde belirli bir bölgeden söz edilmemişti, ama Kongo Irmağı'nın ağzı daha şimdiden savaş yerine dönmüş olsa gerekti. Brazzaville ve Leopoldville tehlikedeydi. Bunun ne anlama geldiğini anlamak için haritaya bakmak gerekmiyordu. Sorun yalnızca Orta Afrika'nın kaybedilmesi değildi: Okyanusya toprakları koca savaşta ilk kez kaybedilme tehlikesiyle karşı karşıyaydı.

Yüreğinde, korkudan çok, belirsiz bir heyecan alevlenip söndü. Savaşı düşünmekten vazgeçti. Son günlerde kafasını belirli bir konuya uzun süre veremiyordu. Kadehini kaldırıp başına dikti. Her cin içişinde olduğu gibi içi ürperdi, hafifçe geğirdi. Berbat bir şeydi. Karanfille sakarinin kendi iğrençliği yetmiyormuş gibi, ikisi bir araya geldiğinde bile cinin yağlı, ağır kokusunu bastıramıyordu. En kötüsü de, cinin, gece gündüz içine sinmiş olan kokusunun, zihninde o şeylerin kokusuna karışmış olmasıydı.

Onların adını, düşünürken bile anmadığı gibi, elinden geldiğince gözlerinin önüne getirmemeye çalışıyordu. Onlar sanki pek ayırdında olmadığı şeylerdi, yüzünün yakınında dolanan, burnundan içeri dolan bir kokuydular. Cinin yukarı bastırmasıyla, morarmış dudakla-

324

rı arasından geğirdi. Salıverildiğinden bu yana hem şişmanlamış hem de rengi yerine gelmişti. Rengi yerine gelmiş de ne söz, yüzünün hatları dolgunlaşmış, burnu ve yanakları kan kırmızı, çıplak başı pespembe olmuştu. Yine çağrılmadan gelen bir garson, bir satranç tahtası ile, satranç probleminin bulunduğu sayfası açılmış olarak o günkü *Times* gazetesini getirdi. Winston'ın kadehinin boşalmış olduğunu görünce de, cin şişesini getirip kadehi doldurdu. Winston'ın garsonlardan bir şey istemesine gerek kalmıyordu. Alışkanlıklarını biliyorlardı. Satranç tahtası her zaman hazırdı, köşedeki masa her zaman ona ayrılıyordu; kahve tıklım tıklım dolu olsa bile, kimse ona yakın oturmak istemediğinden, masası boş oluyordu. Kaç kadeh içtiğinin hesabını bile tutmuyordu. Zaman zaman, hesap dedikleri kirli bir kâğıt parçası getiriyorlardı, ama Winston kendisinden hep az para aldıkları kanısındaydı. Gerçi hesabı şişirseler de hiçbir şey fark etmezdi. Artık cebi para görüyordu. Artık bir işi bile vardı; eski işinden daha yüksek bir ücret aldığı, üstelik hiç yorucu olmayan bir işe yerleştirilmişti.

Tele-ekrandan gelen müzik kesildi, yerini bir ses aldı. Winston başını kaldırıp dinlemeye hazırlandı. Ama cephedeki son durumla ilgili bir haber değildi. Varlık Bakanlığı'ndan yapılan kısa bir açıklamaydı. Anlaşılan, son üç ay içinde Onuncu Üç Yıllık Plan'daki ayakkabı bağı üretim hedefi yüzde doksan sekiz oranında aşılmıştı.

Gazetedeki satranç problemine bakarak taşları yerleştirdi. Atların kullanıldığı, ustaca bir oyun sonuydu. "Beyaz oynar ve iki hamlede mat eder." Winston, Büyük Birader'in portresine baktı. Gizemli bir kadercilikle, beyaz her zaman kazanır, diye geçirdi içinden. Her zaman, istisnasız, böyleydi. Şimdiye kadar hiçbir satranç probleminde siyahın kazandığı görülmemişti. Bu, İyi'nin Kötü'ye karşı sonsuza dek sürüp gidecek zaferini simgelemiyor muydu? Posterdeki kocaman yüz, dingin bir buyurganlıkla ona bakıyordu. Beyaz her zaman kazanır.

Tele-ekrandaki ses bir an durduktan sonra farklı, çok daha ciddi bir tona bürünerek ekledi: "Saat on beş otuzda yapılacak çok önemli bir açıklamayı beklemeniz için sizi uyarıyoruz. On beş otuzda! Can alıcı önemde bir haber bu. Sakın kaçırmayın. On beş otuzda!" Müzik çangır çungur yeniden başladı.

Winston'ın yüreği yerinden oynadı. Cepheden gelecek haberden söz ediliyordu; içinden gelen bir ses, haberin kötü olduğunu söylüyordu. Bütün gün canı canına sığmamış, Afrika'da büyük bir bozguna uğranılacağı düşüncesini kafasından bir türlü atamamıştı. Avrasya ordusunun, o güne kadar hiç gedik vermemiş cepheye karınca sürüsü gibi doluştuğunu, Afrika'nın burnuna doğru indiğini görür gibi olmuştu. Bir yolunu bulup neden arkadan kuşatmıyorlardı onları? Batı Afrika kıyılarının görünümü bütün ayrıntılarıyla gözlerinin önündeydi. Beyaz atı alıp tahtanın üstünde bir hamle yaptı. Oynanması gereken yer *burasıydı* işte. Siyah ordunun güneye doğru hızla ilerlediğini görürken, birden arkada gizlice toplanmış, onların karadan ve denizden tüm bağlantılarını kesen bir başka güç daha gördü. Salt hayalinde canlandırarak bu öteki gücü var ettiğini düşündü. Ama hemen harekete geçmek gerekiyordu. Eğer Afrika'nın tümünün denetimini ele geçirebilirlerse, Ümit Burnu'nda havaalanları ve denizaltı üsleri kurabilirlerse, Okyanusya ikiye bölünecekti. Bunun nasıl bir sonuç vereceği belliydi: yenilgi, bozgun, dünyanın yeniden paylaşılması, Parti'nin yok olması! İçi içini yiyordu. Karmakarışık duygular içindeydi, ama karmakarışık demek doğru değildi belki de; hangisinin en altta olduğunu bilemediği kat kat duygular yüreğinde çarpışmaktaydı.

Kasılması geçti. Beyaz atı yeniden eski yerine koydu, ama kendini bu satranç problemine verebilecek durumda değildi. Kafasında yeniden birtakım düşünceler dolanıyordu. Farkında olmadan, masanın üstündeki toz tabakasında parmağını gezdirdi:

$$2 \times 2 = 5$$

"İçine giremezler," demişti Julia. Ama adamın içine de girebiliyorlardı işte. O'Brien, "Burada başına gelenler *sonsuza dek* sürecek," demişti. Doğruydu. Bazı şeyler geri gelmiyordu, insan bir daha geriye dönemiyordu. İnsanın içinde bir şeyler ölüyor, yanıp kül oluyordu.

Julia'yı görmüştü, dahası onunla konuşmuştu bile. Artık bir tehlike yoktu bunda. Artık yaptıklarıyla nerdeyse hiç ilgilenmediklerini seziyordu. İsteseler bir kez daha buluşabilirlerdi. Aslında bir rastlantı sonucu, berbat, buz gibi bir mart günü parkta karşılaşmışlardı. Toprak kaskatı kesilmiş, çimenler kuruyup solmuştu, rüzgârla savrulmak umuduyla boy vermiş birkaç çiğdem dışında ortalıkta tek bir filiz görünmüyordu. Winston, elleri buz kesmiş, gözleri yaşarmış, hızlı hızlı yürürken birden onu görmüştü; aralarında on metre bile yoktu. O saat, Julia'nın değişmiş, örselenmiş olduğunu fark etmişti. Tam geçip gidiyorlardı ki, Winston dönmüş ve isteksizce de olsa Julia'nın ardından yürümeye başlamıştı. Hiçbir tehlike olmadığının farkındaydı, kimsenin onlarla ilgileneceği yoktu. Julia hiçbir şey söylememiş, önce Winston'dan kurtulmak istercesine çimenlere yönelmiş, ama sonra yanında yürümesine sesini çıkarmamıştı. Çok geçmeden kendilerini, gizlenmeye de, rüzgârdan korunmaya da yaramayan, yapraksız, bodur ağaçların arasında bulmuşlardı. İkisi de durmuştu. Acı bir soğuk vardı. İyice seyrelmiş çiçekler, incecik dallar arasında ıslık çalan rüzgârda titriyordu. Winston kolunu Julia'nın beline dolamıştı.

Ortalıkta tele-ekran görünmüyordu, ama gizli mikrofonlar olabilirdi; üstelik görübilirlerdi de. Ama ne fark ederdi ki, hiçbir şeyin önemi yoktu. Yere uzanabilir, canları isterse *şey* yapabilirlerdi. Winston, aklından geçen karşısında dehşete düşmüştü. Julia, kolunu belini dolamasına en küçük bir tepki göstermemiş, kolundan sıyrılmaya bile çalışmamıştı. Winston onda neyin değiştiğini artık anlamıştı. Yüzü daha bir solgundu; yüzünde, alnından şakağına kadar uzanan, saçlarının gizleyemediği bir yara izi göze çarpıyordu; ama asıl değişiklik bu değildi. Beli kalınlaşmış, tuhaf bir biçimde sertleşmişti. Winston, tam o sırada, tepkili bomba atıldıktan sonra yıkıntıların altından çekip çıkarmaya çalıştığı cesedi anımsamış, cesedin yalnızca korkunç ağırlığı karşısında değil, kaskatı kesilmiş olması karşısında da şaşkınlığa kapılmıştı. Julia'nın bedenine dokunduğunda da aynı şeyi hissetmişti. Teninin eskisinden çok farklı olabileceğini geçirmişti aklından.

Onu öpmeye kalkışmamıştı, konuşmamışlardı da. Çimenlerin üstünde yürürlerken, Julia ilk kez dönüp yüzüne bakmıştı. Bir anlık ama aşağılayıcı ve hoşnutsuz bir bakıştı bu. Bu hoşnutsuzluk sırf geçmişte olup bitenlerden mi kaynaklanıyordu, yoksa yüzünün şişliğinin ve gözlerinin rüzgârda sulanmasının da etkisi var mıydı bunda, Winston anlayamamıştı. Yan yana ama çok da yakın olmayan iki demir iskemleye oturmuşlardı. Winston, Julia'nın bir şeyler söyleyeceğini sezmişti. Julia ayağındaki kaba ayakkabıyla yerdeki ince bir dalı ezdiğinde, Winston onun ayaklarının kalınlaşmış olduğunu fark etmişti.

Julia, birden, "Sana ihanet ettim," deyivermişti.

"Sana ihanet ettim," demişti Winston da.

Julia, Winston'a bir kez daha hoşnutsuzlukla bakmıştı.

"Bazen," demişti, "seni aklının ucundan bile geçmeyecek öyle bir şeyle tehdit ediyorlar ki, dayanamıyorsun. O zaman, 'Bana yapmayın, başkasına yapın, bilmemkime yapın,' deyiveriyorsun. Sonradan, bunun yalnızca bir numara olduğuna, sırf onları durdurmak için söylediğine, aslında öyle düşünmediğine inandırabilirsin kendini. Ama öyle değil işte. O sırada bile isteye öyle söylüyorsun. Kendini kurtarmanın başka bir yolu olmadığını düşünüyorsun, kendini kurtarmaya can atıyorsun. Ötekinin başına gelmesini bal gibi *istiyorsun*. Ne acılar çekeceğini umursamıyorsun. Yalnızca kendini düşünüyorsun."

"Yalnızca kendini düşünüyorsun," diye tekrarlamıştı Winston.

"Sonra da, ötekine karşı eskiden duyduklarını duyamıyorsun artık."

"Haklısın," demişti Winston, "duyamıyorsun."

Söylenecek fazla bir şey kalmamış gibiydi. İncecik tulumları rüzgârda bedenlerine sürtünüyordu. Birden, öyle suskun oturmanın utancını duymuştu ikisi de; üstelik hava hiç kıpırdamadan oturulmayacak kadar soğuktu. Julia metroyu kaçırmaması gerektiğini mırıldanarak ayağa kalkmıştı.

"Görüşelim," demişti Winston.

"Evet," demişti Julia da, "görüşelim."

Duraksayarak da olsa, kısa bir süre Julia'nın arkasından gitmişti. Artık hiç konuşmamışlardı. Julia, ondan kurtulmaya çalışmamakla birlikte, yan yana gelmelerini önlemek için adımlarını sıklaştırmıştı. Winston, başlangıçta, ona metro istasyonuna kadar eşlik etmeye kararlıydı, ama çok geçmeden o soğukta Julia'nın ardı sıra yürümek ona saçma ve çekilmez gelmişti. Julia'yı bırakıp gitmekten çok, Kestane Ağacı Kahvesi'ne dönmek için dayanılmaz bir istek duymuştu; Kestane Ağacı Kahvesi ona hiç bu kadar çekici gelmemişti. Birden köşedeki masasını, satranç tahtasını ve bittikçe garsonun yenilediği cini özlemişti. Üstelik sıcaktı orası. Biraz sonra, aralarına birkaç kişinin girmesine belki de bilerek izin vererek geride kalmıştı. Julia'ya gönülsüzce yetişmeye çalışmış, sonra yavaşlayarak geri dönmüş, ters yönde yürümeye başlamıştı. Elli metre kadar yürüdükten sonra dönüp geriye bakmıştı. Cadde çok da kalabalık olmamasına karşın, Julia'yı seçemiyordu. Onu, koşar adım yürüyen insanlardan ayırt etmek olanaksızdı. Belki de, kaskatı kesilmiş, kalınlaşmış bedenini arkadan tanımak artık mümkün değildi.

"O sırada bile isteye öyle söylüyorsun," demişti Julia. Evet, kendisi de bile isteye öyle söylemişti. Söylemekle kalmamış, gerçekten istemişti. Kendisine değil, ona yapmalarını istemişti...

Tele-ekrandan gelen müzikte bir değişiklik oldu. Yanık, alaycı, kırık dökük bir ezgiye dönüştü. Çok geçmeden bir şarkı duyuldu; belki de şarkı söylenmiyordu, bir anı bir sese bürünmüştü belki de:

Güzelim kestane ağacının altında
Ben seni sattım, sen de beni havada

Gözleri yaşardı. Yanından geçen bir garson, kadehinin boşalmış olduğunu görünce cin şişesini alıp getirdi.

Winston kadehi burnuna götürüp kokladı. Bu berbat şey, her yudumda biraz daha tiksinçleşiyordu. Ama artık içinde yüzüyordu bu içkinin. Yaşamı, ölümü ve dirilişi olup çıkmıştı. Her gece bu cinle uyuşup kendinden geçiyor, her sabah yine onunla canlanıp kendine geliyordu. Gözleri çapak içinde, ağzı kupkuru, sırt ağrılarıyla on bire doğru uyandığında, başucunda geceden kalma cin şişesiyle çay fincanı yoksa, yerinden doğrulamıyordu bile. Öğle saatlerinde, elinde cin şişesi, donuk bakışlarla tele-ekranı dinliyordu. Saat on beşten kapanış saatine kadar da Kestane Ağacı Kahvesi'nde öylece oturuyordu. Artık ne yaptığını umursayan olmadığı gibi, onu uyandıran bir düdük sesi, tele-ekrandan gelen bir uyarı da yoktu. Arada sırada, belki haftada iki kez, Gerçek Bakanlığı'na giderek kimsenin uğramadığı, tozlu bir büroda biraz çalışıyordu; çalışmak denebilirse tabii. Yenisöylem Sözlüğü'nün On Birinci Basımı'nın hazırlanmasında karşılaşılan önemsiz sorunların çözümüyle uğraşan sayısız kuruldan birine bağlı alt-kurullardan birinin alt-kurullarından birine atanmıştı. Ara Rapor denen bir şey üzerinde çalışıyorlardı, ama neyin raporunu hazırladıkları konusunda en küçük bir fikri yoktu. Virgüllerin ayraçların içine mi, yoksa dışına mı konması gerektiği gibi bir sorunla ilgiliydi. Kurulda, hepsi de Winston'ın durumuna benzer durumlarda olan dört kişi daha vardı. Kimi günler, toplandıktan hemen sonra, yapacak hiçbir iş olmadığını görüp dağılıveriyorlardı. Ama bazı günler de, büyük bir coşkuyla çalışmaya koyuluyor, gösterişli bir rapor yazmaya başlıyor, bitmek bilmeyen notlar tutuyorlardı, ama çok geçmeden öyle çapraşık tartışmalar patlak veriyordu ki, tartışmanın ne olduğu bile anlaşılmaz hale geliyor, tanımlar üzerinde olmadık kavgalar çıkıyor, zaman zaman konudan bütünüyle uzaklaşılıyor, kavgalar tehditlere dönüşüyor, birbirlerini üst makamlara şikâyet etmekle tehdit ettikleri bile oluyordu. Sonra birden duruluveriyor, masanın çevresinde suspus oturuyor, gün ağarırken ortalıktan çekilen hayaletler gibi boş gözlerle birbirlerine bakıyorlardı.

Tele-ekranda bir sessizlik oldu. Winston yine başını kaldırıp baktı. Haber bülteni mi okunacaktı yoksa! Ama hayır, müziği değiştiriyorlardı, o kadar. Afrika haritası beynine kazınmıştı. Haritada orduların ilerleyişi görülebiliyordu: dimdik güneye inen siyah bir ok ve siyah okun ucundan yatay olarak doğuya uzanan beyaz bir ok. Onay almak istercesine, posterdeki buz gibi yüze baktı. Acaba ikinci ok hiç olmayabilir miydi?

Sonra yine kayıtsızlaştı. Cininden bir yudum daha alıp beyaz ata uzandı, ürkek bir hamle yaptı. Şah. Ama belli ki doğru hamle değildi, çünkü...

Durup dururken aklına bir anısı düştü. Mum ışığında, geniş, beyaz bir örtü kaplı bir yatağın bulunduğu bir odadaydı, dokuz on yaşlarındaydı, yerde oturmuş, zar atıyor, kahkahalarla gülüyordu. Annesi de karşısında oturuyor, o da gülüyordu.

Annesi ortadan kaybolmadan bir ay önce olsa gerekti. Açlığını bir an için unutup yatışmış, annesine olan sevgisi geçici de olsa yeniden canlanmıştı. O günü çok iyi anımsıyordu, yağmur bardaktan boşanırcasına yağıyor, camlardan sular süzülüyordu, içeride ölgün bir ışık vardı. İki kardeş, karanlık, boğucu yatak odasında sıkıntıdan patlıyordu. Winston ağlayıp sızlanıyor, yemek diye tutturuyor, odanın içinde koşturup her şeyi yere atıyordu, duvarları öyle bir tekmeliyordu ki, komşular öbür tarafından duvara vuruyorlardı; küçük kardeşi ise durmadan ağlıyordu. Sonunda, annesi, "Uslu durursan sana bir oyuncak alacağım; çok güzel bir oyuncak, bayılacaksın," demişti; sonra da o yağmurda dışarı çıkmış, hâlâ açık olan, yakınlardaki küçük bir mağazaya gitmiş, içinde Yılanlar ve Merdivenler[1] oyunu bulunan karton bir kutuyla dönmüştü. Winston nemli kartonun kokusunu hâlâ anımsıyordu. Eski püskü bir şeydi. Oyun tahtası delik deşikti, minik tahta zarlar o kadar kötü kesilmişti ki, tahtanın üstünde yamuk duruyordu. Winston suratını asmış, oralı olmamıştı. Bunun üzerine annesi bir mum yakmış, birlikte yere oturup oynamaya başlamışlardı.

1. Zarla oynanan bir masaüstü oyunu. Oyun tahtasının bazı yerlerindeki Merdivenler birkaç kare yukarıya gitmeyi sağlarken, Yılanlar aşağıya düşmeye yol açar. Oyunun amacı, son kareye kadar ilerlemektir. Son kareye ilk ulaşan, oyunu kazanır. (Ç.N.)

Çok geçmeden, oyun tahtasının üstündeki karelerde merdivenleri tırmanır, sonra yılanlardan aşağıya, başlangıç noktasına inerken, Winston çılgınlar gibi eğlenmeye, kahkahalar atmaya başlamıştı. Sekiz oyun oynamışlar, dördünü Winston, dördünü annesi kazanmıştı. Oyunu anlayamayacak kadar küçük olan kız kardeşi ise, bir mindere yaslanarak oturmuş, onlara bakarak kıkır kıkır gülmüştü. Tıpkı küçüklüğündeki gibi, hep birlikte mutlu bir öğleden sonra yaşamışlardı.

Winston bu sahneyi zihninden silip attı. Yanlış bir anıydı. Yanlış anılar zaman zaman başını ağrıtıyordu. İnsan onların aslında ne olduklarını bildiği sürece önemleri yoktu. Bazı şeyler olmuştu, bazı şeyler olmamıştı. Yeniden satranç tahtasına yöneldi ve bir kez daha beyaz atı eline aldı. At birden tak diye satranç tahtasının üstüne düştü. Winston iğne batırılmış gibi yerinden sıçradı.

Tiz bir borazan sesi duyulmuştu. Haber bülteni geliyordu işte! Zafer kazanılmıştı! Haberlerden ne zaman borazan çalınsa, zafer kazanılmış demekti. Kahvede bir heyecan dalgası esti. Garsonlar bile irkilip kulak kesilmişlerdi.

Borazan sesi kahvenin içinde çınlamıştı. Tele-ekranda coşkulu bir ses hızlı hızlı anlatmaya başlamış, ama çok geçmeden dışarıdaki gösteriden gelen bağırtılar baskın çıkmıştı. Haber sokaklarda yıldırım gibi yayılmıştı. Winston'ın tele-ekrandan duyabildiği kadarı bile, öngörüsünün tümüyle gerçekleştiğini anlamasına yetmişti: Gizlice büyük bir donanma kurulmuş, düşmanın gerisine ani bir darbe indirilmiş, beyaz ok siyah oku yarıp geçmişti. Bağrışmaların arasından kesik kesik zafer haykırışları duyuluyordu: "Muhteşem stratejik manevra... Kusursuz eşgüdüm... Tam bir bozgun... Yarım milyon tutsak... Büyük bir moral çöküntüsü... Tüm Afrika'yı ele geçirdik... Savaşın sonunu getirin artık... Zafer... İnsanlık tarihinin en büyük zaferi... Zafer, zafer, zafer!"

Winston'ın bacakları masanın altında zangır zangır titriyordu. Yerinden kalkmamıştı, ama zihninin içinde dışarıdaki kalabalığa karışmış, koşuyor, yeri göğü inleterek var gücüyle koşuyordu. Başını kaldırıp yeniden Büyük Birader'in posterine baktı. Tüm dünyayı ezip geçen bir dev! Asyalı sürülerin çarpıp paramparça oldukları bir kaya! Daha on dakika öncesine kadar –evet, yalnızca on dakika öncesine kadar– cepheden zafer haberi mi, yoksa bozgun haberi mi geleceği konusunda hâlâ ikircikli olduğunu düşündü. Ah, Avrasya ordusunun yok olup gitmesinden çok öte bir olaydı bu! Sevgi Bakanlığı'ndaki o ilk günden bu yana içinde büyük değişiklikler olmuştu, ama kesin, onsuz edilemez, sağaltıcı değişim şimdi gerçekleşmişti işte.

Tele-ekrandan gelen ses hâlâ tutsaklardan, savaş ganimetlerinden, kıyımlardan söz edip duruyordu, ama dışarıdaki bağırtılar biraz azalmıştı. Garsonlar yeniden işlerinin başına dönüyorlardı. İçlerinden biri elinde cin şişesiyle yanına geldi. Mutlu düşlere dalmış olan Winston, kadehinin dolduruluşuna aldırmadı bile. Artık ne koşuyor ne de yeri göğü inletiyordu. Yeniden Sevgi Bakanlığı'ndaydı, her şey bağışlanmıştı, ruhu arınıp ak pak olmuştu. Halk mahkemesinin huzurundaydı, her şeyi itiraf ediyor, herkesi ele veriyordu. Beyaz fayans döşeli koridorda, arkasında silahlı bir muhafız, gün ışığında yürür gibi yürüyordu. Nicedir beklediği kurşun beynine saplanıyordu.

Başını kaldırıp o kocaman yüze baktı. O siyah bıyığın ardına gizlenen gülümseyişin anlamını kavraması kırk yılını almıştı. Ah, o acımasız, boş aldanışlar! Ah, o sevecen kucaktan dik kafalı, bile isteye kaçışlar! Yanaklarından cin kokulu iki damla gözyaşı süzüldü. Ama artık her şey yoluna girmişti, mücadele sona ermişti. Sonunda kendine karşı zafere ulaşmıştı. Büyük Birader'i çok seviyordu.

Ek

Yenisöylem kuralları

Yenisöylem, Okyanusya'nın resmî diliydi ve İngsos ya da İngiliz Sosyalizmi'nin ideolojik gereksinimlerini karşılamak amacıyla oluşturulmuştu. 1984 yılında, Yenisöylem'i, konuşurken ya da yazarken biricik iletişim aracı olarak kullanan tek bir kişi bile yoktu. *Times* gazetesinin önemli makaleleri Yenisöylem'le yazılmakla birlikte, bu ancak bir uzmanın gerçekleştirebileceği bir *beceri gösterisi* olmaktan öteye gitmiyordu. Yenisöylem'in en geç 2050 yılına kadar Eskisöylem'in (daha doğrusu, herkesçe benimsenmiş olan İngilizcenin) yerini alması bekleniyordu. Bu arada, Yenisöylem, tüm Parti üyelerinin günlük konuşmalarında Yenisöylem sözcükleri ve sözdizimlerini giderek daha fazla kullanmaları sonucunda gittikçe gelişiyordu. Yenisöylem'in 1984'te kullanımda olan ve Yenisöylem Sözlüğü'nün Dokuzuncu ve Onuncu Basımlarında yer alan biçimi geçiciydi ve sonradan çıkarılması tasarlanan pek çok gereksiz sözcük ve köhnemiş yapılanış içeriyordu. Biz burada, Yenisöylem'in, Sözlüğün On Birinci Basımı'ndaki en son, yetkinleştirilmiş biçimini ele alıyoruz.

Yenisöylem'in amacı, yalnızca İngsos'un sadık izleyicilerinin dünya görüşü ve düşünsel alışkanlıklarına uygun düşecek bir anlatım ortamı sağlamak değil, aynı zamanda bütün öteki düşünce biçimlerini olanaksız kılmaktı. Yenisöylem tümden benimsendiği ve Eskisöylem tümden unutulduğu zaman, her türlü sapkın düşüncenin –yani İngsos ilkelerinden sapan her türlü düşüncenin– olanaksızlaşması amaçlanıyordu, çünkü insanlar sözcüklerle düşünüyorlardı. Yenisöylem'in sözdağarcığı, bir Parti üyesinin dile getirmek isteyebileceği her anlamı tümüyle doğru ve çoğu zaman da çok ustaca karşılayacak, buna karşılık tüm öteki anlamları ve onlara dolaylı yöntemlerle ulaşma olasılığını ortadan kaldıracak biçimde oluşturulmuştu. Bu, bir ölçüde yeni sözcükler icat ederek, ama daha çok, istenmeyen sözcükleri ayıklayarak ya da bu tür sözcükleri sapkın anlamları ve her türlü ikincil anlamından elden geldiğince arındırarak yapılmıştı. Tek bir örnek vermek gerekirse: *Özgür* sözcüğü Yenisöylem'den çıkarılmış değildi, ama ancak "Sokağa çıkmakta özgürsün" ya da "Ormanda özgürce gezebilirsin" gibi deyişlerde kullanılabiliyordu. Eskiden olduğu gibi "siyasal özgürlük" ya da "düşünsel özgürlük" anlamında kullanılamıyordu, çünkü siyasal ve düşünsel özgürlük artık birer kavram olarak bile kayıplara karışmış, dolayısıyla da adlandırılmasına gerek kalmamıştı. Egemen öğretiden sapan sözcüklerin kaldırılması dışında, sözcük sayısını azaltmak başlı başına bir amaç olarak görülüyor ve vazgeçilebilecek hiçbir sözcük yaşatılmıyordu. Yenisöylem, düşünce ufkunu genişletecek biçimde değil, *daraltacak* biçimde düzenlenmişti; kaldı ki, sözcük seçiminin en aza indirilmesi de dolaylı olarak bu amaca hizmet ediyordu.

Yenisöylem bugün bildiğimiz İngiliz diline dayanmakla birlikte, günümüzde İngilizce konuşan biri yeni icat edilmiş sözcükler içermeyen pek çok Yenisöylem tümcesini bile anlamakta güçlük çekiyordu. Yenisöylem sözcükleri, A sözdağarcığı, B sözdağarcığı (bileşik sözcükler de deniyordu) ve C sözdağarcığı diye üç sınıflamaya ayrılıyordu. Her sınıflamayı ayrı olarak incelemek daha kolay olacaktır, ama üç sınıflama için de aynı kurallar geçerli olduğundan, Yenisöylem'in dilbilgisel özellikleri A sözdağarcığına ayrılan bölümde ele alınacaktır.

A sözdağarcığı: A sözdağarcığı, yemek, içmek, çalışmak, giyinmek, merdiveni çıkmak ve merdivenden inmek, araba sürmek, bahçeyi düzenlemek, yemek pişirmek gibi, günlük yaşamda gerekli olan sözcüklerden oluşuyordu. Var olan sözcüklerin nerdeyse tümü –*vurmak, koşmak, köpek, ağaç, şeker, ev, çayır* gibi sözcükler– A sözdağarcığında da vardı; ama günümüz İngilizcesinin sözdağarcığıyla kıyaslandığında sayıları çok daha az olduğu gibi, anlamları da çok daha katı bir biçimde tanımlanmıştı. Tüm belirsizlikler ve anlam ayırtıları giderilmişti. Bu sınıflamaya giren Yenisöylem sözcükleri, olabildiği kadarıyla, açık seçik anlaşılan *tek bir* kavramı dile getiren kısa, kesin, vurgulu bir sesten oluşuyordu. A sözdağarcığını edebiyatta ya da siyaset ve felsefe tartışmalarında kullanmak olanaklı değildi. Genellikle somut nesneleri ya da bedensel eylemleri belirten basit, dolambaçsız düşünceleri dile getirmek üzere düzenlenmişti.

Yenisöylem dilbilgisinin iki önemli özelliği vardı. Bunlardan birincisi, söylenen sözün farklı bölümlerinin birbirinin yerini alabilmesiydi. Dildeki her sözcük (bu, ilke olarak, *eğer* ya da *-iken* gibi çok soyut sözcükler için bile geçerliydi) eylem, ad, sıfat ya da belirteç[1] olarak kullanılabiliyordu. Aynı kökten geldikleri sürece, eylem ile arasında hiçbir değişkenlik yoktu; bu kural, kendiliğinden, pek çok eski oluşum biçiminin ortadan kalkmasını sağlıyordu. Örneğin, Yenisöylem'de *düşünce* sözcüğü

---

1. Burada "eylem"i "fiil"in karşılığı olarak, "belirteç"i de "zarf"ın karşılığı olarak kullandım. (Ç.N.)

yoktu. Onun yerini, hem ad hem de eylem işlevi gören *düşün* sözcüğü almıştı. Burada kökenbilimin hiçbir kuralı gözetilmiyordu; bazı durumlarda özgün ad, bazı durumlarda da eylem kullanılabiliyordu. Yakın anlamlı bir ad ile eylemin birbiriyle köken bakımdan bağıntılı olmadığı durumlarda bile, çoğu zaman ikisinden biri ayıklanıyordu. Örneğin, *kesmek* diye bir sözcük yoktu, *bıçak* ad-eylemi onun anlamını yeterince karşılıyordu. Sıfatlar, ad-eylemlere *-lu* soneki, belirteçlere de *-la* soneki getirilerek oluşturuluyordu. Örneğin, *çabukluklu* "hızlı" anlamına, *çabuklukla* da "hızla" anlamına geliyordu. Günümüzdeki *iyi, güçlü, büyük, siyah, yumuşak* gibi sıfatlar hiç kuşkusuz korunmuştu, ama çok azalmıştı. Onlara pek gereksinim kalmamıştı, çünkü ad-eyleme *-li* eklenerek sıfat anlamı elde edilebiliyordu. Zaten *-la* ile biten pek azı dışında, bugün var olan belirteçlerin hiçbiri korunmamıştı: *-la* çekim eki değişmezdi. Örneğin, *pekâlâ* sözcüğünün yerini *iyilikle* sözcüğü almıştı.

Ayrıca, herhangi bir sözcük —bu da ilke olarak dildeki her sözcüğe uygulanıyordu— sonuna *-sız* eki getirilerek olumsuzlanabiliyor ya da *artı-* öneki eklenerek güçlendirilebiliyor, daha da güçlü bir vurgu yapmak isteniyorsa önüne *çiftartı-* eki getiriliyordu. Böylece, örneğin, *soğuksuz* sözcüğü "sıcak" anlamına gelirken, *artısoğuk* "çok soğuk", *çiftartısoğuk* da "aşırı soğuk" demek oluyordu. Aynı zamanda, günümüz İngilizcesinde olduğu gibi, *ön-, -artı, -yukarı, -aşağı* gibi önekler getirerek hemen her sözcüğün anlamını değiştirmek olanaklıydı. Bu tür yöntemlerle sözdağarcığının çok büyük ölçüde daraltılabileceği anlaşılmıştı. Örneğin, *iyi* sözcüğü varken *kötü* diye bir sözcüğe gerek yoktu, çünkü *iyisiz* sözcüğü istenen anlamı aynı ölçüde, hatta daha iyi veriyordu. Karşıt anlamlı iki sözcük söz konusu olduğunda, tek yapılması gereken, hangisinin kaldırılacağına karar vermekti. Sözgelimi, isteğe göre, *karanlık* sözcüğünün yerini *ışıksız* sözcüğü ya da *aydınlık* sözcüğünün yerini *karanlıksız* sözcüğü alabilirdi.

Yenisöylem dilbilgisinin ikinci önemli özelliği, olağanüstü kuralcı olmasıydı. Bazı ayrıksı örnekler dışında, tüm çekimler aynı kurallara bağlıydı. Örnekse, tüm eylemlerde, geçmiş zaman çekimi aynıydı ve *-di (-dı)* ile sonlanıyordu. *Çalmak*'ın geçmiş zaman çekimi *çaldı*, *düşünmek*'in ise *düşündü* idi; bu kurala uymayan tüm çekimler kaldırılmıştı. Tüm çoğul sözcükler, sonlarına *-ler* ya da *-lar* eki getirilerek oluşturuluyordu. Sözgelimi, *âsâr* sözcüğü yalnızca *eserler* olarak kullanılıyordu. Karşılaştırma sıfatları, sonlarına ek getirilerek oluşturuluyordu; belirli bir kurala bağlanmayan ve *daha iyi, çok iyi, en iyi* gibi biçimler kaldırılmıştı.

Çekimi kuraldışı olarak yapılabilen sözcük sınıfları yalnızca adıllar[1], ilgi adılları[2], gösterme sıfatları[3] ve yardımcı eylemlerdi[4]. Kimi ayrıksı örnekler dışında, bunların hepsinin eski kullanımları korunmuştu. Ayrıca, sözcüklerin oluşturulmasında, hızlı ve kolay konuşma gereksiniminden kaynaklanan bazı kuraldışılıklar söz konusuydu. Söylenmesi zor ya da yanlış anlaşılmaya yatkın bir sözcük, sırf bu nedenle kötü sözcük sayılıyordu; o yüzden, zaman zaman, akışmayı[5] sağlamak için ya sözcüğe fazladan harfler ekleniyor ya da eski biçimine dokunulmuyordu. Ama bu gereksinim kendini daha çok B sözdağarcığında gösteriyordu. Söyleyiş kolaylığına *neden* bu

1. Zamir. (Ç.N.)
2. Nispet zamiri. (Ç.N.)
3. İşaret sıfatı. (Ç.N.)
4. Yardımcı fiil. (Ç.N.)
5. Kulağa hoş gelen ya da söylenmesi kolay olan seslerin birbirine eklenmesi; ses uyumu. (Ç.N.)

kadar büyük bir önem verildiğini ileride açıklayacağız.

B sözdağarcığı: B sözdağarcığı, özellikle siyasal amaçlarla oluşturulmuş sözcükleri, yani yalnızca siyasal göndermeler taşımakla kalmayan, aynı zamanda onları kullanan kişiye istenen düşünsel tutumu dayatmayı amaçlayan sözcükleri kapsıyordu. İngsos ilkelerini iyice kavramadan bu sözcükleri doğru olarak kullanmak güçtü. Bunlar kimi durumlarda Eskisöylem'e, hatta A sözdağarcığından alınmış sözcüklere bile çevrilebiliyordu, ama bu genellikle uzun bir açıklamayı gerektiriyor, söylenmek istenen düşüncede belirli bir anlam kaybına yol açıyordu. B dağarcığındaki sözcükler, çoğu zaman bir düşünce akışını birkaç hecede toplayan, aynı zamanda alışılmış dilden daha şaşmaz ve etkili olan bir tür sözel stenoydu.

B dağarcığındaki sözcüklerin hepsi bileşik sözcüklerdi.[1] Kolay söylenebilecek bir biçimde birleştirilmiş iki ya da daha çok sözcükten ya da sözcük parçalarından oluşuyorlardı. Sonuçta ortaya çıkan karışım, çekimi bildik kurallara göre yapılan bir ad-eylem oluyordu. Tek bir örnek vermek gerekirse: *İyidüşünüş* sözcüğü kabaca "öğretiye bağlılık" ya da eylem olarak kullanılacaksa "öğretiye bağlı bir biçimde düşünmek" anlamına geliyordu. Bunun çekimleri de şöyle oluyordu: ad-eylem, *iyidüşünüş*; geçmiş zaman ve geçmiş zaman sıfat eylemi, *iyidüşünüldü*; şimdiki zaman sıfat eylemi, *iyidüşünüyor*; sıfat, *iyidüşünlü*; belirteç, *iyidüşünle*; eylemsi ad, *iyidüşünür*.

B dağarcığındaki sözcükler belirli bir kökenden türetilmiyordu. Bu sözcüklerin oluşturulduğu sözcükler söylenen sözün herhangi bir bölümü olabiliyor, herhangi bir sıradüzende kullanılabiliyor ve söylenişlerini kolay-

---

1. Söyleyaz gibi bileşik sözcükler hiç kuşkusuz A sözdağarcığında da bulunuyordu, ama bunlar yalnızca kullanışlı kısaltmalardı, özellikle ideolojik bir yanları yoktu. (Yazarın notu.)

laştıracak herhangi bir biçimde değiştirilip bozulabiliyordu. Örneğin, *düşün*, *suçdüşün* (düşüncesuçu) sözcüğünde sona, *düşünpol* (Düşünce Polisi) sözcüğünde ise başa geliyordu; ikinci sözcük *polisi*'nin de yalnızca ilk hecesi kalıyordu. Akışmayı, ses uyumunu sağlamak daha güç olduğundan, B sözdağarcığındaki kuralsız oluşumlar A sözdağarcığındakinden daha yaygındı. Örneğin, *Gerbak*, *Barbak* ve *Sevbak*, Gerçek Bakanlığı, Barış Bakanlığı ve Sevgi Bakanlığı'nın söylenişlerini kolaylaştıran kısaltılmış biçimleriydi. B dağarcığındaki tüm sözcüklerin sonekleri ve kökleri aynı biçimde değişebiliyordu.

B dağarcığındaki sözcüklerin anlamları, bu dilde yetkinleşmemiş birinin anlayamayacağı kadar inceltilmişti. Örneğin, *Times* gazetesinin başyazılarından birindeki bir tümceyi alalım: *Eskidüşünürler İngsos ruhduymaz*. Bunu Eskisöylem'e kestirmeden şöyle aktarabiliriz: "Düşünceleri Devrim'den önce oluşmuş olanlar, İngiliz Sosyalizmi'nin ilkelerinin ruhunu tam anlamıyla kavrayamazlar." Ama bu yeterli bir çeviri değildir. Bir kere, yukarıda alıntılanan Yenisöylem tümcesini tam anlamıyla kavrayabilmek için, *İngsos*'un ne demek olduğunu açık seçik bilmek gerekir. Ayrıca, bugün hayal bile edilemeyecek, körü körüne, canı gönülden bir kabulleniş anıştıran *ruhduyum* sözcüğünün ya da kötücüllük ve çürümüşlük kavramlarıyla bütünleşmiş olan *eskidüşün* sözcüğünün gerçek gücünü, ancak İngsos'u derinliğine kavramış biri anlayabilir. Ama *eskidüşün* gibi bazı Yenisöylem sözcüklerinin asıl işlevi, anlamları yansıtmaktan çok, anlamları yok etmekti. Sayıları ister istemez az olan bu sözcüklerin anlamları, tek bir kapsayıcı terimle bir yığın sözcüğü içerecek kadar genişletilmiş, böylece pek çok sözcük geçersiz kılınıp unutulmuştu. Yenisöylem Sözlüğü'nü hazırlayanların karşısına dikilen en büyük güçlük, yeni sözcükler uydurmak değil, yeni uydurulan sözcüklerin ne anlama geldiğini, başka bir deyişle kaç sözcüğü geçersiz kıldığını belirleyebilmekti.

Daha önce *özgür* sözcüğünde de gördüğümüz gibi, bir zamanlar sapkın anlamlar taşıyan sözcükler bazen kolaylık kaygısıyla korunuyor, ama istenmeyen anlamlarından arındırılıyordu. *Onur, adalet, ahlak, enternasyonalizm, demokrasi, bilim* ve *din* gibi sayısız sözcük yok olup gitmişti. Birkaç kapsayıcı sözcük onları içine almış, içine alırken de ortadan kaldırmıştı. Örneğin, özgürlük ve eşitlik kavramları çevresinde kümelenen tüm sözcükler tek bir *suçdüşün* sözcüğüyle, nesnellik ve akılcılık kavramları çevresinde kümelenen tüm sözcükler de tek bir *eskidüşün* sözcüğüyle kapsanıyordu. Sözcüklerin daha açık ve kesin olması tehlikeliydi. Bir Parti üyesinden beklenen, pek fazla bir şey bilmeden kendi kavmi dışındaki tüm kavimlerin "sahte tanrılar"a tapındığına inanan bir ilkçağ İbranisine benzemesiydi. İlkçağ İbranisinin o tanrıların adlarının Baal[1], Osiris[2], Molek[3] ya da Astarte[4] olduğunu bilmesi gerekmezdi; herhalde onları ne denli az bilirse, bağnazlığı o ölçüde sağlamlaşırdı. O, Yehova'yı[5] ve Yehova'nın emirlerini bilirdi: dolayısıyla da, başka adları ya da sıfatları olan tüm tanrıların sahte olduğunu. Parti üyesi de, doğru davranışın ne olduğunu bildiği gibi, doğru tutumdan ayrılmanın hangi yollardan mümkün

1. İlkçağ'da birçok Ortadoğu toplumunda tapınılan tanrı. Kenanlılar arasında bereket tanrısı olarak büyük önem taşırdı. (Ç.N.)

2. Eski Mısır'ın en önemli tanrılarından. M.Ö. 2400 dolayında, hem bereket tanrısı hem de ölen firavunun kişileştirilmiş simgesi olarak ikili bir işlev taşıyordu. (Ç.N.)

3. İlkçağ'da Ortadoğu'nun pek çok bölgesinde kendisine çocuk kurban edilen tanrı. (Ç.N.)

4. Mezopotamya dininde savaş ve cinsel aşk tanrıçası. Batı Samilerde Astarte, Akad dilinde İştar, Sümer dilinde İnanna. (Ç.N.)

5. Yahudilik'te, Tanrı'nın Hz. Musa'ya vahyettiği özel adı. (Ç.N.)

olduğunu da çok genel olarak, belli belirsiz biliyordu. Örneğin, tüm cinsel yaşamı iki Yenisöylem sözcüğüyle, *sekssuç* (cinsel ahlaksızlık) ve *iyiseks* (iffet) ile düzenleniyordu. *Sekssuç*, tüm cinsel ahlaksızlıkları kapsıyordu. Zinayı, eşcinsellik ve öteki sapıklıkları kapsadığı gibi, yalnızca zevk için girilen normal cinsel ilişkiyi de içeriyordu. Bunların hepsi de aynı ölçüde suç sayıldığından, cezası da idam olduğundan, hepsini ayrı ayrı adlandırmaya gerek yoktu. Bilimsel ve teknik sözcüklerden oluşan C sözdağarcığında, bazı cinsel sapkınlıklara özel adlar vermek gerekebilirdi, ama sıradan yurttaşın bunlara gereksinimi yoktu. Sıradan yurttaş, *iyiseks*'in ne anlama geldiğini biliyordu; *iyiseks*, karıkocanın sırf çocuk yapmak amacıyla girdiği ve kadının bedensel zevk almasının söz konusu olmadığı normal cinsel ilişkiydi; bunun dışında kalan her türlü cinsel ilişki *sekssuç*'tu. Yenisöylem'de, sapkın bir düşüncenin, *sapkın olduğunu* kabullenmenin ötesinde izini sürmek pek mümkün değildi: Bunun için gerekli sözcükler yoktu.

B sözdağarcığında, ideolojik bakımdan yansız olan tek bir sözcük bulunmuyordu. Pek çoğu örtmeceli[1] sözcüklerdi. Örneğin, *keyifkamp* (zorunlu çalışma kampı) ya da *Barbak* (Barış Bakanlığı, yani Savaş Bakanlığı) gibi sözcükler, görünürdeki anlamının nerdeyse tam karşıtı bir anlam taşıyordu. Buna karşılık, kimi sözcükler de Okyanusya toplumunun gerçek yüzünü su götürmez bir biçimde, apaçık ortaya koyuyordu. Örneğin, Parti'nin proleter kitlelere dağıttığı süprüntü yayınlara ve sunduğu asılsız haberlere *prolbesi* deniyordu. Bir de, Parti için kullanıldığında "iyi"yi, düşmanlar için kullanıldığında "kötü"yü çağrıştıran belirsiz sözcükler vardı. Ayrıca, ilk

---

1. Dolaysız biçimde söylenmesi uygun görülmeyen bir olguyu örterek dolaylı yoldan, hafifleterek ya da karşıt anlam vererek anlatmak. (Ç.N.)

bakışta yalnızca birer kısaltma gibi görünmekle birlikte, ideolojik niteliklerini anlamlarından değil de yapılarından alan pek çok sözcük bulunuyordu.

Anlaşıldığı kadarıyla, herhangi bir siyasal anlamı olan ya da olabilecek her şey B sözdağarcığına alınmıştı. Her örgüt ya da topluluk, öğreti, ülke, kurum ya da kamu yapısının adı, türetildiği kök korunarak, en az heceyle kolayca söylenebilecek tek bir sözcüğe indirgenmişti. Örneğin, Gerçek Bakanlığı'nda Winston Smith'in çalıştığı Arşiv Dairesi'ne *Arda*, Kurgu Dairesi'ne *Kurda*, Televizyon Programları Dairesi'ne de *Telda* deniyordu. Burada amaç, yalnızca zaman kazanmak değildi. Yirminci yüzyılın ilk otuz kırk yılında bile kısaltılmış sözcük ve deyimler siyasal dilin belirleyici özelliklerinden biri olmuş ve bu tür kısaltmaların en çok totaliter ülkeler ve totaliter örgütlerde kullanıldığı görülmüştü. Örnekse, *Nazi, Gestapo, Komintern, Inprecor*[1], *Ajitprop*[2] gibi sözcükler. Bu uygulama ilk başlarda içgüdüsel bir biçimde benimsenmişse de, Yenisöylem'de bilinçli bir amaçla kullanılıyordu. Bir adı böyle kısaltmakla, yapabileceği çağrışımların çoğunun önü kesilerek, anlamının daraltılıp ustaca değiştirilebildiğinin farkına varılmıştı. Örneğin, *Komünist Enternasyonal* sözcükleri, insanlığın evrensel kardeşliği, kızıl bayraklar, barikatlar, Karl Marx ve Paris Komünü'nün iç içe geçtiği bir görünümü çağrıştırır. Oysa *Komintern* sözcüğü, yalnızca sağlam yapılı bir örgütü ve açık seçik tanımlanmış bir öğreti birliğini akla getirir. Nerdeyse bir iskemle ya da masa kadar tanıması

---

1. Dördüncü Enternasyonal tarafından yayımlanan aylık Marksist dergi. Adı, derginin dünyanın dört bir yanındaki devrimcilerin makaleleri ve mektuplarını çevirip yayımladığı anlamında, *International Press Correspondance* (Uluslararası Basın Yazışmaları) sözcüklerinin ilk hecelerinin birleştirilmesinden oluşur. (Ç.N.)

2. Ajitasyon ve propaganda. (Ç.N.)

kolay ve amacı sınırlı bir şeye gönderme yapar. *Komintern*'in nerdeyse fazla düşünülmeden söylenebilecek bir sözcük olmasına karşılık, *Komünist Enternasyonal* insanı hiç değilse bir an düşündüren bir deyimdir. *Gerbak* gibi bir sözcüğün çağrıştırdıkları da, *Gerçek Bakanlığı*'nın çağrıştırdıklarından hem daha az hem de daha denetlenebilirdir. Bu da, yalnızca her fırsatta kısaltmaya gidilmesini değil, her sözcüğün kolayca söylenebilmesine nerdeyse aşırı bir özen gösterilmesini de açıklamaktadır.

Yenisöylem'de, anlam şaşmazlığı dışında en çok söyleniş kolaylığına önem veriliyordu. Gerekli görüldüğünde, dilbilgisi kuralları söyleniş kolaylığına her zaman feda ediliyordu. Doğruydu da, çünkü istenen, her şeyden önce de siyasal kaygılarla istenen, çabucak söyleniveren ve konuşanın zihninde en az yankı uyandıran, yanlış anlaşılmaya yer bırakmayacak kısaltılmış sözcüklerdi. B sözdağarcığındaki sözcükler, hemen hepsinin birbirine çok benzemesinden güç bile alıyordu. Bu sözcüklerin hemen hepsi –*iyidüşün, Barbak, prolbesi, sekssuç, keyifkamp, İngsos, ruhduyum, düşünpol* ve daha pek çoğu– vurgunun ilk hece ile son hece arasında eşit olarak bölüşüldüğü, iki ya da üç heceli sözcüklerdi. Bu sözcüklerle konuşulduğunda, kısa, kesik, tekdüze seslerle hızlı hızlı konuşulabiliyordu. İstenen de tam olarak buydu. Amaç, konuşmayı, özellikle ideolojik bakımdan yansız olmayan konulardaki konuşmayı elden geldiğince bilinçten bağımsız kılmaktı. Günlük konuşmada, bir şey söylemeden önce düşünmek, her zaman olmasa da bazen, hiç kuşkusuz gerekliydi; ama siyasal ya da ahlaksal bir konuda görüş bildirmesi istenen bir Parti üyesi, doğru düşünceleri kurşun yağdıran bir makineli tüfek gibi yağdırmalıydı. Dil, aslında buna yatkın bir biçimde yetiştirilmiş olan Parti üyesine kusursuz bir araç sağlıyordu; sert seslerden oluşan ve İngsos'un ruhuna uygun olarak bile bile çirkinleştirilmiş sözcüklerin yapısı da bu işi iyice kolaylaştırıyordu.

Seçilebilecek pek az sözcük olması da bir başka kolaylaştırıcı etkendi. Yenisöylem'in sözdağarcığı bizimkinden yoksul olduğu gibi, durmadan daha da yoksullaştırmanın yeni yolları bulunuyordu. Aslında, Yenisöylem, sözdağarcığının her yıl genişleyeceğine gittikçe yoksullaşmasıyla, nerdeyse bütün öteki dillerden ayrılıyordu. Her eksiltme bir kazançtı, çünkü seçim alanı ne kadar daralırsa, insanların düşünmenin ayartısına kapılma olasılığı da o ölçüde azalırdı. Sonuç olarak, söylenen sözün, beynin üst bölgelerini işe karıştırmadan, gırtlaktan çıkması bekleniyordu. Yenisöylem'de, "ördek gibi vaklamak" anlamına gelen *ördeksöylem* sözcüğü de açıkça bunu gösteriyordu. B sözdağarcığındaki pek çok sözcük gibi *ördeksöylem*'in de esnek bir anlamı vardı. Ördek gibi vaklayarak dile getirilen görüş öğretiye bağnazca bağlıysa, *ördeksöylem* övücü bir nitelik taşıyordu; *Times* gazetesinde Parti'nin hatiplerinden birinden *çiftartıyi ördeksöylemci* diye söz edilmesi, yüceltmek, göklere çıkarmak demekti.

C *sözdağarcığı*: C sözdağarcığı, bütünleyici bir nitelik taşıyor ve tümüyle bilimsel ve teknik terimlerden oluşuyordu. Bunlar bugün kullanılmakta olan bilimsel terimlere benziyordu ve aynı köklerden türetilmişti, ama öteki sözcükler gibi bu terimlerin de katı bir biçimde tanımlanmasına ve istenmeyen anlamlardan arındırılmasına özen gösterilmişti. Öteki iki sözdağarcığında bulunan sözcüklerdeki dilbilgisi kuralları bunlar için de geçerliydi. Günlük konuşmalarda ya da siyasal söylevlerde C sözdağarcığındaki sözcüklerin pek azı kullanılıyordu. Bilim alanında çalışan biri ya da bir teknisyen, kendi uzmanlık alanıyla ilgili listede gereksindiği tüm sözcükleri bulabiliyor, ama öteki listelerde yer alan sözcüklerle ilgili ancak yüzeysel bir bilgi edinebiliyordu. Listelerin hepsinde birden yer alan sözcüklerin sayısı pek azdı; bilimin belirli dalları şöyle dursun, zihinsel bir çalışma ya da düşünme yöntemi olarak bilimin işlevini dile getiren bir sözdağarcığı bile yoktu. Aslında, "bilim"i karşılayan tek bir sözcük yoktu; bilimin taşıyabileceği her türlü anlam, *İngsos* sözcüğüyle yeterince karşılanıyordu.

Buraya kadar anlatılanlardan, Yenisöylem'de, öğretiye bağnazca bağlı olmayan düşüncelerin doğru dürüst dile getirilmesinin hemen hemen olanaksız olduğu anlaşılmıştır. Hiç kuşku yok ki, sapkın düşünceleri çok kaba bir biçimde, bir küfür gibi dile getirmek mümkündü. Örneğin, *Büyük Birader iyisizdir* denebilirdi. Ama bağnaz birinin saçma bulacağı bu sözü mantıklı bir açıklamayla doğrulamak olanaksızdı, çünkü bunun için gerekli sözcükler yoktu. İngsos'a aykırı düşünceler kafalarda ancak sözcüklerden yoksun bir biçimde belli belirsiz canlandırılabilir ve ancak bir sürü sapkın düşünceyi tanımlamaksızın bir araya toplayıp geçersiz kılan çok geniş kapsamlı deyimlerle adlandırılabilirdi. Aslında, Yenisöylem'i öğretiye körü körüne bağlı olmayan amaçlarla kullanmak, ancak sözcüklerden bazılarını mantıksız bir biçimde yeniden Eskisöylem'e çevirerek mümkündü. Örneğin, Yenisöylem'de *Bütün insanlar eşittir* demek, Eskisöylem'de *Bütün insanlar kızıl saçlıdır* demek gibi bir şeydi. Burada dilbilgisi açısından bir yanlış yoktu, ama tümcenin gerçekdışı olduğu açıktı, insanların hepsinin aynı boyda, aynı ağırlıkta ya da aynı güçte oldukları söyleniyordu. Artık siyasal eşitlik diye bir kavram yoktu, *eşit* sözcüğünün bu ikincil anlamı silinip atılmıştı. 1984 yılında, gündelik iletişimde hâlâ Eskisöylem kullanıldığından, insanların Yenisöylem sözcüklerini kullanırken onların asıl anlamlarını anımsayabilmeleri tehlikesi söz konusuydu. Gerçi *çiftdüşün* tekniğinde ustalaşmış biri bundan kolayca kaçınabilirdi, ama birkaç kuşak sonra böyle bir kaçış olasılığı da kalmayacaktı. Tek dil olarak Yenisöylem'i öğrenerek yetişmiş biri, *eşit* sözcüğünün bir zamanlar "siyasal bakımdan eşit" gibi ikincil bir anlamı olduğunu ya da *özgür* sözcüğünün bir zamanlar "düşünsel bakımdan özgür" anlamına da geldiğini artık bilmeyecekti; tıpkı satranç nedir bilmeyen birinin, *vezir* ve *kale* sözcüklerine yakıştırılan ikincil anlamların ayırdında olmaması gibi. Birçok suç ve hatayı işlemeye olanak bulamayacaktı, çünkü o suç ve hataların bir adı olmadığından onları düşünmek bile mümkün olmayacaktı. Zamanla Yenisöylem'in belirleyici özelliklerinin daha da belirginleşeceğini, sözcüklerin giderek daha da azalacağını, anlamlarının her geçen gün biraz daha daralacağını ve onları uygunsuz biçimde kullanma olanağının gittikçe azalacağını kestirmek zor olmasa gerekti.

Eskisöylem yerini tümden Yenisöylem'e bıraktığında, geçmişle olan son bağ da koparılmış olacaktı. Kaldı ki, tarih çoktan yeniden yazılmıştı, ama eski edebiyat bölük pörçük de olsa bir yerlerde kalmıştı, henüz bütünüyle sansürden geçirilmiş değildi, Eskisöylem'i hâlâ bilen birinin bunları okuması mümkündü. Gelecekte bu edebiyat parçaları, yitip gitmemiş olsa bile, anlaşılmaz ve çevrilemez olacaktı. Teknik bir işlem ya da çok sıradan günlük davranışlarla ilgili olanlar ya da zaten öğretiye bağlılık gösterenler (Yenisöylem'de *iyidüşünlü* deniyordu) dışında, Eskisöylem'de yazılmış bir bölümü Yenisöylem'e çevirmek olanaksızdı. Bu da, uygulamada, yaklaşık 1960'tan önce yazılmış hiçbir kitabın bütünüyle çevrilemeyeceği anlamına geliyordu. Devrim'den önceki edebiyat Yenisöylem'e ancak ideolojik çeviriyle aktarılabilirdi, ki bu da dil kadar anlamın da değişmesi demekti.

Örneğin, Bağımsızlık Bildirgesi'nin[1] şu ünlü bölümünü alalım:

Şu gerçeklerin su götürmez olduğu kanısındayız: Bütün insanlar eşit yaratılmışlardır ve Yaradan onlara yaşam, özgürlük ve mutlu olmak gibi geri alınamaz bazı haklar bağışlamıştır. İnsanlar, bu hakların güvence altına alınması için, yasal yetkilerini halkın onayından alan hükümetler kurmuşlardır. Bu hakları yok etmeye kalkışan herhangi bir hükümeti değiştirmek ya da ortadan kaldırmak ve yerine yeni bir hükümet kurmak halkın hakkıdır.

Bu metni özgün anlamına bağlı kalarak Yenisöylem'e çevirmek nerdeyse olanaksızdı. Koca bölüm, tek bir *suçdüşün* sözcüğü içinde yutulup giderdi. Tam bir çeviri ancak ideolojik bir çeviri olabilirdi, ki orada da Jefferson'ın sözleri mutlak hükümete bir övgüye dönüşüverirdi.

Aslında, geçmiş edebiyatın azımsanmayacak bir bölümü bu yoldan dönüştürülmüş bulunuyordu. Hem saygınlıkları göz önüne alınarak hem de başarılarını İngsos felsefesine uygun kılmak kaygısıyla, bazı tarihsel kişiliklerin anısının korunması istenmişti. O yüzden, Shakespeare, Milton, Swift, Byron, Dickens ve daha başka yazarlar Yenisöylem'e aktarılmaktaydı; bu işlem tamamlandığında, bu yazarların özgün metinleri, geçmiş edebiyattan kalan bütün öteki metinlerle birlikte yok edilecekti. Ne var ki, çeviriler ağır ve zor yürüyordu; yirmi

1. Amerikan Bağımsızlık Bildirgesi. ABD tarihinde, 13 koloninin İngiliz yönetimine karşı bağımsızlığını ilan eden belge. Halkı temsil eden bir kurul, ülkeyi kendi iradesine göre yönetme hakkını ilk kez bu belgeyle dile getirmiştir. 4 Temmuz 1776'da onaylanan belgenin metnini, sonradan ABD'nin üçüncü başkanı olan siyasi önder ve düşünür Thomas Jefferson kaleme almıştır. Bildirge'de, insanın doğal hakları ve toplumsal sözleşme yoluyla yönetme kuramı dile getirilmiştir. (Ç.N.)

birinci yüzyılın yirmili yıllarından önce tamamlanması beklenmiyordu. Ayrıca, aynı işlemden geçirilmesi gereken çok sayıda kullanıcı kitabı da –gerekli teknik el kitapları ve benzerleri– vardı. Yenisöylem'in tümüyle benimsenmesi için 2050 gibi geç bir tarihin belirlenmiş olmasının asıl nedeni, bu çeviri işlemlerinin tamamlanmasına zaman tanımaktı.